Triángulo APreciado

6.ª Edición

PRODUCTOS, PRÁCTICAS Y PERSPECTIVAS

Louis Baskinger
Cecilia Herrera
Frank Masel

Wayside®
PUBLISHING

Printed in the USA

4 5 6 7 8 9 10 KP 19

Print date: 1138

Hardcover ISBN 978-1-944876-80-7

Los países hispanohablantes

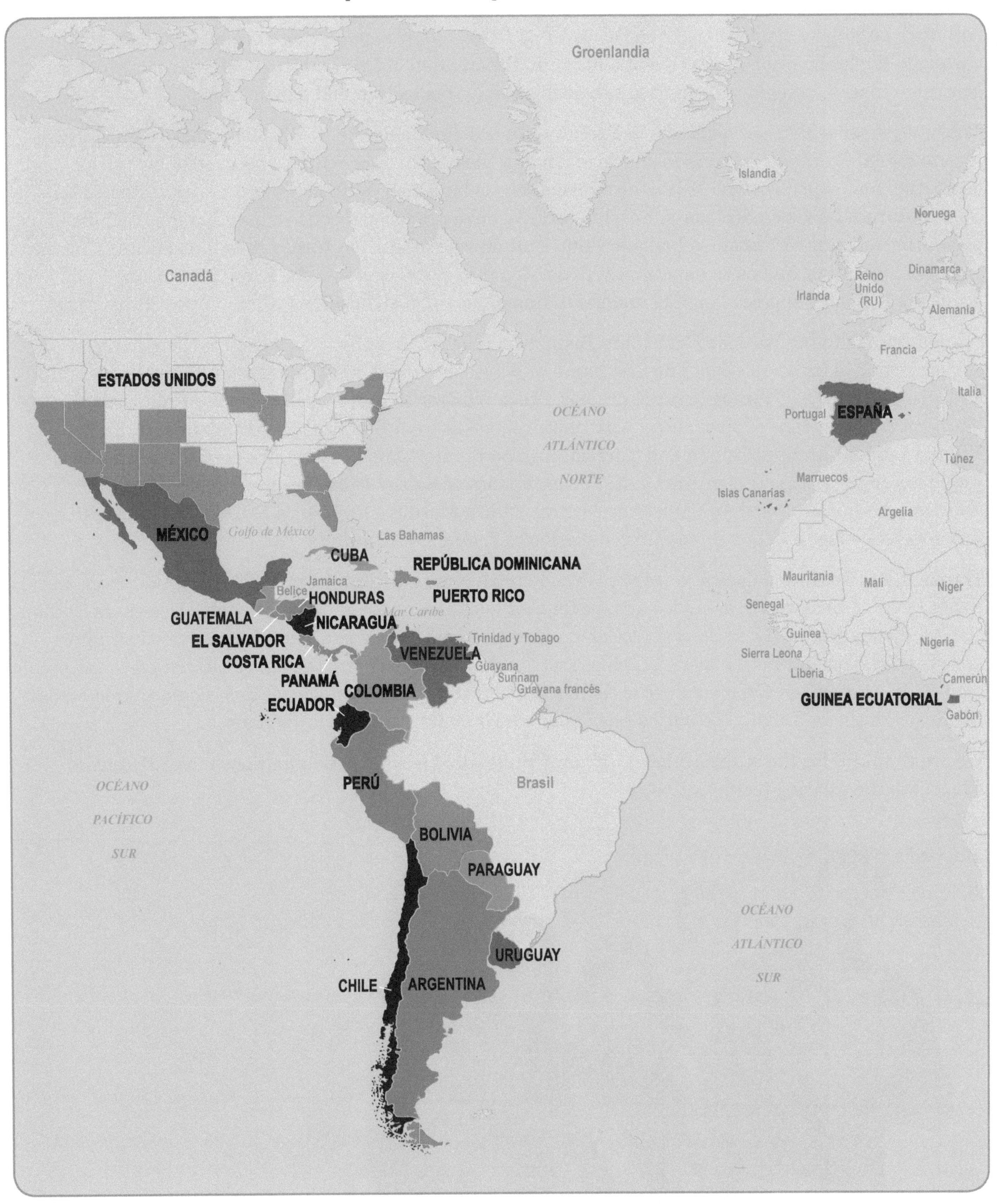

Acknowledgements

Although only three names appear on the cover of *Triángulo APreciado* there are many others whom we would like to mention for their contribution to the creation of this text. It is with our most sincere gratitude that we recognize them for all their hard work, dedication and friendship.

The first person whom we would like to acknowledge is John McMullan. It was his and Barbara Gatski's idea to create *Triángulo APreciado* and to make us a part of this project. It is because of his talent, dedication and expertise that *Triángulo APreciado* was launched. With John as a major writer and contributor to the vision and content of this text, we have produced a book that will guide teachers in presenting a better AP® Spanish Language and Culture course. This, in turn, will help students to succeed on the examination, and more importantly, to develop into global citizens who know the language well while acquiring a greater appreciation and understanding of the Spanish-speaking communities of this world.

Special thanks to the Wayside Publishing Team, who coached and advised us from the beginning of our project until its completion. The first name in Wayside is President Greg Greuel. Greg's leadership and wisdom guided us throughout the process. Steve Whitworth, Product Development Manager, has been a tremendous support along with encouragement from Editorial Project Managers, Eliz Tchakarian and Lindsey Colling and Curriculum Coordinator, Janet Parker. Without them, our ideas would not have become this printed text. The assistance of Kelsey Hare, Permissions Manager, in acquiring permissions and Ana Martínez Álvarez, María Matilla, and Megan McDonald in the editing of text was a key factor in our successful completion of *Triángulo APreciado*.

The countless hours and dedication of the Wayside production and design team—Derrick Alderman; and Rivka Levin of Bookwonders—added artistic touches to our manuscript. Senior Graphic Designers Nathan Galvez, Shelby Newsted and Sawyer McCarron-Rutledge, and Junior Graphic Designer Tawny Cantor have been responsible for the many graphics and graphic organizers and the many corrections to the proofs both in the text and on Explorer. Special thanks to Deb Penham, IT Manager, with assistance from Maddie Bonneau, Matheux Knight, and James Levasseur who brought our ideas to Explorer.

We are thankful for the collaboration of so many professionals whose contributions make *Triángulo APreciado* the exciting textbook that it is.

Triángulo APreciado Mission and Vision

Triángulo APreciado is a standards-based text that contains five chapters built around cultural products (chapters one, two, and three) and themes (chapters four and five). Each chapter provides students the opportunity to analyze authentic sources, engage with others in Spanish and practice the various tasks found on the AP® Spanish Language and Culture Exam.

Triángulo APreciado Mission

Our mission is to prepare students for the AP® Spanish Language and Culture Exam while giving them opportunities to express themselves in Spanish and acquire a better understanding and appreciation of cultures within the Spanish speaking world.

Triángulo APreciado Vision

Our vision is an interconnected world in which students embrace the interculturality of global citizenship, respect for others and their ideas and discover a passion for language learning through honed skills of communication.

Welcome To *Triángulo APreciado*

Un mensaje para nuestros apreciados estudiantes

Bienvenidos a *Triángulo APreciado* ¿Por qué un triángulo? Como las pirámides del antiguo Egipto, el triángulo es la forma arquitectónica que sostiene y refuerza estos antiguos y grandes monumentos dedicados a la labor humana. *Triángulo APreciado* va a servir de base en la preparación del estudiante para exámenes avanzados como el examen de Advanced Placement®. El profesor y el texto, que están en los ángulos inferiores, por supuesto, forman los cimientos que sostienen al estudiante, que está en el ángulo superior, ojalá, del triángulo. La cooperación mutua entre estos tres elementos beneficia al estudiante.

Tú, el estudiante, has llegado a cierto nivel de comprensión del español, una lengua que no es la tuya. Poco a poco has desarrollado tu capacidad de comprender oralmente, de hablar con fluidez, de leer con perspicacia y de escribir con claridad. Por lo menos sabes comunicarte en un español claro y simple. Y ahora quieres dar un salto más hacia adelante para subir a la cima de este triángulo que tanto te apoya. Con la ayuda de este libro y tu profesor vas a continuar este proceso vital y creador.

Los autores hemos escrito este libro para proporcionarte a vista de pájaro el examen de Advanced Placement® y para ayudarte a subir a un nivel más avanzado del dominio del español. Para realizar esta meta hemos puesto mucho énfasis en la cultura. Por lo tanto, este libro no sirve sólo en la preparación para un examen específico sino en el mejoramiento general del manejo del idioma español y el conocimiento del mundo español. Seguimos el formato y organización del examen de lengua Advanced Placement®. Hemos elegido algunos temas muy apreciados por la juventud de hoy en día. Te invitamos a repasar y a aprender de una gran variedad de materiales auténticos que representan la extensión y la profundidad del mundo iberoamericano mientras te acostumbras a los distintos tipos de tareas que comprenden el nuevo formato del examen de lengua Advanced Placement®.

Un examen como el de lengua Advanced Placement® es muy comprensivo y, a nuestro parecer, presenta muchas importantes oportunidades de las que los estudiantes pueden aprovechar para conseguir su ciudadanía mundial. Creemos también que no se puede lograr el progreso sin el esfuerzo, la dedicación y el entusiasmo del estudiante y su deseo de mejorar su dominio del idioma. Por eso, los autores esperamos que con la ayuda de *Triángulo APreciado* y la destreza y el entusiasmo de sus profesores, los estudiantes realicen sus sueños académicos.

Buena suerte,
los autores

World-Readiness Standards For Learning Languages

GOAL AREAS	STANDARDS		
COMMUNICATION Communicate effectively in more than one language in order to function in a variety of situations and for multiple purposes	**Interpersonal Communication:** Learners interact and negotiate meaning in spoken, signed, or written conversations to share information, reactions, feelings, and opinions.	**Interpretive Communication:** Learners understand, interpret, and analyze what is heard, read, or viewed on a variety of topics.	**Presentational Communication:** Learners present information, concepts, and ideas to inform, explain, persuade, and narrate on a variety of topics using appropriate media and adapting to various audiences of listeners, readers, or viewers.
CULTURES Interact with cultural competence and understanding	**Relating Cultural Practices to Perspectives:** Learners use the language to investigate, explain, and reflect on the relationship between the practices and perspectives of the cultures studied.		**Relating Cultural Products to Perspectives:** Learners use the language to investigate, explain, and reflect on the relationship between the products and perspectives of the cultures studied.
CONNECTIONS Connect with other disciplines and acquire information and diverse perspectives in order to use the language to function in academic and career-related situations	**Making Connections:** Learners build, reinforce, and expand their knowledge of other disciplines while using the language to develop critical thinking and to solve problems creatively.		**Acquiring Information and Diverse Perspectives:** Learners access and evaluate information and diverse perspectives that are available through the language and its cultures.
COMPARISONS Develop insight into the nature of language and culture in order to interact with cultural competence	**Language Comparisons:** Learners use the language to investigate, explain, and reflect on the nature of language through comparisons of the language studied and their own.		**Cultural Comparisons:** Learners use the language to investigate, explain, and reflect on the concept of culture through comparisons of the cultures studied and their own.
COMMUNITIES Communicate and interact with cultural competence in order to participate in multilingual communities at home and around the world	**School and Global Communities:** Learners use the language both within and beyond the classroom to interact and collaborate in their community and the globalized world.		**Lifelong Learning:** Learners set goals and reflect on their progress in using languages for enjoyment, enrichment, and advancement.

The National Standards Collaborative Board. (2015). *World-Readiness Standards for Learning Languages*. 4th ed. Alexandria, VA: Author.

Cusco, Peru

Estructura del capítulo

Triángulo APreciado

- **Introducción**
  - Metas del capítulo
  - Preguntas esenciales
  - AP® Temas curriculares y Contextos recomendados
- **El producto/tema cultural**
- **Conexiones 1, 2 & 3**
  - ¿Qué sabes?
    - Vocabulario para una mejor discusión
    - Exprésate
    - ¡Para saber más!
    - Infórmate
  - ¿Qué más necesitas saber?
    - Vocabulario para una mejor comprensión
  - ¿Aprecias la cultura hispanohablante?
    - Fuente
  - ¿Qué aprendiste?
    - Prácticas y perspectivas culturales
    - Presenta
    - Atando cabos sueltos
- **Resumen de vocabulario**
- **Gramática problemática**
- **En resumen: El *IPA***
  Integrated performance assessment

Otros elementos del capítulo

- Comunica
- La gran diversidad del español
- Palabras imprescindibles
- Vocabulario para una mejor expresión
- ¡OJO!
- Estrategias
- Mi progreso comunicativo
- Mi progreso intercultural

Al empezar

EXPLORER

Triángulo APreciado Explorer resources include audio/video authentic resources, additional vocabulary practice, simulated conversation practice, graphic organizers, discussion forums, and more. Learners will collect evidence of their growth in *Mi portafolio* in Explorer, as well.

CONEXIONES

Expand various aspects of the product or theme via authentic resources and communication in the three modes.

GRAMÁTICA PROBLEMÁTICA

Review in context the more challenging grammar topics of the Spanish language.

Capítulo 1

El *smartphone*

Metas del capítulo

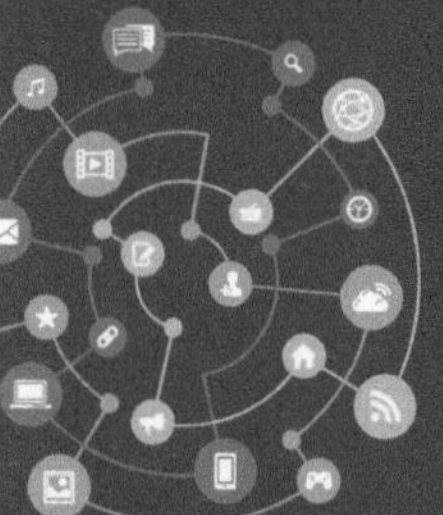

- Comprender las ideas principales y secundarias presentadas en varias fuentes auténticas sobre el *smartphone*, las redes sociales e internet.
- Conversar con otros sobre las atracciones del *smartphone*, el comportamiento en las redes sociales y la seguridad en internet.
- Explorar, reflexionar y presentar soluciones a los desafíos del *smartphone* y las amenazas en las redes sociales e internet.
- Comparar las prácticas de internet en las comunidades hispanohablantes con las de mi comunidad y cómo las perspectivas culturales influyen en estas prácticas.

El producto cultural: El *smartphone*

Este producto te abre una puerta y una perspectiva al uso de internet con los beneficios y las amenazas que conlleva. Vas a hacer una serie de actividades y reflexiones que te ayudarán a conocer mejor el impacto del uso de internet en la vida cotidiana.

EN RESUMEN: EL IPA

Students apply what they have learned in the final Integrated Performance Assessment.

PREGUNTAS ESENCIALES
Connect day-to-day learning with bigger questions.

EL PRODUCTO CULTURAL
Focus on a familiar cultural product or theme which serves to spark interest and insight into cultural practices and perspectives.

Capítulo 1 | El *smartphone*

Preguntas esenciales

- ¿Qué impacto ha tenido el teléfono móvil en el estilo de vida actual?
- ¿Qué rol tiene el teléfono celular en el comportamiento?
- ¿Qué problemas de seguridad produce el uso de internet?

AP® Temas curriculares	AP® Contextos recomendados
La ciencia y la tecnología	La ciencia y la ética El acceso a la tecnología Los efectos de la tecnología en el individuo y en la sociedad
Las familias y las comunidades	Las redes sociales
La vida contemporánea	Las relaciones personales Los estilos de vida El entretenimiento y la diversión

Mi progreso comunicativo

Sé comprender las ideas principales y secundarias en varias fuentes auténticas sobre el *smartphone*, las redes sociales e internet.

Sé participar en conversaciones, responder a algunas preguntas, pedir información, expresar y defender opiniones detalladas sobre el *smartphone*, las redes sociales e internet.

Sé dar presentaciones orales para hacer comparaciones culturales y escribir una carta argumentativa para apoyar una opinión.

Mi progreso intercultural

Sé comparar los productos y las prácticas relacionados con el *smartphone*, las redes sociales e internet en las comunidades hispanohablantes con las de mi comunidad y cómo las perspectivas culturales los influyen.

Sé conversar con hispanohablantes sobre la tecnología preferida para comunicarse.

4

El *smartphone* | **Capítulo 1**

El producto cultural:
El *smartphone*

¿Estamos conectados? ¿Tienes mi información para conectar? ¿Me puedes mandar un mensaje de texto? Estas son preguntas que oímos constantemente en nuestra vida cotidiana. Esto se debe a la importancia del papel que el móvil tiene para nosotros. Sea cual sea la marca, un *smartphone* es el producto electrónico quizás más apreciado por nosotros los jóvenes y es el producto del que dependemos más. No es importante por qué lo usamos, si es para charlar, para pedir servicios o simplemente para matar el tiempo; es casi imposible no tenerlo al alcance de la mano.

#conectados

La realidad de la vida actual es que estar conectado significa mucho más de lo que se creía en el pasado. Érase una vez cuando el teléfono fijo funcionaba para ofrecernos el servicio de hablar. El papel que juega hoy en día el *smartphone* es el alivio de muchas preocupaciones del caos de la rutina diaria. Con el *smartphone*, compramos, pagamos las cuentas, buscamos direcciones y socializamos. Al hacer un clic, podemos acceder a todo lo que necesitamos. Es el *smartphone* el que nos da la conectividad, nos dirige el estilo de vida y nos pone en comunicación por las redes sociales, para lo bueno y lo malo.

Entonces la próxima vez que hagas la pregunta... ¿estamos conectados?... recuerda que el *smartphone* no sólo sirve para conectarte. Tu *smartphone* es tu sustento.

#tusustento

Capítulo 1 | El *smartphone* 5

AP® TEMAS CURRICULARES Y CONTEXTOS RECOMENDADOS
All six AP® Global themes and recommended contexts are woven in throughout the book.

Conexiones

ACTIVIDADES

Present scaffolded student communication via multiple modes of communication.

The compass icon indicates additional support in Explorer.

Conexión 2

El comportamiento en las redes sociales

El enfoque: ¿Cómo nos han complicado la vida las redes sociales?

¿Qué sabes?

Fíjate en... ¡tu comportamiento con el *smartphone* en la mano!

Vocabulario para una mejor discusión

Para mejorar tu capacidad de participar más ampliamente en las conversaciones de clase, encontrarás aquí vocabulario útil y pertinente para el tema de esta conexión. Además, este vocabulario te va a ayudar a aumentar y desarrollar tu español en general.

¿QUÉ SABES?

Presents a series of images to activate background knowledge and initiate discussion.

...nal con otros
...tuar)
(divertirse)
(enviar)

Desarrollando tu vocabulario

Antes de participar en las discusiones de clase, accede a tu cuenta en la *guía digital*, el sitio *web* estudiantil donde puedes encontrar práctica y recursos adicionales para este libro. Hay ejercicios para ayudarte a rec... **para una mejor discusión.**

18

La atracción del *smartphone* | **Conexión 1**

Infórmate

¿Una necesidad o un deseo?

Paso 1

Instrucciones: Para poder anticipar el contenido del video, antes de mirarlo, examina las instantáneas. Adivina lo que se va a promocionar en el video. Describe una aplicación parecida que usas.

Paso 2

Instrucciones: Para comprender bien el video, *Amazon.es lanza su tienda de alimentación y limpieza del hogar*, míralo por lo menos dos veces.

Paso 3

Instrucciones: Para mejorar tu capacidad de comunicarte con otros, conversa con un/a compañero/a para responder a las preguntas.

1. ¿Por qué usas o no usas una aplicación parecida?
2. ¿Cómo te beneficiaría tener una aplicación similar?
3. ¿Por qué le beneficia la *app* a esta señora?
4. Compara los beneficios de tu servicio con los que miras en el video.

Paso 4

Tema de debate: Las aplicaciones como *Amazon.es* sirven para satisfacer un deseo y no son una necesidad.

Mi progreso comunicativo

Sé dar y justificar opiniones sobre si las aplicaciones del *smartphone* sirven para satisfacer una necesidad.

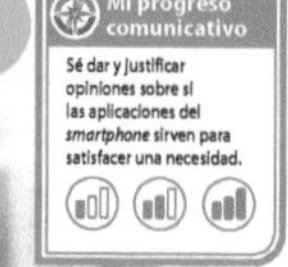

MI PROGRESO COMUNICATIVO

Students provide evidence of growing proficiency in *Mi portafolio* in Explorer, which contains all Can-do statements included throughout the chapter.

La atracción del *smartphone* | **Conexión 1**

Comunica

Instrucciones: En este diálogo de mensajes de texto, Gabriel ha perdido su móvil y usa el móvil de su amigo para mandarle un mensaje de texto a su hermana, Amelia, pidiéndole prestado el suyo. Imagina que eres Amelia. Escribe respuestas y reacciones a lo que dice Gabriel según las instrucciones para Amelia.

Gabriel: Perdí mi móvil y necesito acceder a mis cuentas. Quisiera pedirte prestado el tuyo, Amelia, pero necesito tu contraseña.

Amelia: Responde negativamente.

Gabriel: Pero, por favor, no es que solo quiera matar el tiempo. Lo necesito muchísimo.

Amelia: Reacciona apropiadamente y explica por qué te aficionas a usar el *smartphone*.

Gabriel: Pero, hermanita, necesito acceder a tu teléfono. Dame tu contraseña, por favor.

Amelia: Responde negativamente y dile por qué no.

...omprendo, pero, ¿qué sugieres que haga ...pago hasta el sábado. Cuando lo reciba, ...ular.

...de contactar a un amigo.

...n casa. Y cuídate. Hasta pronto.

...spídete.

ESTRATEGIAS

Observa y realiza para participar en una conversación

Observa: Hay dos personas que están conversando. Tu rol es el de Amelia y tienes que responder a lo que escribe Gabriel.

Realiza: Lee lo que dice Gabriel y cómo necesitas responder según las instrucciones para Amelia. Escribe como le escribirías un mensaje de texto a un amigo. No es necesario escribir oraciones completas pero lo que escribes debe ser lógico y coherente.

Capítulo 1 | Conexión 1 7

ESTRATEGIAS

Learning strategies to enhance AP® exam performance are found throughout the book.

Vocabulario

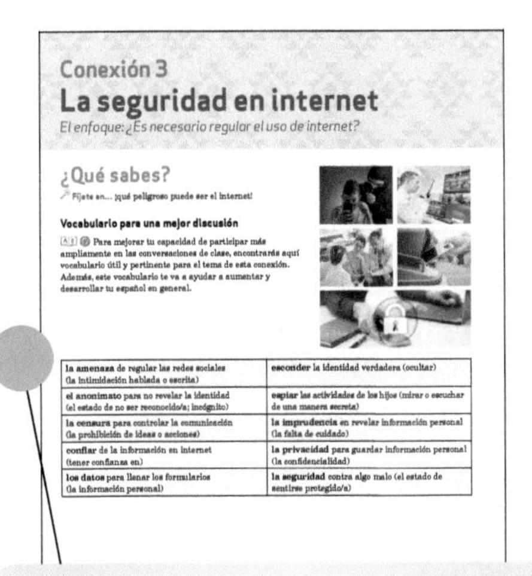
Conexión 3

La seguridad en internet

El enfoque: ¿Es necesario regular el uso de internet?

¿Qué sabes?

Vocabulario para una mejor discusión

VOCABULARIO PARA UNA MEJOR DISCUSIÓN

Allows students to participate more thoroughly in class discussions about the theme of each connection and others.

Find additional practice and resources in Explorer.

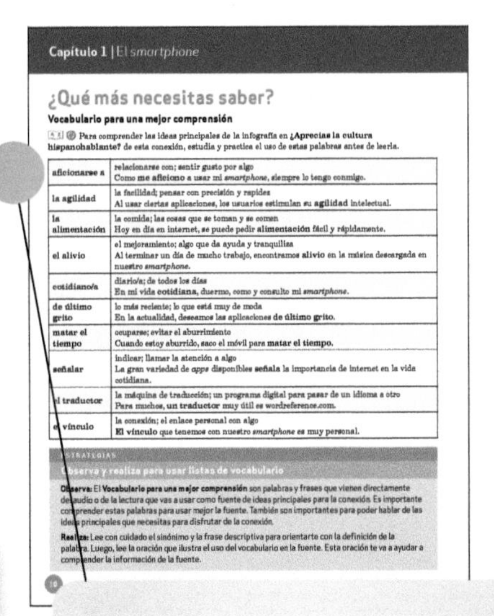
Capítulo 1 | El *smartphone*

¿Qué más necesitas saber?

Vocabulario para una mejor comprensión

VOCABULARIO PARA UNA MEJOR COMPRENSIÓN

Provides essential vocabulary for understanding the authentic sources of *¿Aprecias la cultura hispanohablante?*

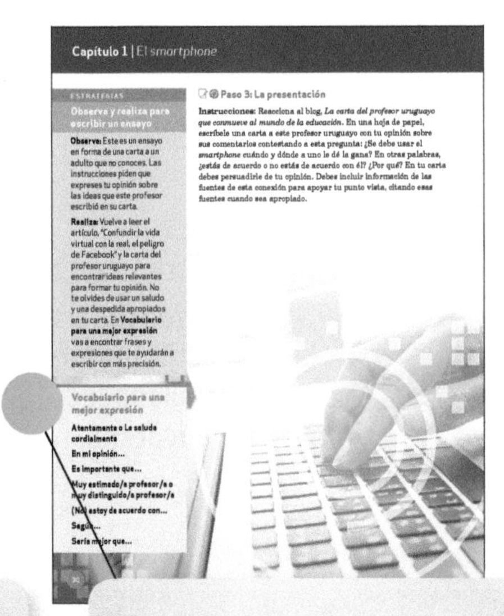
Capítulo 1 | El *smartphone*

Paso 3: La presentación

Vocabulario para una mejor expresión

VOCABULARIO PARA UNA MEJOR EXPRESIÓN

Helps to connect ideas and provides idioms in interpersonal and presentational tasks.

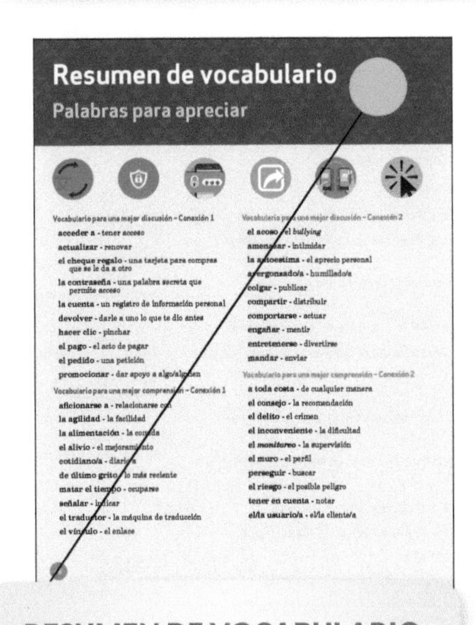
Resumen de vocabulario

Palabras para apreciar

RESUMEN DE VOCABULARIO

Summarizes the vocabulary studied in the chapter.

Find more practice in context in Explorer.

Conexión 1

La atracción del *smartphone*

El enfoque: ¿Qué nos atrae al smartphone?

¿Qué sabes?

Desarrollando tu vocabulario

LA GRAN DIVERSIDAD DEL ESPAÑOL

Sidebars that showcase the diversity of the language across Spanish-speaking countries and regions.

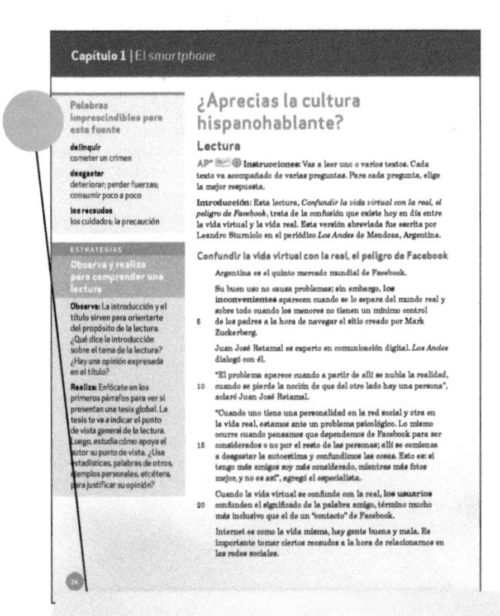
Capítulo 1 | El *smartphone*

¿Aprecias la cultura hispanohablante?

Lectura

Confundir la vida virtual con la real, el peligro de Facebook

PALABRAS IMPRESCINDIBLES PARA ESTA FUENTE

Important vocabulary specific to the accompanying authentic source.

Gramática problemática

GRAMMAR IN CONTEXT
Emphasizes the use of a specific grammar point in all modes of communication.

GRAMMAR SUMMARY
Contains helpful explanations of grammatical structures.
Find more practice in context in Explorer.

Gramática problemática
Ser y estar

Introducción: Este es un mensaje electrónico que has recibido de la gerente de la empresa Smarterphones, S.A. Ella contesta al mensaje que le mandaste en el cual escribiste sobre el problema que tienes con tu celular. Al leer el mensaje, presta atención a los usos de ser y estar.

De: Yolanda Fernández León Cc Bcc
Asunto: La reparación del Smarterphone

Estimada Elena Pizarro Romero:

Soy Yolanda Fernández León, una de los gerentes de nuestra empresa. Es mi responsabilidad contestar a la correspondencia que recibimos, especialmente cuando nuestros clientes no están satisfechos con nuestros productos. Estamos muy orgullosos de nuestros Smarterphones y, para nosotros, es importante tener clientes contentos. Cuando recibimos un mensaje de un cliente que está escribiendo con una queja, contestamos inmediatamente. Es nuestra intención comprender cuál es el problema y cuál es la solución para satisfacer al cliente.

En su mensaje, Ud. dijo que el celular no está funcionando bien y que está descompuesto. La verdad es que nunca describió exactamente cuál es el problema. Tampoco dijo en su mensaje dónde está la tienda donde Ud. lo compró.

Favor de responder al mensaje incluyendo esta información:

- ¿Cuál es el problema?
- ¿Cuándo compró Ud. el celular?
- ¿Dónde compró Ud. el celular?
- ¿En qué condición estaba cuando lo compró?
- ¿Hay una tienda cerca donde Ud. pueda devolver el celular?

Ud. mencionó que el próximo mes será su cumpleaños y necesita su Smarterphone para esa fecha. Esto no es ningún problema. Nuestro servicio ha sido siempre de alta calidad y todos nosotros aquí estamos dedicados a mantener esta calidad. Favor de contestar lo más pronto posible.

Atentamente,
Yolanda Fernández León
La gerente general de Smarterphones

Responder

Instrucciones: Después de pensar en los usos de ser y estar, escríbele a la señora Yolanda Fernández León un correo electrónico en el cual contestas a las preguntas. Cuidado al escoger ser o estar.

48

Gramática problemática | **Capítulo 1**

Ahora lee la explicación que sigue para repasar los usos y verifica si has escrito correctamente tus oraciones usando ser y estar.

ESTAR es el verbo utilizado para comunicar:

1. Salud
   a. Estoy mal por tener que consultar mi móvil en cualquier momento.
   b. ¿Cómo estoy? Estoy medio enferma por haber perdido mi móvil.
2. Ubicación (lugar)
   a. No sé dónde está mi celular.
   b. Estoy de aquí para allá para encontrarlo.
3. Condición (emoción, estado, apariencia)
   a. Estoy desesperada porque no lo encuentro. (emoción)
   b. El celular está descompuesto. (estado)
   c. Mis amigos me dicen, "¡Qué guay estás en las fotos con tu móvil nuevo!" (apariencia)
4. Tiempos progresivos
   a. He estado buscando un remedio para mi adicción.
   b. ¡Uf! ¡Mi celular está sonando! ¡Con permiso!

SER es el verbo utilizado para comunicar:

1. Identificación (origen, características físicas y distintivas, profesión)
   a. Soy de una cultura donde el *smartphone* me controlaba totalmente. (origen)
   b. Desde cuando era bajita y flaca, he tenido mi celular a mi lado. (características físicas)
   c. Buenos días. Soy un exusuario de celulares. (característica distintiva)
   d. Ahora soy bibliotecaria y no me permiten usar ningún *smartphone*. (profesión)
2. Evento (fecha, hora, día, mes, año)
   a. Sería el 29 de febrero cuando, de repente, encontré una aplicación que me salvó. (fecha)
   b. Eran las tres de la mañana y no podía separarme de mi celular. (hora)
3. Acción (algo que ocurre)
   a. El momento de darme cuenta de mi adicción fue en mi casa.
   b. La celebración de mi aniversario sin celular será en el Club Hípico.
4. La voz pasiva (ser y un participio pasado)
   a. Durante la celebración ningún celular será activado por nadie.
   b. Todos serán controlados por la aplicación salvadora en mi celular. Adiós y gracias.

Adjetivos que tienen significados diferentes si se usan con ser o con estar.

Aburrido
El estudiante está aburrido porque la clase es aburrida.

Rico
Ella es rica.

Las empanadas están ricas.

Seguro
Este sitio *web* es seguro.

Él no está seguro.

Capítulo 1 | Gramática problemática 49

En Resumen: El IPA

LAS FUENTES DEL CAPÍTULO
Lists all authentic sources from the chapter for easy reference.

EN RESUMEN: EL IPA
A final performance assessment is set in an authentic cultural context.

Find supporting materials in Explorer.

MODES OF COMMUNICATION
Emphasizes assessment in the interpretive, interpersonal, and presentational modes of communication.

En resumen: el IPA

Integrated Performance Assessment

Las fuentes del capítulo

Conexión 1
- Video: *Amazon.es lanza su tienda de alimentación y limpieza del hogar*
- Infografía: *Las apps más utilizadas en España*
- Lectura: *Lista de aplicaciones creadas en países hispanohablantes*

Conexión 2
- Video: *La realidad virtual confirma su liderazgo con la llegada de Pokémon Go*
- Lectura: *Confundir la vida virtual con la real, el peligro de Facebook*
- Lectura: *La carta del profesor uruguayo que conmueve al mundo de la educación*

Conexión 3
- Gráfica: *Grado de aprobación a la hora de facilitar información personal en las redes sociales*
- Audio: *Se abre el debate en torno a la necesidad de regular las redes sociales*
- Lectura: *Sobre la prohibición del uso de teléfonos móviles en escuelas e institutos*

El equipo directivo de tu escuela te invita a participar en un concurso. El concurso promoverá la creación de una aplicación virtual. ¡Aceptas la invitación con mucho gusto y entusiasmo!

Antes de planear tu proyecto, ten en cuenta las preguntas esenciales del capítulo para incorporar la información en tu presentación.

1. ¿Qué impacto ha tenido el teléfono móvil en el estilo de vida actual?
2. ¿Qué rol tiene el teléfono celular en el comportamiento?
3. ¿Qué problemas de seguridad produce el uso de internet?

Evaluación de tu comprensión

Vas a leer un artículo que trata de las aplicaciones que existen hoy en día. Es un artículo escrito por una bloguera española.

Evaluación de tu comunicación interpersonal

Instrucciones: Antes de hablar con tus compañeros, vas a organizar tus ideas para idear una aplicación. Para compartir y desarrollar tus ideas, vas a entrevistar a tus compañeros. Luego de hablar con ellos, vas a apuntar las ideas en un organizador gráfico para ayudarte a planear tu presentación final.

50

En resumen: el IPA | **Capítulo 1**

Evaluación de tu presentación

Instrucciones: Para mejorar tu capacidad de dar una presentación oral, vas a idear una aplicación virtual.

Para preparar la presentación, vas a incluir:
- una representación visual
- un folleto de los componentes.

Para dar la presentación, vas a disponer de:
- una representación visual para organizar tus ideas
- dos minutos para la presentación oral.

Vocabulario para una mejor expresión

Aquí tienes palabras y frases que te pueden ayudar a expresarte mientras haces tu proyecto.

Dichos

Más vale prevenir que curar.
No todo lo que brilla es oro.

Conectores para refinar tu español

Según

El artículo dice que uno debe dejar el celular y retomar su vida.

Según el artículo, uno debe dejar el celular y retomar su vida.

El Gobierno quiere regular internet. Los jóvenes quieren un internet libre.

Aunque

El Gobierno quiere regular internet aunque los jóvenes quieren un internet libre.

En cambio

El Gobierno quiere regular internet; los jóvenes, en cambio, quieren un internet libre.

A diferencia de

El Gobierno quiere regular internet, a diferencia de los jóvenes, que quieren un internet libre.

Sin embargo

El Gobierno quiere regular internet; los jóvenes, sin embargo, quieren un internet libre.

IPA: Capítulo 1 | En resumen: el IPA 51

Interculturalidad/Interculturality

PRÁCTICAS Y PERSPECTIVAS CULTURALES

Presents questions about examples of cultural practices and perspectives found in the *¿Aprecias la cultura hispanohablante?* sources and in the student's personal life.

Share reflections in the Explorer discussion forum.

MI PROGRESO INTERCULTURAL

This unique self-assessment feature makes intercultural goals explicit to students.

CULTURE IN CONTEXT

Presents interpersonal speaking and presentational writing practice based on the focused themes of the chapter.

La atracción del *smartphone* | **Conexión 1**

Paso 3

Instrucciones: Para comprender mejor las prácticas y las perspectivas culturales que se encuentran en tu comunidad y en la infografía, habla con hispanohablantes de tu comunidad sobre el uso de sus *apps* preferidas, usando estas preguntas de discusión. Luego, comparte tus hallazgos con grupos de compañeros de clase para descubrir los estilos de vida explícitos en el uso de las aplicaciones.

Mi progreso intercultural
Sé conversar con hispanohablantes sobre el uso de sus *apps* preferidas.

Prácticas culturales

1. ¿Cómo pueden usar los españoles Wallapop?
2. ¿Cuáles son algunas estrategias que usan los usuarios para ganar en Apalabrados?

Perspectivas culturales

1. ¿Cuáles pueden ser los motivos por los cuales los españoles descargan estas aplicaciones?
2. ¿Crees que los españoles están motivados más por la necesidad o el deseo personal?
3. ¿Qué puedes concluir de la estadística que muestra que los españoles descargan más aplicaciones de juegos que aplicaciones educativas?

Capítulo 1 | Conexión 1 15

La seguridad en internet | **Conexión 3**

Paso 2: La exploración

Esta información te va a ayudar a hacer la presentación en **Paso 3**.

- Vas a investigar información sobre la política de otros colegios de tu país con respecto a la regulación del uso de los celulares para acceder a internet.
- Presta atención a las razones dadas por estos otros colegios para justificar la regulación o la falta de regulación del acceso a internet.
- Consulta con los compañeros de clase para considerar la información que ellos han encontrado.
- Escribe una lista de, al menos, cinco normas para el uso apropiado de los celulares en tu colegio para acceder a internet. Usa en tu presentación la información que tú y tus compañeros descubrieron.

Paso 3: La presentación

Instrucciones: Ahora vas a hacer una presentación oral a tu clase sobre tu lista de normas para el uso apropiado de los celulares en tu colegio. En tu presentación debes hacer referencia a las ideas expresadas en la cita *Sobre la prohibición del uso de teléfonos móviles en escuelas e institutos* de **Paso 1**. Explica por qué tus normas permiten el mejor plan para el uso de los celulares para acceder a internet durante las horas de clase de tu colegio. Tendrás cuatro minutos de preparación y dos minutos para grabar tu presentación en la guía digital, el sitio *web* estudiantil donde puedes encontrar práctica y recursos adicionales para este libro.

Atando cabos sueltos

Una conversación simulada

AP® Ahora que has completado esta conexión, tienes la oportunidad de practicar en la guía digital una conversación simulada que sigue el formato de la tarea en el examen de AP®. Fíjate en que esta conversación se basa en el tema de esta conexión.

Tu progreso comunicativo e intercultural

Después de grabar la conversación simulada, evalúa tu progreso durante esta conexión en el Apéndice A y en **Mi portafolio** en la guía digital para indicar lo que has aprendido a hacer.

ESTRATEGIAS

Observa y realiza para buscar información en internet

Observa: Al investigar las normas de otros colegios sobre el uso de los *smartphones* y las del colegio de España, ten en cuenta las diferencias y semejanzas en prácticas y perspectivas culturales.

Realiza: Las normas de un colegio revelan sus prácticas y sus perspectivas. Presta atención a las posibles consecuencias de las normas que encuentras. Enfócate en cómo pueden ayudar o impedir la educación. Debes llegar a una opinión sobre lo que cada colegio intenta proteger, desarrollar y controlar.

Mi progreso comunicativo
Sé presentar información investigada sobre las normas actuales del uso de aparatos electrónicos en una escuela o instituto.

Mi progreso comunicativo
Sé participar en conversaciones para responder a preguntas, pedir información y hacer recomendaciones.

Capítulo 1 | Conexión 3

Explorer/Guía digital

The online Explorer, Guía digital in Spanish, is the other half of the textbook. It connects students with language learning resources that inspire continuous exploration of cultural themes and ways to improve communication in Spanish.

Whether learning about cultural products, practices and perspective, communicating with other students and the teacher in discussion forums or updating their language learning portfolios with increasingly advanced work, students can practice all modes of communication at their own pace and within their level of proficiency.

AUDIOVISUAL AND PRINT AUTHENTIC RESOURCES

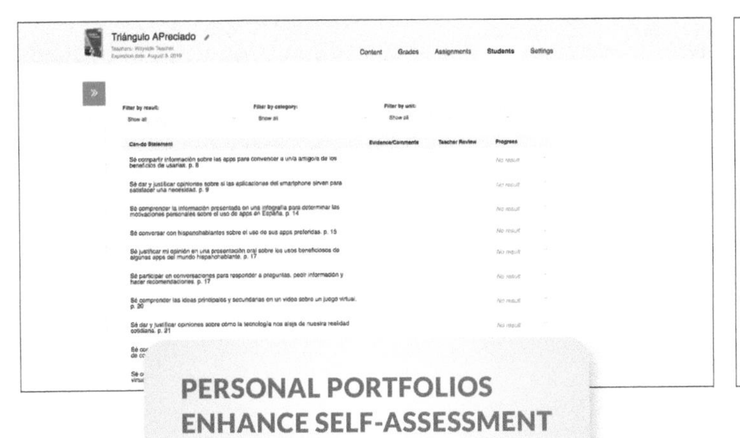

PERSONAL PORTFOLIOS ENHANCE SELF-ASSESSMENT

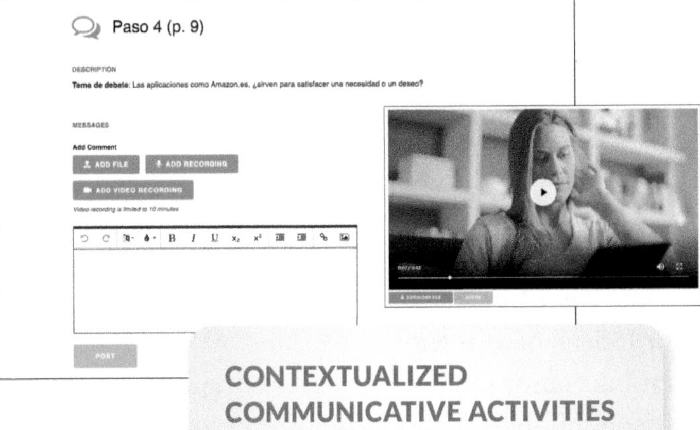

CONTEXTUALIZED COMMUNICATIVE ACTIVITIES

FlexText®

FlexText is Wayside's unique e-textbook platform. Built in HTML5, our digital textbook technology automatically adjusts the book pages to whatever screen you're using for optimal viewing.

Your FlexText can be accessed across all of your devices. And page by page, just like the printed textbook, FlexText allows students and teachers to use *Triángulo APreciado* on the go.

Metas del capítulo

- Comprender las ideas principales y secundarias presentadas en varias fuentes auténticas sobre el *smartphone*, las redes sociales e internet.
- Participar en conversaciones sobre las atracciones del *smartphone*, el comportamiento en las redes sociales y la seguridad en internet.
- Explorar, reflexionar y presentar soluciones a los desafíos del *smartphone* y las amenazas en las redes sociales e internet.
- Comparar las prácticas de internet en las comunidades hispanohablantes con las de mi comunidad y cómo las perspectivas culturales influyen en estas prácticas.

Preguntas esenciales

- ¿Qué impacto ha tenido el teléfono móvil en el estilo de vida actual?
- ¿Qué rol tiene el teléfono celular en el comportamiento?
- ¿Qué problemas de seguridad produce el uso de internet?

CAPÍTULO 1: El *smartphone*

Contexto comunicativo e intercultural

Summative Assessment

CAPÍTULO 2: La mochila

Contexto comunicativo e intercultural

Summative Assessment

Metas del capítulo

- Comprender las ideas principales y secundarias presentadas en varias fuentes auténticas sobre la mochila con respect al estilo, a su adaptación a las circunstancias de la comunidad y al rol de la mochila en la renovación personal.
- Conversar con otros sobre el diseño, los adornos, el propósito y el rol de la mochila en tu vida.
- Explorar, reflexionar y presentar sobre lo que la mochila representa para una persona en su estilo, diseño y uso.
- Comparar las prácticas de diseñar, adornar y usar la mochila en las comunidades hispanohablantes con las de mi comunidad, y cómo las perspectivas de estas prácticas influyen en la gente de varias comunidades.

Preguntas esenciales

- ¿Cómo refleja el diseño de la mochila la identidad del individuo?
- ¿Cómo adapta uno la mochila a las circunstancias de su comunidad?
- ¿Qué papel juega la mochila en la renovación personal?

Metas del capítulo

- Comprender las ideas principales y secundarias presentadas en varias fuentes auténticas sobre el rol del pan en las tradiciones, la nutrición y el bienestar socioeconómico.
- Conversar con otros sobre lo que se come o no se come considerando las tradiciones, la comida transgénica y las condiciones socioeconómicas.
- Explorar, reflexionar y presentar sobre lo que el pan representa para la población o una comunidad, el rol de la ciencia en la nutrición y la brecha entre ricos y pobres.
- Comparar las prácticas y perspectivas en comunidades hispanohablantes y en tu comunidad sobre cómo ayudan los jóvenes a proveer alimentación básica para todos.

Preguntas esenciales

- ¿Cómo influye el pan en las tradiciones?
- ¿Cuál es la relación entre la ciencia y la nutrición en el mundo moderno?
- ¿Cómo representa el pan el bienestar socioeconómico?

CAPÍTULO 3: El pan

Contexto comunicativo e intercultural

Summative Assessment

CAPÍTULO 4: La diversidad

Contexto comunicativo e intercultural

Summative Assessment

Metas del capítulo

- Comprender las ideas principales y secundarias presentadas en varias fuentes auténticas con respecto a la diversidad cultural, los desafiós de la integración cultural y el impacto de los extranjeros en una nueva cultura.
- Conversar con otros sobre el desarrollo de la identidad nacional, el proceso de aculturación y las contribuciones de los inmigrantes.
- Explorar, reflexionar y presentar el impacto de la diversidad de la inmigración en el desarrollo de una cultura de fusión.
- Comparar las prácticas inherentes en el proceso de la integración cultural en las comunidades hispanohablantes con las de tu comunidad y cómo las perspectivas sobre la inmigración influyen estas prácticas.

Preguntas esenciales

- ¿Qué es la diversidad cultural?
- ¿Qué factores influyen en la integración cultural a una nueva comunidad?
- ¿Qué impacto han tenido los extranjeros?

Metas del capítulo

- Comprender las ideas principales y secundarias presentadas en varias fuentes auténticas con respecto a los mitos y la realidad de la vida feliz, la idea de devolverle a la sociedad y los consejos para una vida feliz.
- Conversar con otros sobre la realidad y los mitos de la felicidad, la importancia de devolverle a la comunidad y los consejos para ser feliz en el futuro.
- Explorar, reflexionar y presentar lo que es la felicidad y aconsejar a otros sobre cómo asegurar un futuro feliz.
- Comparar los valores de las comunidades hispanohablantes con los de mi comunidad y cómo contribuyen a una vida feliz.

Preguntas esenciales

- ¿Cómo se define la vida feliz?
- ¿Cuáles son nuestros modelos de felicidad?
- ¿Cómo planeas ser feliz en el futuro?

CAPÍTULO 5: La vida feliz

Contexto comunicativo e intercultural

Summative Assessment

Appendices & Glossaries

Appendices

Glossaries

Icons Legend

The icons in this program:

- Indicate the mode of communication
- Reference the five goal areas as listed in the World-Readiness Standards for Learning Languages
- Provide a signpost where Explorer offers more support
- Prepare teachers and learners for the type of each task/activity

AP® Task	Interpretive Audiovisual	Presentational Speaking
Explorer	Interpretive Visual	Presentational Writing
Interpretive Print	Interpersonal Speaking	Cultures
Interpretive Audio	Interpersonal Writing	Vocabulary

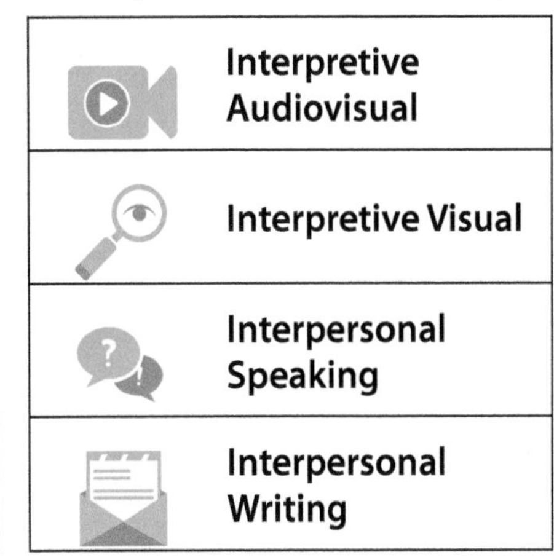

Capítulo 1

El *smartphone*

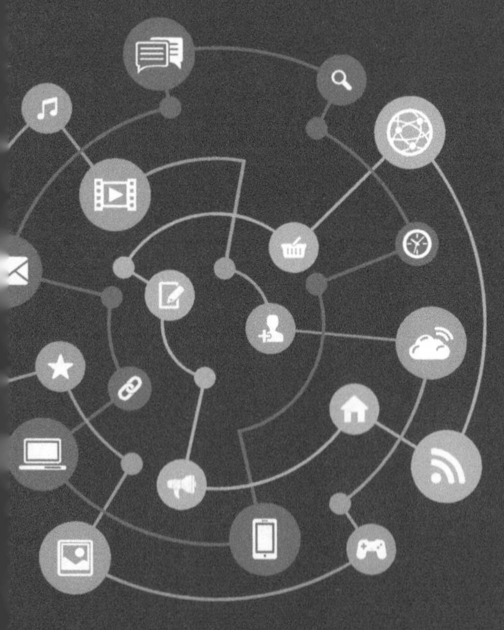

Metas del capítulo

- Comprender las ideas principales y secundarias presentadas en varias fuentes auténticas sobre el *smartphone*, las redes sociales e internet.
- Conversar con otros sobre las atracciones del *smartphone*, el comportamiento en las redes sociales y la seguridad en internet.
- Explorar, reflexionar y presentar soluciones a los desafíos del *smartphone* y las amenazas en las redes sociales e internet.
- Comparar las prácticas de internet en las comunidades hispanohablantes con las de mi comunidad y cómo las perspectivas culturales influyen en estas prácticas.

El producto cultural: El *smartphone*

Este producto te abre una puerta y una perspectiva al uso de internet con los beneficios y las amenazas que conlleva. Vas a hacer una serie de actividades y reflexiones que te ayudarán a conocer mejor el impacto del uso de internet en la vida cotidiana.

Te informarás sobre el uso del *smartphone* y lo que puedes hacer y obtener al alcance de tu mano. Te familiarizarás con las *apps* más usadas en algunas culturas hispanohablantes y las compararás. Participarás en intercambios personales con tus compañeros para conocer sus *apps* favoritas.

Explorarás los cambios en la vida social y en el comportamiento que han ocurrido debido al uso constante del *smartphone*. Te informarás de estos cambios en algunos países hispanohablantes para comparar las prácticas de los jóvenes que viven allá.

Te concienciarás sobre las amenazas y los peligros a los que te enfrentas al usar las redes sociales y otros sitios *web*.

Encontrarás una lista del vocabulario importante organizado por conexión: Vocabulario para una mejor discusión, Vocabulario para una mejor comprensión y Vocabulario para una mejor expresión. Incorporarás y desarrollarás este vocabulario en las actividades del capítulo.

Estudiarás y aprenderás cómo dominar los usos de ser y estar en contexto. Aprenderás a usar estos verbos con más facilidad en usos prácticos y comunes. Además, sabrás cómo cambia el sentido de ciertos adjetivos al intercambiar los verbos.

Ya que estás preparado/a para mostrar lo que aprendiste sobre el *smartphone*, internet y las redes sociales, diseñarás una *app* para resolver un problema.

Preguntas esenciales

- **¿Qué impacto ha tenido el teléfono móvil en el estilo de vida actual?**
- **¿Qué rol tiene el teléfono celular en el comportamiento?**
- **¿Qué problemas de seguridad produce el uso de internet?**

AP® Temas curriculares	AP® Contextos recomendados
La ciencia y la tecnología	La ciencia y la ética El acceso a la tecnología Los efectos de la tecnología en el individuo y en la sociedad
Las familias y las comunidades	Las redes sociales
La vida contemporánea	Las relaciones personales Los estilos de vida El entretenimiento y la diversión

Mi progreso comunicativo

Sé comprender las ideas principales y secundarias en varias fuentes auténticas sobre el *smartphone*, las redes sociales e internet.

Sé participar en conversaciones, responder a algunas preguntas, pedir información, expresar y defender opiniones detalladas sobre el *smartphone*, las redes sociales e internet.

Sé dar presentaciones orales para hacer comparaciones culturales y escribir una carta argumentativa para apoyar una opinión.

Mi progreso intercultural

Sé comparar los productos y las prácticas relacionados con el *smartphone*, las redes sociales e internet en las comunidades hispanohablantes con las de mi comunidad y cómo las perspectivas culturales los influyen.

Sé conversar con hispanohablantes sobre la tecnología preferida para comunicarse.

El producto cultural:
El *smartphone*

¿Estamos conectados? ¿Tienes mi información para conectar? ¿Me puedes mandar un mensaje de texto? Estas son preguntas que oímos constantemente en nuestra vida cotidiana. Esto se debe a la importancia del papel que el móvil tiene para nosotros. Sea cual sea la marca, un *smartphone* es el producto electrónico quizás más apreciado por nosotros los jóvenes y es el producto del que dependemos más. No es importante por qué lo usamos, si es para charlar, para pedir servicios o simplemente para matar el tiempo; es casi imposible no tenerlo al alcance de la mano.

#conectados

La realidad de la vida actual es que estar conectado significa mucho más de lo que se creía en el pasado. Érase una vez cuando el teléfono fijo funcionaba para ofrecernos el servicio de hablar. El papel que juega hoy en día el *smartphone* es el alivio de muchas preocupaciones del caos de la rutina diaria. Con el *smartphone*, compramos, pagamos las cuentas, buscamos direcciones y socializamos. Al hacer un clic, podemos acceder a todo lo que necesitamos. Es el *smartphone* el que nos da la conectividad, nos dirige el estilo de vida y nos pone en comunicación por las redes sociales, para lo bueno y lo malo.

Entonces la próxima vez que hagas la pregunta… ¿estamos conectados?… recuerda que el *smartphone* no sólo sirve para conectarte. Tu *smartphone* es tu sustento.

#tusustento

Conexión 1

La atracción del *smartphone*

El enfoque: ¿Qué nos atrae al smartphone?

La gran diversidad del español

¿Sabías que en el mundo hispanohablante se usan varias palabras para describir el teléfono celular? "El móvil" sobre todo en España, "el celular" principalmente en Latinoamérica y "el *smartphone*" en todo el mundo.

¿Qué sabes?

Fíjate en... cómo estas imágenes ilustran algunas atracciones del *smartphone*. ¿Por qué tienes tú un *smartphone*?

©Amazon

©Google

©PayPal

©Domino's

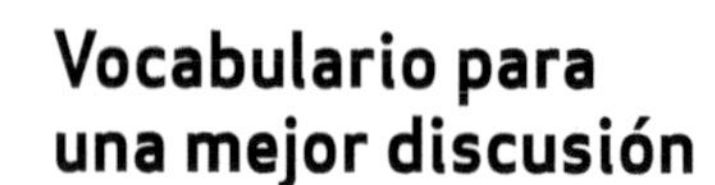

Vocabulario para una mejor discusión

Para mejorar tu capacidad de participar más ampliamente en las conversaciones de clase, encontrarás aquí vocabulario útil y pertinente para el tema de esta conexión. Además, este vocabulario te va a ayudar a aumentar y desarrollar tu español en general.

acceder a internet (tener acceso)	**devolver** el dinero encontrado (darle a uno lo que te dio antes)
actualizar mis aplicaciones (renovar)	**hacer clic** en el icono (pinchar; presionar con el ratón)
el cheque regalo para el cumpleaños (una tarjeta para compras que se le da a otro)	**el pago** con tarjeta de crédito (el acto de pagar)
la contraseña protege contra criminales (una palabra secreta que permite acceso)	**el pedido** de ropa y libros (una petición)
la cuenta en Amazon (un registro de información personal)	**promocionar** causas sociales (dar apoyo a algo/ alguien)

Desarrollando tu vocabulario

Antes de empezar a participar en las discusiones de clase, accede a tu cuenta en la guía digital, el sitio *web* estudiantil donde puedes encontrar prácticas y recursos adicionales para este libro. Hay ejercicios para ayudarte a recordar y usar el **Vocabulario para una mejor discusión.**

Comunica

Instrucciones: En este diálogo de mensajes de texto, Gabriel ha perdido su móvil y usa el móvil de su amigo para mandarle un mensaje de texto a su hermana, Amelia, pidiéndole prestado el suyo. Imagina que eres Amelia. Escribe respuestas y reacciones a lo que dice Gabriel según las instrucciones para Amelia.

Gabriel: Perdí mi móvil y necesito acceder a mis cuentas. Quisiera pedirte prestado el tuyo, Amelia, pero necesito tu contraseña.

Amelia: Responde negativamente.

____

Gabriel: Pero, por favor, no es que solo quiera matar el tiempo. Lo necesito muchísimo.

Amelia: Reacciona apropiadamente y explica por qué te aficionas a usar el *smartphone*.

____

Gabriel: Pero, hermanita, necesito acceder a tu teléfono. Dame tu contraseña, por favor.

Amelia: Responde negativamente y dile por qué no.

____

Gabriel: Hermana, lo comprendo, pero, ¿qué sugieres que haga yo? No voy a recibir mi pago hasta el sábado. Cuando lo reciba, voy a devolverte tu celular.

Amelia: Haz la sugerencia de contactar a un amigo.

____

Gabriel: ¡Bien! Te veo en casa. Y cuídate. Hasta pronto.

Amelia: Agradécele y despídete.

____

ESTRATEGIAS

Observa y realiza para participar en una conversación

Observa: Hay dos personas que están conversando. Tu rol es el de Amelia y tienes que responder a lo que escribe Gabriel.

Realiza: Lee lo que dice Gabriel y cómo necesitas responder según las instrucciones para Amelia. Escribe como le escribirías un mensaje de texto a un amigo. No es necesario escribir oraciones completas pero lo que escribes debe ser lógico y coherente.

¡Para saber más!

¿Qué aplicaciones usas tú?... ¿Y tus compañeros?

Paso 1

Instrucciones: Esta es una encuesta cuyo propósito es un estudio de los usos generales del *smartphone* en tu clase. Para realizar este estudio, vas a llenar un formulario que presenta las preferencias de tu clase y, en el último paso, **Aplicación práctica**, vas a escribir un informe de los resultados en un correo electrónico.

En este paso, vas a reunirte en grupos pequeños para discutir las aplicaciones que cada uno de Uds. usa más.

Paso 2

Instrucciones: Primero, llena el formulario con la información pedida y acordada por el grupo sobre las tres aplicaciones más usadas del grupo. Debes ayudar al grupo a ponerse de acuerdo con la información presentada.

Segundo, vas a agregar la información de tu grupo a la de otros grupos para completar la encuesta. Al compartir los resultados de tu grupo con los otros compañeros de la clase, vas a estar listo/a para escribir el correo electrónico que servirá como reporte final.

Encuesta de las aplicaciones usadas por los miembros de nuestra clase			
Las tres *apps* más usadas por el grupo	**¿Para qué las usa el grupo?**	**¿Con qué frecuencia?**	**¿Cuántos de tu grupo las usan?**
Las tres *apps* más usadas por la clase en total	**¿Para qué las usa la clase?**	**¿Con qué frecuencia?**	**¿Cuántos de la clase las usan?**

Paso 3: Aplicación práctica

Instrucciones: Para mostrar que has comprendido los resultados de la encuesta, escríbele un correo electrónico a tu amigo/a para convencerle de que descargue en su nuevo celular algunas de las aplicaciones recomendadas por la clase. Explica por qué sería una buena idea usarlas incluyendo una referencia a su popularidad entre tus compañeros de clase.

Exprésate

Vas a usar las preguntas que siguen para ayudarte a resumir los temas generales de esta conexión desde el lente de tu propia experiencia con tu *smartphone* y sus aplicaciones. Considera cómo tus circunstancias personales han influido en la selección de tus aplicaciones. Tu profesor/a te explicará cómo vas a presentar tus pensamientos y recuerdos.

- ¿Cuáles de las aplicaciones presentadas al principio de esta conexión usas tú?
- ¿Cuáles de las aplicaciones presentadas al principio de esta conexión no usas y por qué?
- ¿Qué usos del *smartphone* prefieres en tu vida personal?
- Explica por qué usas algunas aplicaciones con más frecuencia que otras.

Mi progreso comunicativo

Sé compartir información sobre las *apps* para convencer a un/a amigo/a de los beneficios de usarlas.

Infórmate

¿Una necesidad o un deseo?

Paso 1

Instrucciones: Para poder anticipar el contenido del video, antes de mirarlo, examina las instantáneas. Adivina lo que se va a promocionar en el video. Describe una aplicación parecida que usas.

© Amazon

Paso 2

Instrucciones: Para comprender bien el video, *Amazon.es lanza su tienda de alimentación y limpieza del hogar,* míralo por lo menos dos veces.

Paso 3

Instrucciones: Para mejorar tu capacidad de comunicarte con otros, conversa con un/a compañero/a para responder a las preguntas.

1. ¿Por qué usas o no usas una aplicación parecida?
2. ¿Cómo te beneficiaría tener una aplicación similar?
3. ¿Por qué le beneficia la *app* a esta señora?
4. Compara los beneficios de tu servicio con los que miras en el video.

Paso 4

Tema de debate: Las aplicaciones como *Amazon.es* sirven para satisfacer un deseo y no son una necesidad.

¿Qué más necesitas saber?

Vocabulario para una mejor comprensión

Para comprender las ideas principales de la infografía en **¿Aprecias la cultura hispanohablante?** de esta conexión, estudia y practica el uso de estas palabras antes de leerla.

aficionarse a	relacionarse con; sentir gusto por algo Como **me aficiono** a usar mi *smartphone*, siempre lo tengo conmigo.
la agilidad	la facilidad; pensar con precisión y rapidez Al usar ciertas aplicaciones, los usuarios estimulan su **agilidad** intelectual.
la alimentación	la comida; las cosas que se toman y se comen Hoy en día en internet, se puede pedir **alimentación** fácil y rápidamente.
el alivio	el mejoramiento; algo que da ayuda y tranquiliza Al terminar un día de mucho trabajo, encontramos **alivio** en la música descargada en nuestro *smartphone*.
cotidiano/a	diario/a; de todos los días En mi vida **cotidiana**, duermo, como y consulto mi *smartphone*.
de último grito	lo más reciente; lo que está muy de moda En la actualidad, deseamos las aplicaciones **de último grito**.
matar el tiempo	ocuparse; evitar el aburrimiento Cuando estoy aburrido, saco el móvil para **matar el tiempo**.
señalar	indicar; llamar la atención a algo La gran variedad de *apps* disponibles **señala** la importancia de internet en la vida cotidiana.
el traductor	la máquina de traducción; un programa digital para pasar de un idioma a otro Para muchos, **un traductor** muy útil es wordreference.com.
el vínculo	la conexión; el enlace personal con algo **El vínculo** que tenemos con nuestro *smartphone* es muy personal.

ESTRATEGIAS

Observa y realiza para usar listas de vocabulario

Observa: El **Vocabulario para una mejor comprensión** son palabras y frases que vienen directamente del audio o de la lectura que vas a usar como fuente de ideas principales para la conexión. Es importante comprender estas palabras para usar mejor la fuente. También son importantes para poder hablar de las ideas principales que necesitas para disfrutar de la conexión.

Realiza: Lee con cuidado el sinónimo y la frase descriptiva para orientarte con la definición de la palabra. Luego, lee la oración que ilustra el uso del vocabulario en la fuente. Esta oración te va a ayudar a comprender la información de la fuente.

14:30 PM

Oportunidad inicial

Instrucciones: Para ayudarte a recordar este vocabulario esencial, de la siguiente lista, escoge la palabra o la expresión que completa apropiadamente las oraciones que siguen.

se aficiona	alimentación	cotidiana	un traductor	matar el tiempo
agilidad	alivio	el vínculo	señala	de último grito

1. Es una molestia cuando no funciona bien el *smartphone*. Es un ____________ cuando vuelve a funcionar.
2. Usar un *smartphone* todos los días es necesario en nuestra vida ________.
3. Mi prima Marisol __________ a las aplicaciones de redes sociales porque le gusta compartir momentos con sus amigos.
4. La popularidad impresionante de los móviles __________ que han llegado a ser una gran parte de nuestra vida.
5. Nuestra profesora no nos permite usar __________ (inglés a español) cuando escribimos ensayos.
6. Tu amiga Rosa se viste como una modelo de revista. Lleva ropa __________.
7. Hoy en día una buena __________ se puede pedir a través de una aplicación de servicio a domicilio.
8. A muchos de mis amigos les gusta usar el *smartphone* para ______________ cuando están solos y no tienen nada que hacer.

ESTRATEGIAS

Observa y realiza para comprender una infografía con estadísticas

Observa: Esta ilustración es una infografía. Una infografía es una representación visual de datos con texto. ¿Qué representan los porcentajes? ¿No suman 100%? ¿Por qué? ¿En qué se diferencian una necesidad y un deseo personal? ¿Qué ofrecen estas aplicaciones? ¿Para qué las usan tus compañeros de clase y tú?

Realiza: Enfócate en la información para recordar cuáles son las aplicaciones más usadas y por qué. Compara la información con tu experiencia. Esta información te va a ayudar al final del capítulo con la evaluación *IPA (Integrated Performance Assessment)*.

¿Aprecias la cultura hispanohablante?

Lectura

AP® **Introducción**: Esta infografía, *Las apps más utilizadas en España*, trata de las aplicaciones que los españoles usan todos los días. Las estadísticas son de EMMA, una compañía de servicios *web* cuyas oficinas están en Barcelona y Madrid.

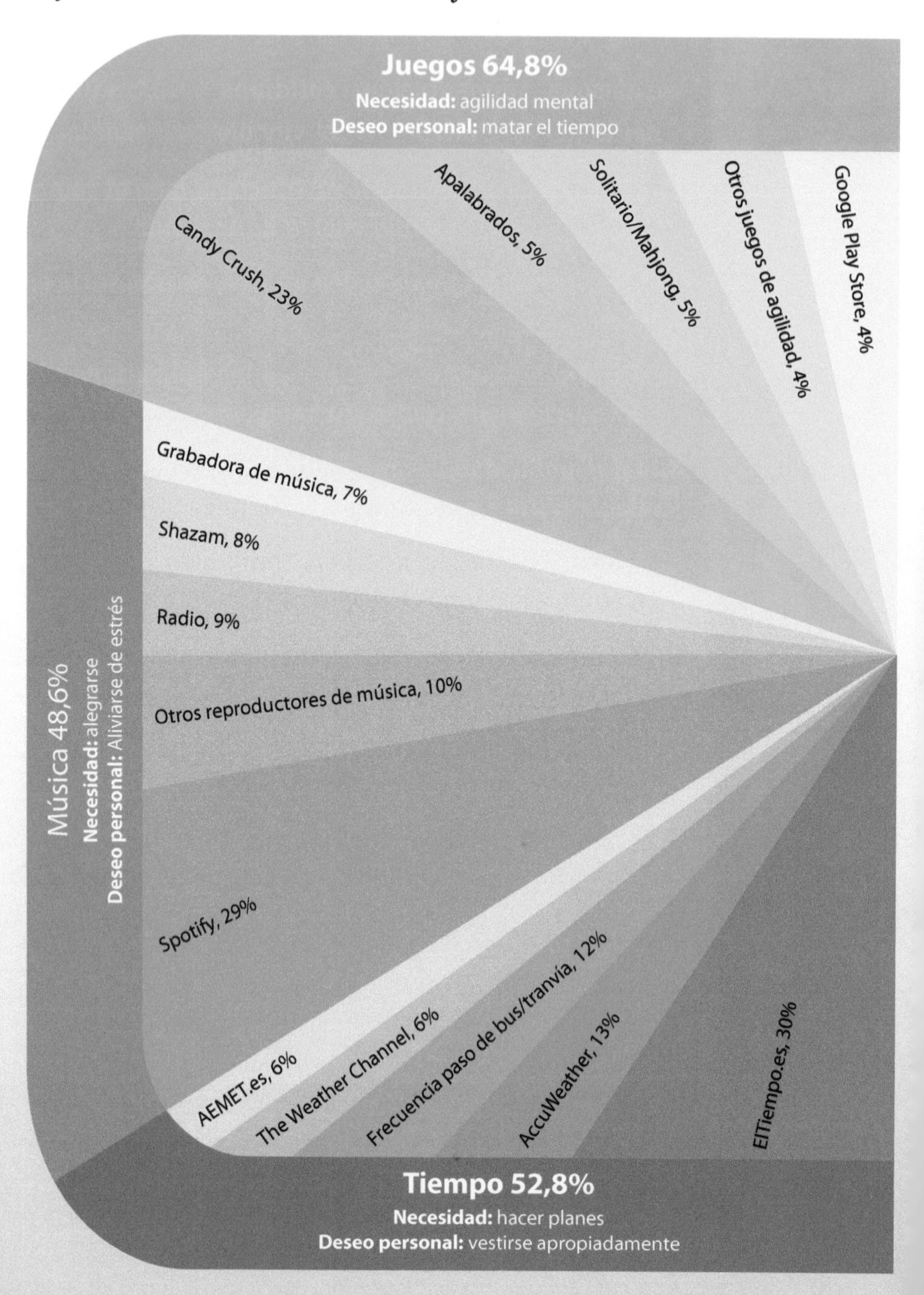

Cada día **nos aficionamos** más al *smartphone* y sus aplicaciones. Por eso, se nos ocurre preguntar, ¿qué es lo que motiva a usar el *smartphone* y sus aplicaciones, ya que han llegado a ser una parte esencial de nuestra vida **cotidiana**? Existen estudios que **señalan** que para el adolescente español la motivación es el **vínculo** social o la diversión. ¿Qué opinas tú? ¿La motivación surge de la necesidad o del deseo personal?

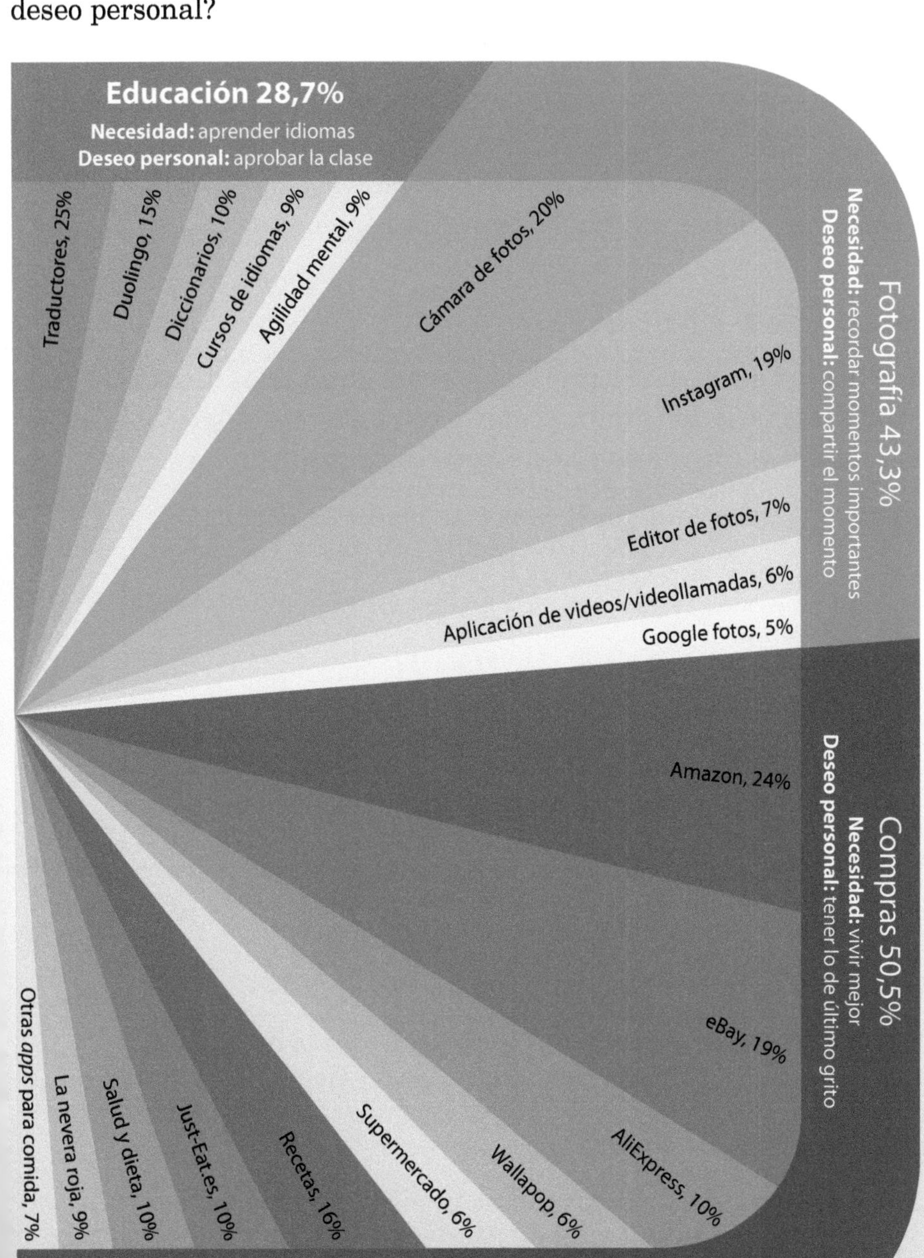

EMMA (2015), "Estudio sobre las apps más utilizadas en España en 2015", CC BY 3.0. Recreado de http://tinyurl.com/y94cg8ak.

© Amazon.es

¿Qué aprendiste?

Paso 1

Instrucciones: Para mostrar tu comprensión de la infografía y basándote en lo que recuerdas después de analizarla, contesta a estas preguntas.

1. Según la infografía, ¿qué significan los porcentajes después de cada categoría de aplicaciones?
2. ¿Por qué no suman un total de 100% las distintas aplicaciones mencionadas en cada categoría?
3. ¿Es más importante una necesidad que un deseo?
4. Al elegir las aplicaciones, ¿cuál es la motivación personal que se encuentra en la mayoría de los deseos personales?

AP® Paso 2

Instrucciones: Para mostrar que aprendiste algunos detalles importantes de la infografía, contesta con un/a compañero/a. Justifica tus respuestas con información específica de la infografía.

1. Según la infografía, ¿cuál es la actividad más popular?
   a. La música
   b. Las compras
   c. Los juegos
   d. El tiempo
2. ¿Qué significa el porcentaje 34,7 de la alimentación?
   a. El porcentaje de personas entrevistadas
   b. El porcentaje de la población mexicana
   c. El porcentaje de personas con un *smartphone*
   d. El porcentaje de personas interesadas en la dieta
3. ¿Qué tienen en común las necesidades y los deseos personales en la selección de las aplicaciones?
   a. Ambos inspiran instintos de compasión en el dueño del *smartphone*.
   b. Ambos permiten un alto nivel de vida para el dueño del *smartphone*.
   c. Ambos le dan alegría al dueño del *smartphone*.
   d. Ambos mejoran el estatus social del dueño del *smartphone*.

Mi progreso comunicativo

Sé comprender la información presentada en una infografía para determinar las motivaciones personales sobre el uso de *apps* en España.

Paso 3

Instrucciones: Para comprender mejor las prácticas y las perspectivas culturales que se encuentran en tu comunidad y en la infografía, habla con hispanohablantes de tu comunidad sobre el uso de sus *apps* preferidas, usando estas preguntas de discusión. Luego, comparte tus hallazgos con grupos de compañeros de clase para descubrir los estilos de vida explícitos en el uso de las aplicaciones.

Mi progreso intercultural

Sé conversar con hispanohablantes sobre el uso de sus *apps* preferidas.

Prácticas culturales

1. ¿Cómo pueden usar los españoles Wallapop?
2. ¿Cuáles son algunas estrategias que usan los usuarios para ganar en Apalabrados?

Perspectivas culturales

1. ¿Cuáles pueden ser los motivos por los cuales los españoles descargan estas aplicaciones?
2. ¿Crees que los españoles están motivados más por la necesidad o el deseo personal?
3. ¿Qué puedes concluir de la estadística que muestra que los españoles descargan más aplicaciones de juegos que aplicaciones educativas?

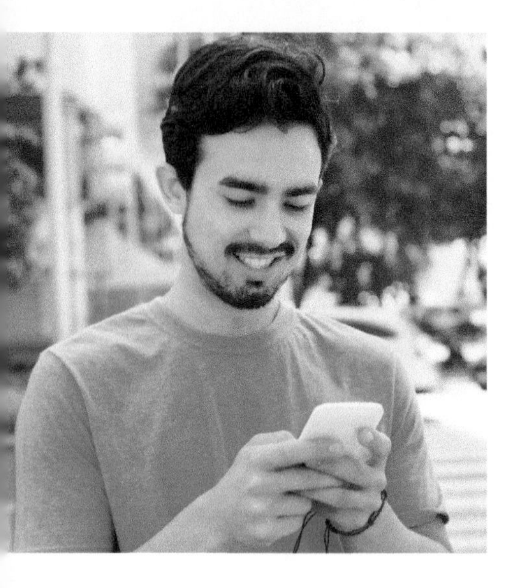

Presenta

Para mejorar tu capacidad de hacer una presentación oral, vas a leer sobre varias aplicaciones populares en el mundo hispanohablante, tomar decisiones personales y grupales y explicar tus hallazgos. La presentación se basará en la pregunta de **El enfoque**.

El enfoque: ¿Qué nos atrae al *smartphone*?

Paso 1: El texto relevante

Introducción: Aquí tienes una lista de aplicaciones creadas en países hispanohablantes. Lee con cuidado prestando atención a los componentes particulares de las aplicaciones. Si tuvieras estas aplicaciones en tu *smartphone*, ¿las usarías?

Lista de aplicaciones creadas en países hispanohablantes

- **Preguntados:** Una aplicación argentina en la que juegas con una ruleta para contestar a preguntas de distintas categorías. Este juego de estrategia se gana al demostrar tu conocimiento en cada categoría. Es muy adictivo y para jugar bien tendrás que tener inteligencia y rapidez.
- **Mybarrio:** Una aplicación uruguaya que te permite estar al día de lo que pasa en tu barrio con solo meter tu número de teléfono o código postal. Te avisa de noticias, ofertas de empleo, y hasta ¡quejas! Además, si hay alguna noticia o aviso que quieres compartir, lo puedes publicar aquí.
- **MarcaLaCancha:** Una aplicación uruguaya que resuelve los problemas de reservar la cancha para jugar a tu deporte favorito. ¡Ya no te quedarás sin cancha para tu partido! Metes tus datos, escoges la hora, eliges una cancha, y tienes una reserva - es así de fácil. Además hay promociones diarias de eventos y torneos.
- **Tudelivery:** Una aplicación paraguaya que te permite ver todos los sitios con servicio a domicilio y realizar un pedido a cualquiera de ellos. Da igual si es una farmacia o un restaurante de comida rápida, bebidas, etcétera.
- **Kiosco Paraguay:** Una aplicación paraguaya que recoge y coloca todas las noticias importantes de varias fuentes de Paraguay en una sola aplicación. Si te interesa estar informado/a sobre Paraguay y te encuentras en cualquier parte del mundo, puedes contar con esta aplicación.

Paso 2: La exploración

Instrucciones: Para decidir cuáles de estas *apps* son las más beneficiosas para tu comunidad, conversa sobre los usos útiles e inútiles de cada aplicación con un grupo de compañeros. Luego, pon las aplicaciones en orden de utilidad para la mayoría del grupo con explicaciones que justifican el orden decidido.

Paso 3: La presentación

- Vas a dar un informe oral del orden de utilidad que has decidido con tu grupo.
- Incluye una explicación de por qué estas aplicaciones serían beneficiosas para tu comunidad.
- Incluye una justificación para el orden decidido por tu grupo.
- No te olvides de incluir el nombre de aplicaciones usadas en tu comunidad que son como las aplicaciones del mundo hispanohablante.
- Puedes usar cualquier fuente presentada en esta conexión.

Sé justificar mi opinión en una presentación oral sobre los usos beneficiosos de algunas *apps* del mundo hispanohablante.

Atando cabos sueltos

Una conversación simulada

AP® Ahora que has completado esta conexión, tienes la oportunidad de practicar en la guía digital una conversación simulada que sigue el formato de la tarea en el examen de AP®. Fíjate en que esta conversación se basa en el tema de esta conexión.

Tu progreso comunicativo e intercultural

Después de grabar la conversación simulada, evalúa tu progreso durante esta conexión en el Apéndice A y en **Mi portafolio** en la guía digital para indicar lo que has aprendido a hacer.

Sé participar en conversaciones para responder a preguntas, pedir información y hacer recomendaciones.

Conexión 2

El comportamiento en las redes sociales

El enfoque: ¿Cómo nos han complicado la vida las redes sociales?

¿Qué sabes?

Fíjate en… ¡tu comportamiento con el *smartphone* en la mano!

Vocabulario para una mejor discusión

Para mejorar tu capacidad de participar más ampliamente en las conversaciones de clase, encontrarás aquí vocabulario útil y pertinente para el tema de esta conexión. Además, este vocabulario te va a ayudar a aumentar y desarrollar tu español en general.

el acoso de alguien (el *bullying*)	**compartir** información personal con otros (distribuir)
amenazar con comentarios negativos (intimidar)	**comportarse** con dignidad (actuar)
la autoestima baja o alta (el aprecio personal)	**engañar** al público (mentir)
avergonzado/a por comentarios negativos (humillado/a)	**entretenerse** con los juegos (divertirse)
colgar una foto en una red social (publicar)	**mandar** un mensaje de texto (enviar)

Desarrollando tu vocabulario

Antes de participar en las discusiones de clase, accede a tu cuenta en la guía digital, el sitio *web* estudiantil donde puedes encontrar práctica y recursos adicionales para este libro. Hay ejercicios para ayudarte a recordar y usar el **Vocabulario para una mejor discusión**.

Exprésate

Para poner en marcha tu investigación de cómo nos han complicado la vida las redes sociales, conversa con tus compañeros sobre estas preguntas relacionadas con las imágenes de la conexión.

- Sin estar físicamente con ellos, ¿cómo puedes estar con los amigos?
- ¿Qué complicaciones de la vida ves en estas imágenes?
- ¿Cómo comunicamos nuestros intereses, nuestras preocupaciones y nuestro carácter a través de las redes sociales?

¡Para saber más!

¿Tendrás alguna solución para los problemas del mundo digital?

Paso 1

Instrucciones: Después de leer la primera situación problemática en el organizador gráfico, habla con tu grupo y escribe una solución. Trabaja con tu grupo para apuntar en el organizador gráfico de tres a cinco situaciones problemáticas más que te pueden pasar con el mundo digital y el uso del *smartphone*.

La situación problemática	La solución
Modelo ***Lobo con piel de oveja...*** Una examiga sacó una foto de mi cuenta en una red social e hizo un perfil falso. ¡Ahora ella se ha hecho amiga de mis amigos y finge ser yo! ¿Qué hago?	
1.	1.

Paso 2

Instrucciones: Intercambia las situaciones problemáticas de tu grupo con otro grupo. Luego, sugiere soluciones para las situaciones problemáticas del otro grupo.

Paso 3: Aplicación práctica

Instrucciones: Con un/a compañero/a, elige una de las situaciones problemáticas de tu organizador gráfico y prepara un diálogo en el que una persona habla con su mejor amigo/a sobre una solución para su problema. Vas a presentar el diálogo con tu compañero/a.

Infórmate

¿Mezclando las dos realidades?

Paso 1

Instrucciones: Para despertar ideas del rol de la vida virtual en la vida cotidiana, mira las instantáneas y responde a las preguntas.

¿Has cazado un Pokémon en algún momento?

¿Han cazado Pokémon tus amigos?

Relata tu experiencia y/o la experiencia de tus amigos cazando Pokémon.

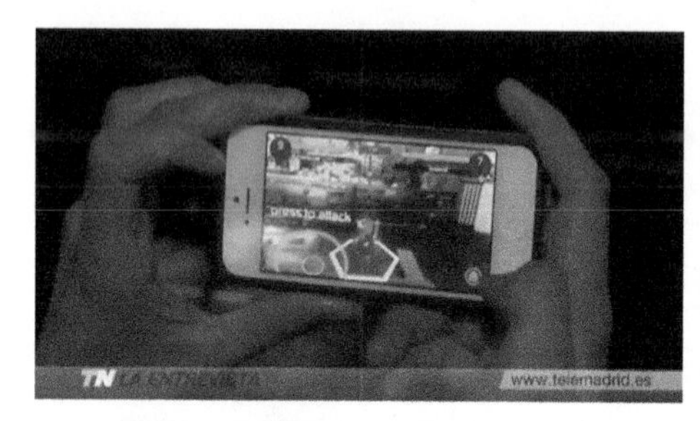

Paso 2

Introducción: Este reportaje, *La realidad virtual confirma su liderazgo con la llegada de Pokémon Go*, trata del comportamiento de los pokemoneros y el fenómeno virtual que conquistó al mundo. El anuncio es de TeleMadrid, España.

Instrucciones: Para averiguar cómo nos engancha a todos este juego popular y explorar la cuestión de las distintas realidades que la vida virtual nos presenta, mira el reportaje, *La realidad virtual confirma su liderazgo con la llegada de Pokémon Go*, por lo menos, dos veces.

Paso 3

Instrucciones: Para compartir lo que recuerdas del video, habla con algunos compañeros de los siguientes temas.

- La responsabilidad de la buena etiqueta de los jugadores para cazar Pokémon
- El efecto del comportamiento de los pokemoneros en otros
- Cómo nuestra interacción con el mundo ahora va a influir nuestro comportamiento en el futuro
- La brecha entre generaciones y el uso del juego virtual

Paso 4

Tema de debate: La tecnología nos lleva demasiado lejos de nuestra realidad no virtual.

Sé dar y justificar opiniones sobre cómo la tecnología nos aleja de nuestra realidad cotidiana.

¿Qué más necesitas saber?

Vocabulario para una mejor comprensión

Para comprender las ideas principales de la fuente impresa en **¿Aprecias la cultura hispanohablante?** de esta conexión, estudia y practica el uso de estas palabras antes de leerla.

a toda costa	de cualquier manera; sin límites Quisiera realizar **a toda costa** mi deseo de ser aceptado.
el consejo	la recomendación; las sugerencias de otros Es un buen **consejo** tener cuidado con lo que cuelgas en internet.
el delito	el crimen; algo ilegal Uno de los muchos **delitos** en internet es el *ciberbullying*.
el inconveniente	la dificultad; el obstáculo que ocurre Cada vez hay más **inconvenientes** para distinguir entre el mundo virtual y el mundo real.
el *monitoreo*	la supervisión; la inspección por un superior Es recomendable **el *monitoreo*** por parte de los padres.
el muro	el perfil; la página de información personal en redes sociales Es mejor no *postear* todo lo que haces en **el muro** de Facebook.
perseguir	buscar; tratar de conseguir algo o a alguien **Persigo** un número alto de seguidores en mi red social para tener más amigos.
el riesgo	el posible peligro; la posibilidad de que algo malo pase Debido al deseo de ser aceptado, **los riesgos** de perder el control personal son cada vez más reales.
tener en cuenta	notar; tener presente Hay que **tener en cuenta** que hay medios de protección en línea.
el/la usuario/a	el/la cliente/a; el/la que hace uso **Los usuarios** de las redes sociales confunden el significado de la palabra “amigo”.

14:30 PM

Oportunidad inicial

Instrucciones: Para empezar a practicar el vocabulario de esta conexión, escoge la palabra o la expresión que completa correctamente las oraciones que siguen, haciendo los cambios necesarios.

1. Hay gente que publica todo lo que hace en la vida en ___________ de su página social.
2. Tanto los padres como los adolescentes no son conscientes del ___________ en línea.
3. Es importante ___________ la seguridad cuando aceptas a un amigo virtual.
4. Cada vez más, los padres mantienen ___________ de las publicaciones en línea de sus hijos.
5. No es que sea malo el uso de las redes sociales, pero los delitos, los riesgos y los ___________ aparecen cuando no cuidas de tu historial en línea.
6. Los superestrellas quieren que muchos ___________ los sigan en las redes sociales.
7. Me esfuerzo ___________ para tener aún más amigos.
8. Mark Zuckerberg, el creador de Facebook, ___________ un sinfín de usuarios de su aplicación Facebook.
9. El acoso en línea es ___________ más imperdonable.
10. Un buen ___________ para los jóvenes es que deben informarse de los problemas del mundo virtual.

Palabras imprescindibles para esta fuente

delinquir
cometer un crimen

desgastar
deteriorar; perder fuerzas; consumir poco a poco

los recaudos
los cuidados; la precaución

ESTRATEGIAS

Observa y realiza para comprender una lectura

Observa: La introducción y el título sirven para orientarte del propósito de la lectura. ¿Qué dice la introducción sobre el tema de la lectura? ¿Hay una opinión expresada en el título?

Realiza: Enfócate en los primeros párrafos para ver si presentan una tesis global. La tesis te va a indicar el punto de vista general de la lectura. Luego, estudia cómo apoya el autor su punto de vista. ¿Usa estadísticas, palabras de otros, ejemplos personales, etcétera, para justificar su opinión?

¿Aprecias la cultura hispanohablante?

Lectura

AP® **Instrucciones**: Vas a leer uno o varios textos. Cada texto va acompañado de varias preguntas. Para cada pregunta, elige la mejor respuesta.

Introducción: Esta lectura, *Confundir la vida virtual con la real, el peligro de Facebook*, trata de la confusión que existe hoy en día entre la vida virtual y la vida real. Esta versión abreviada fue escrita por Leandro Sturniolo en el periódico *Los Andes* de Mendoza, Argentina.

Confundir la vida virtual con la real, el peligro de Facebook

Argentina es el quinto mercado mundial de Facebook.

Su buen uso no causa problemas; sin embargo, **los inconvenientes** aparecen cuando se lo separa del mundo real y sobre todo cuando los menores no tienen un mínimo control
5 de los padres a la hora de navegar el sitio creado por Mark Zuckerberg.

Juan José Retamal es experto en comunicación digital. *Los Andes* dialogó con él.

"El problema aparece cuando a partir de allí se nubla la realidad,
10 cuando se pierde la noción de que del otro lado hay una persona", aclaró Juan José Retamal.

"Cuando uno tiene una personalidad en la red social y otra en la vida real, estamos ante un problema psicológico. Lo mismo ocurre cuando pensamos que dependemos de Facebook para ser
15 considerados o no por el resto de las personas; allí se comienza a desgastar la autoestima y confundimos las cosas. Esto es: si tengo más amigos soy más considerado, mientras más fotos mejor, y no es así", agregó el especialista.

Cuando la vida virtual se confunde con la real, **los usuarios**
20 confunden el significado de la palabra amigo, término mucho más inclusivo que el de un "contacto" de Facebook.

Internet es como la vida misma, hay gente buena y mala. Es importante tomar ciertos recaudos a la hora de relacionarnos en las redes sociales.

25 "Es un buen **consejo** para los mayores de edad, y aquí hay que **tener en cuenta** que con toda frontalidad podemos tanto aceptar como también bloquear a un amigo".

Para combatir el abanico de **delitos** que se abren en torno a internet y las redes sociales, el especialista trasandino no 30 habla de un control estricto al Facebook de los hijos, sino de **un *monitoreo*** de la información que generan los más chicos.

"Ha habido varios casos en los que se delinque a partir de informaciones básicas puestas en **los muros**, como con quién estoy y dónde voy. Si yo **persigo** el fin de ser aceptado **a toda** 35 **costa**, no me doy cuenta de lo que entrego, y allí habita **el riesgo**", agregó.

¿Qué aprendiste?

Paso 1

Instrucciones: Para mostrar lo que has comprendido de la lectura, discute en grupos pequeños las respuestas a estas preguntas basándote en lo que recuerdas.

- ¿Qué peligros ve el autor en el uso de redes sociales?
- ¿Qué soluciones sugiere el autor para los posibles riesgos del uso de redes sociales?

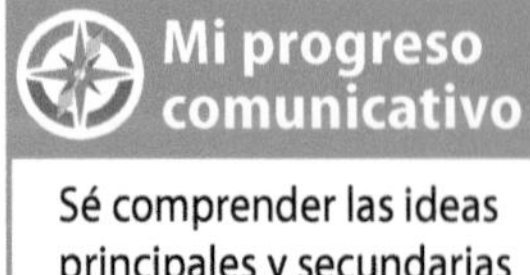

Mi progreso comunicativo

Sé comprender las ideas principales y secundarias en una lectura sobre los peligros de confundir la vida virtual con la real.

AP® Paso 2

Instrucciones: Para comprender mejor algunos detalles de la lectura, responde a las siguientes preguntas según lo que dice el artículo.

1. ¿Cuál es el propósito de este artículo?
   a. Promover la importancia de aclarar la distinción entre la realidad y la fantasía en internet
   b. Advertir del posible problema de mezclar nuestra realidad con la realidad virtual
   c. Abogar por el buen uso de internet entre los usuarios
   d. Expresar los peligros de ser padres de los usuarios de Facebook
2. ¿Qué estrategia usa el autor para apoyar su punto de vista?
   a. Usa citas de un especialista.
   b. Usa detalles específicos de su punto de vista.
   c. Usa ejemplos personales de otras personas.
   d. Usa un ejemplo de su vida personal.
3. Según el psicólogo, Juan José Retamal, ¿cuál es un peligro de usar Facebook?
   a. La pérdida de la distinción entre la realidad de hoy y la realidad del futuro
   b. La posibilidad de convertirse en adicto a las redes sociales
   c. La confusión entre “amigo” y “contacto”
   d. El uso del *monitoreo* por parte de los padres

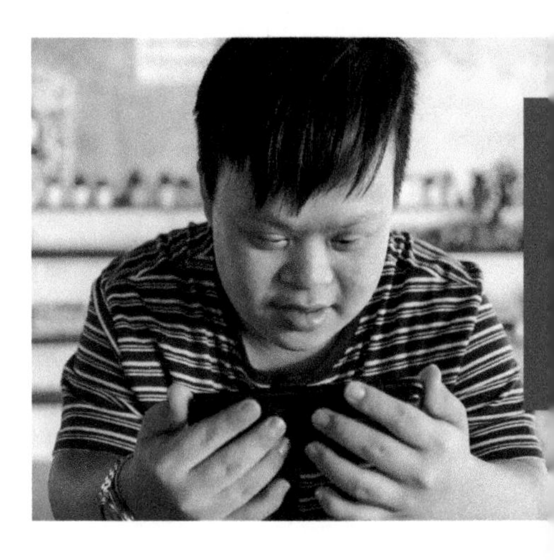

4. En el último párrafo, ¿qué se puede inferir cuando el autor dice "no me doy cuenta de lo que entrego" (línea 35)?
   a. Uno debe cuidar la información personal en línea.
   b. Uno debe compartir más de lo que piensa.
   c. Uno debe conocer a todos los contactos.
   d. Uno debe comprender la información que cuelga en su muro.
5. ¿A quién se dirige el autor?
   a. A los niños
   b. A los padres de los adolescentes
   c. A los adolescentes
   d. A los usuarios de las redes sociales

Paso 3

Instrucciones: Para comprender mejor las prácticas y las perspectivas culturales que se encuentran en tu comunidad y según el artículo sobre Argentina, usa estas preguntas de discusión en grupos de compañeros de clase para enfocarte en cuestiones sociales.

Prácticas culturales

1. ¿Cómo consiguen los argentinos una mayor cantidad de amigos y/o seguidores en línea?
2. ¿Cómo sería un *monitoreo* por los padres argentinos?
3. ¿Cómo *monitorean* tus padres u otras personas de tu comunidad tu uso del *smartphone*?

Perspectivas culturales

1. ¿Por quiénes se preocupan el autor y el especialista chileno? ¿Qué nos indica esto sobre la importancia de proteger a este grupo en Argentina?
2. ¿Por qué hay tanta preocupación en Argentina por los posibles peligros en las redes sociales?

Mi progreso intercultural

Sé comparar las prácticas y perspectivas culturales sobre la confusión entre la vida virtual y la real en Argentina y en mi comunidad.

Presenta

El enfoque: ¿Cómo nos han complicado la vida las redes sociales?

Paso 1: El texto relevante

Introducción: Aquí tienes un blog escrito por un profesor de Uruguay. Para mejorar tu escritura y expresar tu opinión, vas a tener que escribir una reacción a la carta.

La carta del profesor uruguayo que conmueve al mundo de la educación

Después de muchos, muchos años, hoy di clase en la universidad por última vez.

No dictaré clases allí el semestre que viene y no sé si volveré algún día a dictar clases en una licenciatura en periodismo.

5 Me cansé de pelear contra los celulares, contra WhatsApp y Facebook. Me ganaron. Me rindo. Tiro la toalla.

Me cansé de estar hablando de asuntos que a mí me apasionan ante muchachos que no pueden despegar la vista de un teléfono que no cesa de recibir *selfies*.

10 Claro, es cierto, no todos son así.

Pero cada vez son más.

Hasta hace tres o cuatro años la exhortación a dejar el teléfono de lado durante 90 minutos aunque más no fuera para no ser maleducados todavía tenía algún efecto. Ya no. Puede ser que sea
15 yo, que me haya desgastado demasiado en el combate.

O que esté haciendo algo mal. Pero hay algo cierto: muchos de estos chicos no tienen conciencia de lo ofensivo e hiriente que es lo que hacen.

Normalmente, a esta altura, todos los años ya había conseguido
20 que la mayor parte de la clase siguiera el asunto con fascinación.

Este año no. Caras absortas. Desinterés. Un pibe despatarrado mirando su Facebook. Todo el año estuvo igual.

Llegamos a la entrevista. Leímos los fragmentos más duros e inolvidables.

25 Silencio.

Silencio.

Silencio.

Ellos querían que terminara la clase.

Yo también.

Leonardo Haberkorn (2015). "Con mi música y la Fallaci a otra parte". Fragmentos extraídos de http://leonardohaberkorn.blogspot.com/

Paso 2: La exploración

Instrucciones: Para pensar más a fondo sobre la carta y para prepararte para la presentación.

- Completa este organizador gráfico con las quejas encontradas en la carta y posibles soluciones que aconsejarías a los estudiantes y al mismo profesor.
- Comparte las soluciones con tus compañeros de clase.
- Apunta ideas de tus compañeros de clase.

Las quejas del profesor	Lo que podrían hacer los estudiantes y por qué	Lo que podría hacer el profesor y por qué

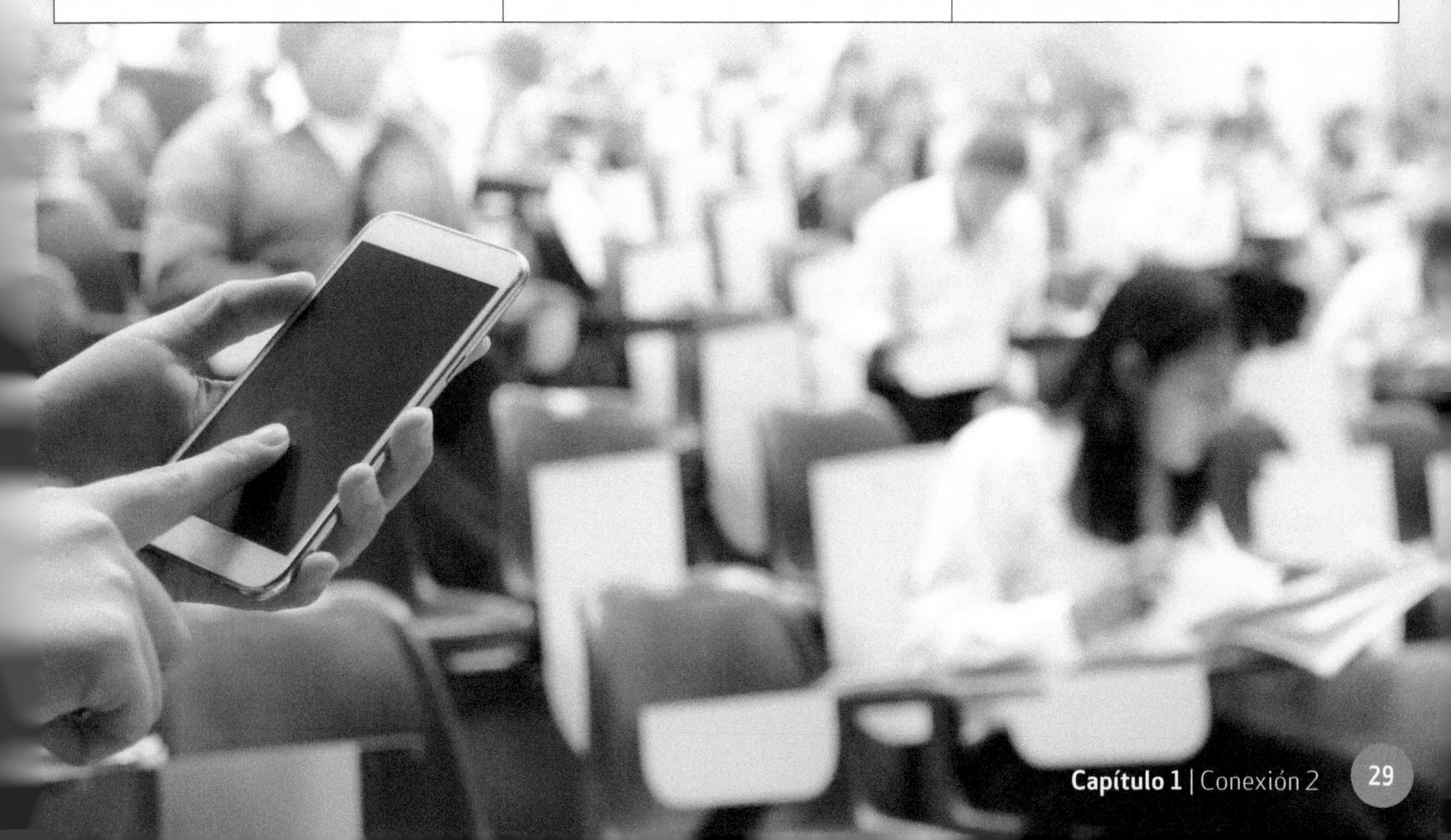

ESTRATEGIAS

Observa y realiza para escribir un ensayo

Observa: Este es un ensayo en forma de una carta a un adulto que no conoces. Las instrucciones piden que expreses tu opinión sobre las ideas que este profesor escribió en su carta.

Realiza: Vuelve a leer el artículo, "Confundir la vida virtual con la real, el peligro de Facebook" y la carta del profesor uruguayo para encontrar ideas relevantes para formar tu opinión. No te olvides de usar un saludo y una despedida apropiados en tu carta. En **Vocabulario para una mejor expresión** vas a encontrar frases y expresiones que te ayudarán a escribir con más precisión.

Vocabulario para una mejor expresión

Atentamente o Le saluda cordialmente

En mi opinión...

Es importante que...

Muy estimado/a profesor/a o muy distinguido/a profesor/a

(No) estoy de acuerdo con...

Según...

Sería mejor que...

Paso 3: La presentación

Instrucciones: Reacciona al blog, *La carta del profesor uruguayo que conmueve al mundo de la educación*. En una hoja de papel, escríbele una carta a este profesor uruguayo con tu opinión sobre sus comentarios contestando a esta pregunta: ¿Se debe usar el *smartphone* cuándo y dónde a uno le dé la gana? En otras palabras, ¿estás de acuerdo o no estás de acuerdo con él? ¿Por qué? En tu carta debes persuadirle de tu opinión. Debes incluir información de las fuentes de esta conexión para apoyar tu punto vista, citando esas fuentes cuando sea apropiado.

Atando cabos sueltos

Una conversación simulada

AP® Ahora que has completado esta conexión, tienes la oportunidad de practicar en la guía digital una conversación simulada que sigue el formato de la tarea en el examen de AP®. Fíjate en que esta conversación se basa en el tema de esta conexión.

Tu progreso comunicativo e intercultural

Después de grabar la conversación simulada, evalúa tu progreso durante esta conexión en el Apéndice A y en **Mi portafolio** en la guía digital para indicar lo que has aprendido a hacer.

Sé escribir una carta expresando mis opiniones sobre el uso del *smartphone* incluyendo detalles para apoyar mi punto de vista.

Sé participar en conversaciones para responder a preguntas, pedir información y hacer recomendaciones.

Conexión 3
La seguridad en internet

El enfoque: ¿Es necesario regular el uso de internet?

¿Qué sabes?

Fíjate en... ¡qué peligroso puede ser el internet!

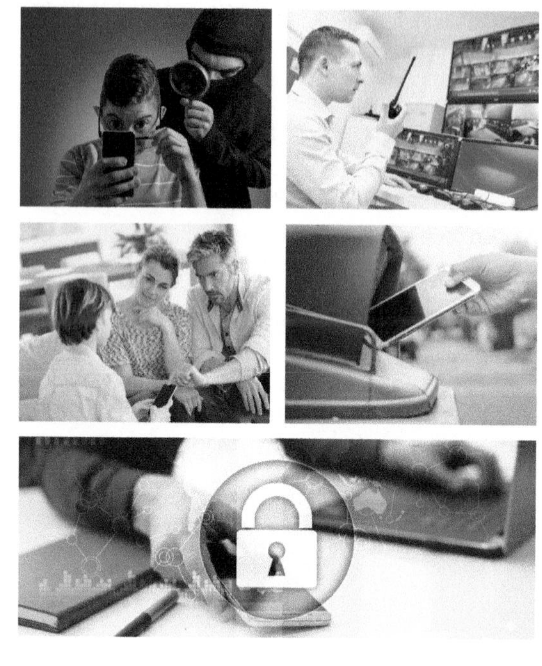

Vocabulario para una mejor discusión

Para mejorar tu capacidad de participar más ampliamente en las conversaciones de clase, encontrarás aquí vocabulario útil y pertinente para el tema de esta conexión. Además, este vocabulario te va a ayudar a aumentar y desarrollar tu español en general.

la amenaza de regular las redes sociales (la intimidación hablada o escrita)	**esconder** la identidad verdadera (ocultar)
el anonimato para no revelar la identidad (el estado de no ser reconocido/a; incógnito)	**espiar** las actividades de los hijos (mirar o escuchar de una manera secreta)
la censura para controlar la comunicación (la prohibición de ideas o acciones)	**la imprudencia** en revelar información personal (la falta de cuidado)
confiar de la información en internet (tener confianza en)	**la privacidad** para guardar información personal (la confidencialidad)
los datos para llenar los formularios (la información personal)	**la seguridad** contra algo malo (el estado de sentirse protegido/a)

Desarrollando tu vocabulario

Antes de empezar a participar en las discusiones de clase, accede a tu cuenta en la guía digital, el sitio *web* estudiantil donde puedes encontrar práctica y recursos adicionales para este libro. Hay ejercicios para ayudarte a recordar y usar el **Vocabulario para una mejor discusión.**

Exprésate

Vas a usar estas preguntas que se basan en las imágenes de la página anterior para profundizar tu comprensión de los temas de esta conexión. Antes de discutirlas con tus compañeros, piensa en algunas respuestas y su justificación. Luego, reúnete con algunos compañeros de clase para compartir sus ideas y refinar las tuyas.

- ¿Qué amenazas a un internet libre se ven en estas imágenes?
- Describe una situación personal que una de las imágenes de la página anterior comunica.
- Escoge dos imágenes y luego explica cómo ilustran mejor el conflicto entre un internet libre y un internet regulado.
- ¿Qué temas de responsabilidad personal y derecho sugieren estas imágenes?

¡Para saber más!

¿Es posible un internet de uso libre?

Paso 1

Instrucciones: Supongamos que has decidido familiarizarte con los puntos de vista sobre un internet libre de regulación y si el anonimato es un derecho fundamental. Primero, vas a entrevistar a algunos representantes de los varios grupos de tu comunidad para saber sus puntos de vista sobre la libertad y el control de internet. Segundo, vas a apuntar tus hallazgos en el siguiente organizador gráfico.

Resultados de mi investigación sobre las opiniones de varios grupos sobre el uso de internet

Clave: A = Mi investigación

Clave: B = Información adicional de la investigación de mis compañeros de clase

Según	¿Por qué debe haber un internet libre?	¿Por qué debe haber un internet regulado?
Mis familiares	A. B.	
Mis amigos	A. B.	
Mi escuela	A. B.	
El Gobierno nacional	A. B.	
Yo (mi nombre es) ________________ Nombre de los otros colaboradores	A. B.	

Paso 2

Instrucciones: Luego, vas a comparar los resultados de tu investigación con los de otros compañeros de clase. Usa el organizador gráfico para tus ideas. Luego, apunta cualquier idea nueva aprendida de los otros de la clase.

AP® Paso 3: Aplicación práctica

Instrucciones: Vas a escribir una respuesta a un mensaje electrónico. Vas a tener 15 minutos para leer el mensaje y escribir tu respuesta.

Tu respuesta debe incluir un saludo y una despedida, y debe responder a todas las preguntas y peticiones del mensaje. En tu respuesta, debes pedir más información sobre algo mencionado en el mensaje. También debes responder de una manera formal.

Introducción: Este mensaje electrónico es de la señora María José Cárdenas, supervisora del periódico de tu escuela. Recibes este mensaje porque le has escrito solicitando un trabajo en el equipo del periódico.

De: cardenas@explorador.com Cc Bcc

Asunto: Interesado en formar parte de nuestro equipo

Muy distinguido/a estudiante:

Quisiera darle a Ud. las gracias por haberme contactado la semana pasada. Me alegro mucho de saber que Ud. tiene interés en ser miembro de nuestro equipo editorial.

En su mensaje, escribió que a Ud. le gusta escribir, pero no mencionó si Ud. tiene experiencia escribiendo para una publicación como la nuestra. Le ruego que explique cualquier experiencia que haya tenido y que incluya también de qué temas le gusta escribir.

Un requisito para cada miembro de nuestro equipo editorial es compartir con nosotros la contraseña de su cuenta estudiantil para la escuela. Ya sabe Ud. que la escuela puede regular el uso de internet por parte de los estudiantes porque la ley de nuestra institución no permite el anonimato. Es obligatorio no ser anónimo sobre todo porque el trabajo que Ud. escribe y publica en el periódico es propiedad de la escuela. Por eso, necesitamos saber, antes de ofrecerle a Ud. un puesto en nuestro equipo, si Ud. está de acuerdo con esta demanda. Además, es necesario darnos su opinión sobre esta política.

Si Ud. tiene cualquier pregunta, estoy a sus órdenes. Espero recibir su respuesta cuanto antes.

Atentamente,

María José Cárdenas, maestra y supervisora del periódico escolar, *El Explorador*

Responder

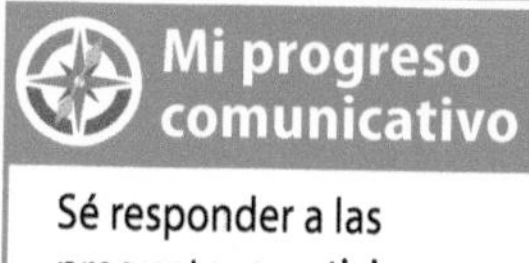

Mi progreso comunicativo

Sé responder a las preguntas y peticiones en un mensaje electrónico formal y pedir más información sobre un puesto en el periódico de la escuela.

ESTRATEGIAS

Observa y realiza para escribir un correo electrónico

Observa: Las instrucciones tienen información sobre lo que debes incluir:

- empezar tu correo con un saludo
- terminar tu correo con una despedida
- contestar a todas las preguntas y peticiones del correo que recibiste
- pedir más información sobre algo mencionado en el correo que recibiste.

Realiza: El correo electrónico es una tarea AP® que solo permite el uso de Ud., saludos y despedidas formales. Por esto, presta atención a los verbos que usas y ten en cuenta usar uno o dos saludos y despedidas apropiadas.

La gran diversidad del español

% El porcentaje %

¿Sabías que hay distintas maneras de expresar el porcentaje de algo? En esta gráfica se usa la coma (,) para expresar una fracción del porcentaje. Nota que, si lees "un 94,1 de los jóvenes", dices "un noventa y cuatro, coma uno por ciento de los jóvenes". En otras partes del mundo hispanohablante se usa el punto (.) para indicar decimales.

ESTRATEGIAS

Observa y realiza para comprender las estadísticas de una gráfica

Observa: Encuentra los elementos que la gráfica usa para informarnos. En esta gráfica hay dos ejes, uno vertical y otro horizontal. Además, hay tres colores que representan tres conjuntos de datos diferentes.

Realiza: Es importante comprender qué dice cada elemento. ¿Qué significan los números del eje vertical? ¿Las explicaciones del horizontal? ¿Qué información representan los colores?

Infórmate

¿Cuidado o imprudencia?

Paso 1

Instrucciones: Para anticipar el contenido de la gráfica que vas a estudiar, conversa con otros de la clase sobre si tus amigos y tú son cuidadosos o imprudentes cuando publican su información personal en internet.

Paso 2

Instrucciones: Para comprender la información de la gráfica, estúdiala con cuidado. Debes comprender su propósito.

Introducción: Esta gráfica, *Grado de aprobación a la hora de facilitar información personal en las redes sociales*, trata de la confianza de los usuarios jóvenes en la seguridad de las redes sociales. La gráfica se encuentra en "Icono 14, Revista de tecnologías y comunicación emergentes", Autores: Rodríguez García, L. y Magdalena Benedito, J. R. (2016): Perspectiva de los jóvenes sobre seguridad y privacidad en las redes sociales, Icono 14, volumen (14), publicada en España.

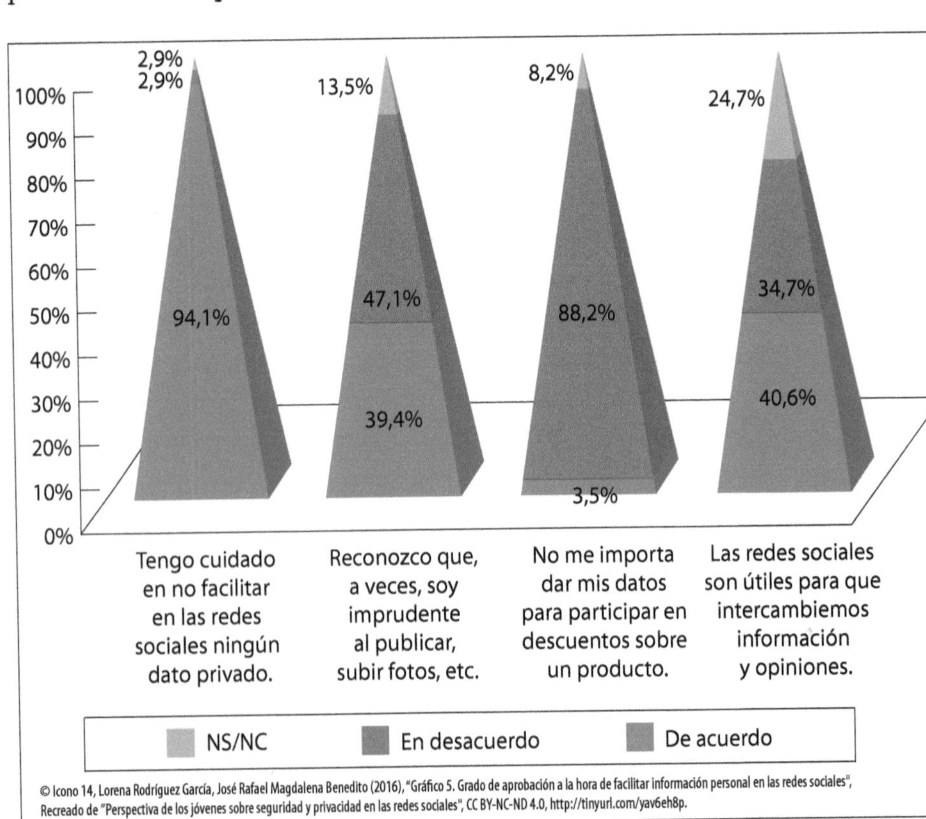

Paso 3

Instrucciones: Crea preguntas para la clase sobre la gráfica que acabas de ver. Asegúrate de hablar de los siguientes temas.

- Lo que representan los números en cada pirámide.
- La información que representa cada color distinto.
- La información que ofrece cada una de las pirámides.
- Si te das cuenta de contradicciones en las respuestas.

Paso 4

Tema de debate: Las redes sociales son el mejor medio para intercambiar información.

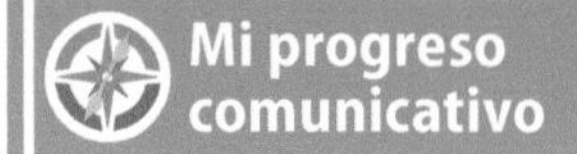

Mi progreso comunicativo

Sé dar y justificar opiniones a través de una encuesta informal sobre las declaraciones en una gráfica.

¡OJO!

Cuando tenemos una palabra femenina que empieza con la letra *a* o las letras *ha* con la a estresada, por razones de pronunciación, se usa el artículo masculino con la forma singular de la palabra. Como es una palabra femenina, con la forma plural se usa *las*. Otros ejemplos son: *el agua, las aguas; el alma, las almas; el hacha, las hachas.*

ESTRATEGIAS

Observa y realiza para usar listas de vocabulario

Observa: Como en las conexiones previas, las palabras presentadas aquí se encuentran en **¿Aprecias la cultura hispanohablante?** Observa los sinónimos y las explicaciones del nuevo vocabulario.

Realiza: Luego de familiarizarte con las palabras, estudia las relaciones temáticas entre ellas.

Por ejemplo: el arma/la ley
La ley es un arma importante para regular la sociedad.

¿Qué más necesitas saber?

Vocabulario para una mejor comprensión

Para comprender las ideas principales de la fuente auditiva en **¿Aprecias la cultura hispanohablante?** de esta conexión, estudia y practica el uso de estas palabras antes de escucharlas.

el arma (f)	el armamento; un instrumento de poder Regular internet puede ser, a veces, un **arma** peligrosa.
convertirse en	cambiarse; llegar a ser algo diferente Controlar el uso de internet por el Gobierno podría **convertirse en** abusos gubernamentales.
cumplir	realizar; satisfacer un deber o un deseo Es posible **cumplir** el objetivo de proteger la libertad de expresión en internet.
el esfuerzo	la diligencia; la necesaria actividad energética para hacer algo difícil Controlar internet podría ser un **esfuerzo** innecesario porque sería muy complicado.
el informe	el reportaje; una noticia de información La Organización de las Naciones Unidas publicó un **informe** sobre internet.
la ley	la legislación; un código de conducta Hay **leyes** nacionales que ya controlan el uso de las redes sociales.
mediante	con la ayuda de; por medio de La mayoría de los bolivianos tienen conexión a internet **mediante** sus celulares.
el poder	la fuerza; la intensidad de completar algo El Gobierno tiene el **poder** de regular internet.
promover	apoyar; ayudar a la realización de un proyecto El artículo **promueve** la libre expresión en internet.
superar	sobrepasar; llegar más allá del límite El número de usuarios **supera** seis millones de personas.

Oportunidad inicial

Instrucciones: Para empezar a aprender a usar estas palabras, escoge la palabra o la expresión del cuadro que completa correctamente las oraciones que siguen, haciendo los cambios gramaticales necesarios.

el esfuerzo · promueven · cumplieron · el informe · mediante · convertirse en · superó · el arma · el poder · la ley

1. Los dueños _________ (promueven/superan/cumplieron) su empresa nueva en la red para tener éxito.
2. Yo aprendí mucho cuando leí _________ (la ley/el poder/el informe) económico en internet.
3. Vi en internet que ese atleta tenía _________ (el esfuerzo/el poder/la ley) de ganar tres medallas de oro.
4. Una buena red social rápidamente puede _________ (mediante/superó/convertirse en) una red con mala reputación.
5. Comuniqué la información _________ (el esfuerzo/mediante/superar) un correo electrónico.
6. Los alumnos _________ (cumplieron/convertirse en/promueven) todos los requisitos de la escuela para graduarse a tiempo.
7. La cantidad de la gente que descargó esa *app* _________ (superó/el esfuerzo/promueven) el número que tenía la empresa el año pasado.
8. Siempre hago _________ (la ley/el esfuerzo/el arma) para hacerlo bien en mi trabajo escolar.
9. Las noticias falsas en internet son _________ (el informe/el arma/el esfuerzo) que usan los *hackers* para robar las identidades.
10. Un buen ciudadano sigue _________ (el informe/el arma/la ley) para no tener problemas con las autoridades.

Palabras imprescindibles para esta fuente

el cifrado
la codificación; el método de hacer secreto el significado de un mensaje

la fiscalía
la oficina de abogados que representan al estado para procesar crímenes públicos

¿Aprecias la cultura hispanohablante?

Audio

AP® **Instrucciones**: Vas a escuchar una o varias grabaciones. Algunas grabaciones van acompañadas de lecturas. Cuando haya una lectura, vas a tener un tiempo determinado para leerla. Para cada grabación, primero vas a tener un tiempo determinado para leer la introducción y prever las preguntas. Vas a escuchar cada grabación dos veces. Mientras escuchas, puedes tomar apuntes. Tus apuntes no van a ser calificados. Después de escuchar cada selección por primera vez, vas a tener 1 minuto para empezar a contestar las preguntas; después de escuchar por segunda vez, vas a tener 15 segundos por pregunta para terminarlas. Para cada pregunta, elige la mejor respuesta según la grabación o el texto.

Introducción: Este audio, *Se abre el debate en torno a la necesidad de regular las redes sociales,* trata del conflicto entre los que quieren regular internet y los que quieren preservar un internet libre y abierto. Primero, un locutor presenta el clip. Luego, una locutora del canal entrevista a Adriana Zurita, abogada, sobre la polémica. El programa fue emitido por ATB Red Nacional de Bolivia.

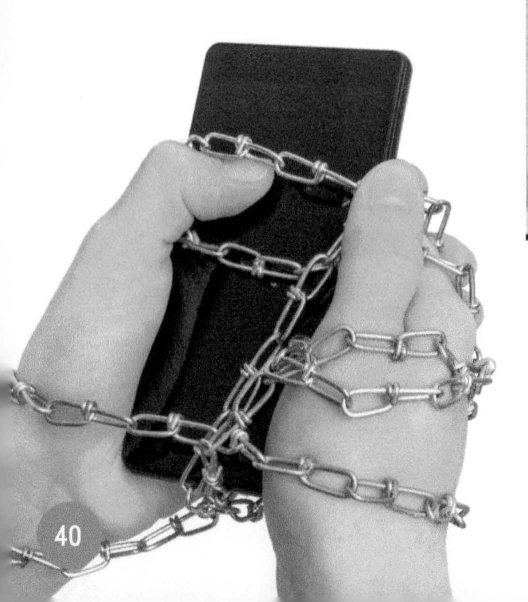

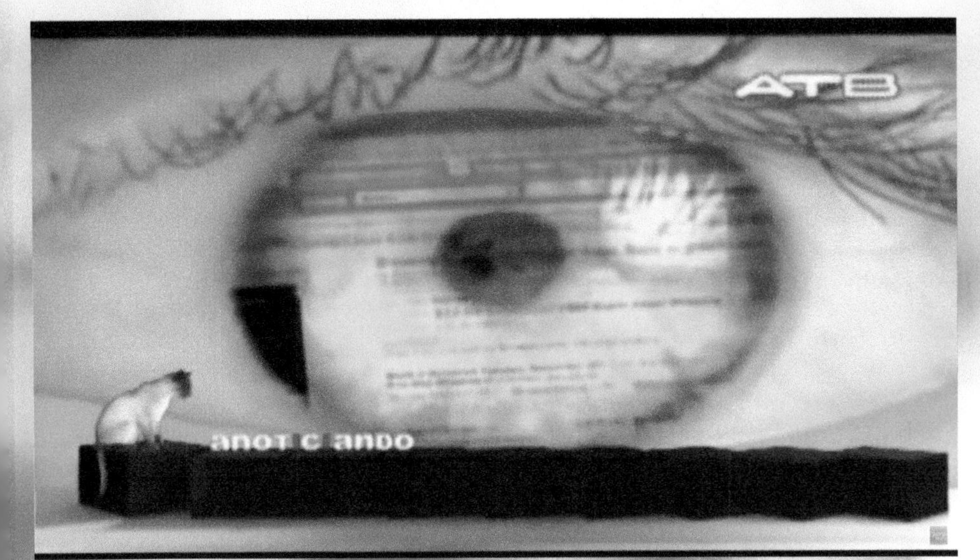

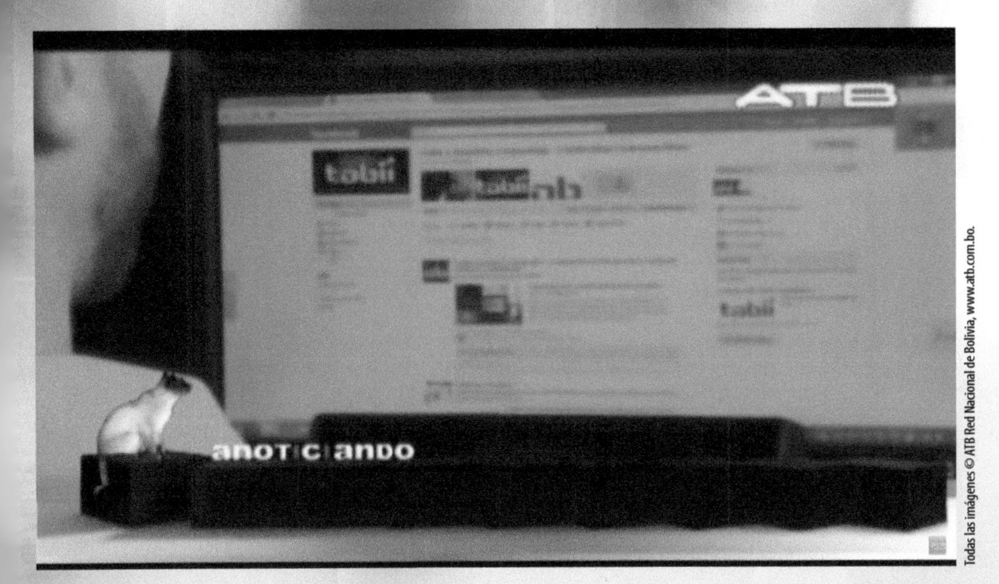

ESTRATEGIAS

Observa y realiza para comprender una grabación

Observa: Hay distintas opiniones entre los participantes. Debes tomar apuntes mientras los participantes explican sus ideas. ¿Qué opinión expresa la abogada? ¿Tiene la locutora una opinión?

Realiza: Trata de captar los detalles y anota los puntos que apoyan las opiniones expresadas porque después, tendrás la oportunidad de presentar tu opinión y promocionarla.

ESTRATEGIAS

Observa y realiza para contestar a las preguntas de selección múltiple para un audio

Observa: Las preguntas piden información de la fuente y no tu opinión personal. Por eso, necesitas conocer las preguntas antes de escuchar el audio.

Realiza: Encuentra una o dos palabras claves para cada pregunta: por ejemplo, en la pregunta número 1 la palabra "propósito", "anonimato" en la 2 y "promovió" en la número 3. Esto te ayudará a concentrarte en información primordial y no en información sin relación con las preguntas.

¿Qué aprendiste?

Paso 1

Instrucciones: Basándote en lo que recuerdas después de escuchar el audio en **¿Aprecias la cultura hispanohablante?**, contesta a estas preguntas para mostrar tu comprensión.

1. ¿Qué rol tiene el uso del anonimato en internet?
2. ¿Por qué hay un debate sobre la regulación de internet?
3. ¿Qué punto de vista expresa la abogada, Adriana Zurita?
4. ¿De qué tiene miedo la abogada, Adriana Zurita?
5. ¿Qué argumento a favor del control presenta la locutora?

AP® Paso 2

Instrucciones: Para mostrar que comprendiste algunos detalles importantes del audio, contesta a las preguntas con un/a compañero/a. Justifica tus respuestas con información específica del audio.

1. ¿Cuál es el propósito de este informe noticiero?
   a. Explorar los puntos de vista sobre la libertad de expresión en internet
   b. Promover la regulación del uso de internet
   c. Mostrar lo ridículo de regular el uso de internet
   d. Explicar la complejidad del uso de internet
2. Según este informe, ¿por qué es el anonimato importante en el debate?
   a. Por un lado es un derecho civil y por otro es un delito criminal
   b. Por un lado es un arma del Gobierno y por otro es un delito social
   c. Por un lado mantiene seguridad de expresión y por otro permite abusos sociales
   d. Por un lado mantiene secretos personales y por otro permite investigaciones policiales

3. ¿Qué promovió el informe que publicó las Naciones Unidas?
   a. La protección del cifrado y del anonimato
   b. La investigación de la posibilidad de controlar el cifrado y el anonimato
   c. La determinación de quiénes están detrás del cifrado y del anonimato
   d. La regulación del cifrado y del anonimato

4. ¿Qué afirma la abogada, Adriana Zurita, sobre la regulación de internet?
   a. Que el control es innecesario porque no se puede controlar el internet
   b. Que no hay ninguna manera de identificar a quiénes mantienen cuentas personales
   c. Que ya existen leyes que controlan las redes sociales y el internet
   d. Que no existen posibilidades de hacer investigaciones de ciertas cuentas

5. Según esta fuente, ¿qué se puede concluir sobre el anonimato?
   a. Es un peligro que causa mucho abuso en internet
   b. Es un problema innecesario causado por el abuso en internet
   c. Es importante porque permite el derecho a la libre expresión en internet
   d. Es una práctica que promueve la investigación del abuso en internet

6. En Bolivia, ¿cómo se conectan más a las redes sociales?
   a. Mediante la computadora
   b. Mediante el celular
   c. Mediante las *tablets*
   d. Mediante los televisores

Paso 3

Instrucciones: Para comprender mejor las prácticas y las perspectivas culturales que se encuentran en el noticiero de Bolivia, usa estas preguntas de discusión en grupos de compañeros de clase. ¿Tiene tu comunidad las mismas prácticas y perspectivas con respecto a las cuestiones éticas que se presentan en el noticiero?

Prácticas culturales

1. ¿Cuáles son algunos de los abusos del anonimato en Bolivia?
2. En Bolivia, ¿qué medios se pueden usar para investigar y combatir los abusos del anonimato?

Perspectivas culturales

1. ¿Qué influencia parece tener las Naciones Unidas en la política de Bolivia?
2. ¿Por qué produce una diferencia de opinión entre los bolivianos la posibilidad de regular las redes sociales?

Mi progreso intercultural

Sé comparar las perspectivas sobre el conflicto de regular las redes sociales en las culturas hispanohablantes y mi comunidad.

Presenta

El enfoque: ¿Es necesario regular el uso de internet?

Paso 1: El texto relevante

Imagínate que acabas de recibir esta noticia de la administración de tu colegio con respecto al uso del teléfono celular u otro aparato electrónico en la escuela para acceder a internet.

Introducción: Esta cita viene de un blog publicado en educ@conTIC, una publicación del Ministro de Educación, Cultura y Deporte del Gobierno de España. Fue escrito por María Loureiro en un artículo intitulado *Sobre la prohibición del uso de teléfonos móviles en escuelas e institutos* como ejemplo de las normas que se pueden encontrar en los colegios.

"Está prohibido usar el teléfono celular o cualquier aparato electrónico durante clases, incluyendo las horas de reemplazo, talleres, preuniversitarios o similares. Esto también incluye a los profesores".

Gobierno de España, Ministerio de Educación, Cultura, y Deportes, intef; María Loureiro (2012), "Sobre la prohibición del uso de teléfonos móviles en escuelas e institutos", CC BY-SA 3.0 ES. Adaptado de http://tinyurl.com/yd2pcrdj.

Paso 2: La exploración

Esta información te va a ayudar a hacer la presentación en **Paso 3**.

- Vas a investigar información sobre la política de otros colegios de tu país con respecto a la regulación del uso de los celulares para acceder a internet.
- Presta atención a las razones dadas por estos otros colegios para justificar la regulación o la falta de regulación del acceso a internet.
- Consulta con los compañeros de clase para considerar la información que ellos han encontrado.
- Escribe una lista de, al menos, cinco normas para el uso apropiado de los celulares en tu colegio para acceder a internet. Usa en tu presentación la información que tú y tus compañeros descubrieron.

Paso 3: La presentación

Instrucciones: Ahora vas a hacer una presentación oral a tu clase sobre tu lista de normas para el uso apropiado de los celulares en tu colegio. En tu presentación debes hacer referencia a las ideas expresadas en la cita *Sobre la prohibición del uso de teléfonos móviles en escuelas e institutos* de **Paso 1**. Explica por qué tus normas permiten el mejor plan para el uso de los celulares para acceder a internet durante las horas de clase de tu colegio. Tendrás cuatro minutos de preparación y dos minutos para grabar tu presentación en la guía digital, el sitio *web* estudiantil donde puedes encontrar práctica y recursos adicionales para este libro.

Atando cabos sueltos

Una conversación simulada

AP® Ahora que has completado esta conexión, tienes la oportunidad de practicar en la guía digital una conversación simulada que sigue el formato de la tarea en el examen de AP®. Fíjate en que esta conversación se basa en el tema de esta conexión.

Tu progreso comunicativo e intercultural

Después de grabar la conversación simulada, evalúa tu progreso durante esta conexión en el Apéndice A y en **Mi portafolio** en la guía digital para indicar lo que has aprendido a hacer.

ESTRATEGIAS

Observa y realiza para buscar información en internet

Observa: Al investigar las normas de otros colegios sobre el uso de los *smartphones* y las del colegio de España, ten en cuenta las diferencias y semejanzas en prácticas y perspectivas culturales.

Realiza: Las normas de un colegio revelan sus prácticas y sus perspectivas. Presta atención a las posibles consecuencias de las normas que encuentras. Enfócate en cómo pueden ayudar o impedir la educación. Debes llegar a una opinión sobre lo que cada colegio intenta proteger, desarrollar y controlar.

Sé presentar información investigada sobre las normas actuales del uso de aparatos electrónicos en una escuela o instituto.

Sé participar en conversaciones para responder a preguntas, pedir información y hacer recomendaciones.

Resumen de vocabulario

Palabras para apreciar

Vocabulario para una mejor discusión – Conexión 1

acceder a - tener acceso

actualizar - renovar

el cheque regalo - una tarjeta para compras que se le da a otro

la contraseña - una palabra secreta que permite acceso

la cuenta - un registro de información personal

devolver - darle a uno lo que te dio antes

hacer clic - pinchar

el pago - el acto de pagar

el pedido - una petición

promocionar - dar apoyo a algo/alguien

Vocabulario para una mejor comprensión – Conexión 1

aficionarse a - relacionarse con

la agilidad - la facilidad

la alimentación - la comida

el alivio - el mejoramiento

cotidiano/a - diario/a

de último grito - lo más reciente

matar el tiempo - ocuparse

señalar - indicar

el traductor - la máquina de traducción

el vínculo - el enlace

Vocabulario para una mejor discusión – Conexión 2

el acoso - el *bullying*

amenazar - intimidar

la autoestima - el aprecio personal

avergonzado/a - humillado/a

colgar - publicar

compartir - distribuir

comportarse - actuar

engañar - mentir

entretenerse - divertirse

mandar - enviar

Vocabulario para una mejor comprensión – Conexión 2

a toda costa - de cualquier manera

el consejo - la recomendación

el delito - el crimen

el inconveniente - la dificultad

el *monitoreo* - la supervisión

el muro - el perfil

perseguir - buscar

el riesgo - el posible peligro

tener en cuenta - notar

el/la usuario/a - el/la cliente/a

Vocabulario para una mejor expresión – Conexión 2

Atentamente o Le saluda cordialmente

En mi opinión...

Es importante que...

Muy estimado/a profesor/a o muy distinguido/a profesor/a

(No) estoy de acuerdo con...

Según...

Sería mejor que...

Vocabulario para una mejor discusión – Conexión 3

la amenaza - la intimidación hablada o escrita

el anonimato - el estado de no ser reconocido

la censura - la prohibición de ideas o acciones

confiar - tener confianza en

los datos - la información

esconder - ocultar

espiar - mirar o escuchar de una manera secreta

la imprudencia - la falta de cuidado

la privacidad - la confidencialidad

la seguridad - el estado de sentirse protegido/a

Vocabulario para una mejor comprensión – Conexión 3

el arma - el armamento

convertirse en - cambiarse

cumplir - realizar

el esfuerzo - la diligencia

el informe - el reportaje

la ley - la legislación

mediante - con la ayuda de

el poder - la fuerza

promover - apoyar

superar - sobrepasar

Vocabulario para una mejor expresión – En resumen: el IPA

a diferencia de

aunque

en cambio

Más vale prevenir que curar.

No todo lo que brilla es oro.

según

sin embargo

Gramática problemática

Ser y estar

Introducción: Este es un mensaje electrónico que has recibido de la gerente de la empresa Smarterphones, S.A. Ella contesta al mensaje que le mandaste en el cual escribiste sobre el problema que tienes con tu celular. Al leer el mensaje, presta atención a los usos de ser y estar.

De: Yolanda Fernández León Cc Bcc

Asunto: La reparación del Smarterphone

Estimada Elena Pizarro Romero:

Soy Yolanda Fernández León, una de los gerentes de nuestra empresa. Es mi responsabilidad contestar a la correspondencia que recibimos, especialmente cuando nuestros clientes no están satisfechos con nuestros productos. Estamos muy orgullosos de nuestros Smarterphones y, para nosotros, es importante tener clientes contentos. Cuando recibimos un mensaje de un cliente que está escribiendo con una queja, contestamos inmediatamente. Es nuestra intención comprender cuál es el problema y cuál es la solución para satisfacer al cliente.

En su mensaje, Ud. dijo que el celular no está funcionando bien y que está descompuesto. La verdad es que nunca describió exactamente cuál es el problema. Tampoco dijo en su mensaje dónde está la tienda donde Ud. lo compró.

Favor de responder al mensaje incluyendo esta información:

- ¿Cuál es el problema?
- ¿Cuándo compró Ud. el celular?
- ¿Dónde compró Ud. el celular?
- ¿En qué condición estaba cuando lo compró?
- ¿Hay una tienda cerca donde Ud. pueda devolver el celular?

Ud. mencionó que el próximo mes será su cumpleaños y necesita su Smarterphone para esa fecha. Esto no es ningún problema. Nuestro servicio ha sido siempre de alta calidad y todos nosotros aquí estamos dedicados a mantener esta calidad. Favor de contestar lo más pronto posible.

Atentamente,
Yolanda Fernández León
La gerente general de Smarterphones

Responder

Instrucciones: Después de pensar en los usos de ser y estar, escríbele a la señora Yolanda Fernández León un correo electrónico en el cual contestas a las preguntas. Cuidado al escoger ser o estar.

Ahora lee la explicación que sigue para repasar los usos y verifica si has escrito correctamente tus oraciones usando ser y estar.

ESTAR es el verbo utilizado para comunicar:

1. Salud
   a. Estoy mal por tener que consultar mi móvil en cualquier momento.
   b. ¿Cómo estoy? Estoy medio enferma por haber perdido mi móvil.
2. Ubicación (lugar)
   a. No sé dónde está mi celular.
   b. Estoy de aquí para allá para encontrarlo.
3. Condición (emoción, estado, apariencia)
   a. Estoy desesperada porque no lo encuentro. (emoción)
   b. El celular está descompuesto. (estado)
   c. Mis amigos me dicen, "¡Qué guay estás en las fotos con tu móvil nuevo!" (apariencia)
4. Tiempos progresivos
   a. He estado buscando un remedio para mi adicción.
   b. ¡Uf! ¡Mi celular está sonando! ¡Con permiso!

SER es el verbo utilizado para comunicar:

1. Identificación (origen, características físicas y distintivas, profesión)
   a. Soy de una cultura donde el *smartphone* me controlaba totalmente. (origen)
   b. Desde cuando era bajita y flaca, he tenido mi celular a mi lado. (características físicas)
   c. Buenos días. Soy un exusuario de celulares. (característica distintiva)
   d. Ahora soy bibliotecaria y no me permiten usar ningún *smartphone*. (profesión)
2. Evento (fecha, hora, día, mes, año)
   a. Sería el 29 de febrero cuando, de repente, encontré una aplicación que me salvó. (fecha)
   b. Eran las tres de la mañana y no podía separarme de mi celular. (hora)
3. Acción (algo que ocurre)
   a. El momento de darme cuenta de mi adicción fue en mi casa.
   b. La celebración de mi aniversario sin celular será en el Club Hípico.
4. La voz pasiva (ser y un participio pasado)
   a. Durante la celebración ningún celular será activado por nadie.
   b. Todos serán controlados por la aplicación salvadora en mi celular. Adiós y gracias.

Adjetivos que tienen significados diferentes si se usan con ser o con estar.

Aburrido
El estudiante está aburrido porque la clase es aburrida.

Rico
Ella es rica.

Las empanadas están ricas.

Seguro
Este sitio *web* es seguro.

Él no está seguro.

En resumen: el IPA
Integrated Performance Assessment

Las fuentes del capítulo

Conexión 1

Video: *Amazon.es lanza su tienda de alimentación y limpieza del hogar*

Infografía: *Las apps más utilizadas en España*

Lectura: *Lista de aplicaciones creadas en países hispanohablantes*

Conexión 2

Video: *La realidad virtual confirma su liderazgo con la llegada de Pokémon Go*

Lectura: *Confundir la vida virtual con la real, el peligro de Facebook*

Lectura: *La carta del profesor uruguayo que conmueve al mundo de la educación*

Conexión 3

Gráfica: *Grado de aprobación a la hora de facilitar información personal en las redes sociales*

Audio: *Se abre el debate en torno a la necesidad de regular las redes sociales*

Lectura: *Sobre la prohibición del uso de teléfonos móviles en escuelas e institutos*

El equipo directivo de tu escuela te invita a participar en un concurso. El concurso promoverá la creación de una aplicación virtual. ¡Aceptas la invitación con mucho gusto y entusiasmo!

Antes de planear tu proyecto, ten en cuenta las preguntas esenciales del capítulo para incorporar la información en tu presentación.

1. ¿Qué impacto ha tenido el teléfono móvil en el estilo de vida actual?
2. ¿Qué rol tiene el teléfono celular en el comportamiento?
3. ¿Qué problemas de seguridad produce el uso de internet?

Evaluación de tu comprensión

Vas a leer un artículo que trata de las aplicaciones que existen hoy en día. Es un artículo escrito por una bloguera española.

Evaluación de tu comunicación interpersonal

Instrucciones: Antes de hablar con tus compañeros, vas a organizar tus ideas para idear una aplicación. Para compartir y desarrollar tus ideas, vas a entrevistar a tus compañeros. Luego de hablar con ellos, vas a apuntar las ideas en un organizador gráfico para ayudarte a planear tu presentación final.

Evaluación de tu presentación

Instrucciones: Para mejorar tu capacidad de dar una presentación oral, vas a idear una aplicación virtual.

Para preparar la presentación, vas a incluir:

- una representación visual
- un folleto de los componentes.

Para dar la presentación, vas a disponer de:

- una representación visual para organizar tus ideas
- dos minutos para la presentación oral.

Vocabulario para una mejor expresión

Aquí tienes palabras y frases que te pueden ayudar a expresarte mientras haces tu proyecto.

Dichos

Más vale prevenir que curar.
No todo lo que brilla es oro.

Conectores para refinar tu español

Según

El artículo dice que uno debe dejar el celular y retomar su vida.

Según el artículo, uno debe dejar el celular y retomar su vida.

El Gobierno quiere regular internet. Los jóvenes quieren un internet libre.

Aunque

El Gobierno quiere regular internet aunque los jóvenes quieren un internet libre.

En cambio

El Gobierno quiere regular internet; los jóvenes, en cambio, quieren un internet libre.

A diferencia de

El Gobierno quiere regular internet, a diferencia de los jóvenes, que quieren un internet libre.

Sin embargo

El Gobierno quiere regular internet; los jóvenes, sin embargo, quieren un internet libre.

Capítulo 2

La mochila

Metas del capítulo

- Comprender las ideas principales y secundarias presentadas en varias fuentes auténticas sobre la mochila con respecto al estilo, a su adaptación a las circunstancias de la comunidad y al rol de la mochila en la renovación personal.
- Conversar con otros sobre el diseño, los adornos, el propósito y el rol de la mochila en tu vida.
- Explorar, reflexionar y presentar sobre lo que la mochila representa para una persona en su estilo, diseño y uso.
- Comparar las prácticas de diseñar, adornar y usar la mochila en las comunidades hispanohablantes con las de mi comunidad, y cómo las perspectivas de estas prácticas influyen en la gente de varias comunidades.

El producto cultural: La mochila

Este producto te identifica a través de su diseño y sus adornos. Cómo lo usas revela su importancia en tu vida. Vas a hacer una serie de actividades y vas a completar reflexiones que te harán pensar más en los diferentes estilos y el impacto de llevarla contigo en varias circunstancias de la vida cotidiana.

Preguntas esenciales

- ¿Cómo se refleja la identidad del individuo en el diseño de la mochila?
- ¿Cómo adapta uno la mochila a las circunstancias de su comunidad?
- ¿Qué papel juega la mochila en la renovación personal?

AP® Temas curriculares	AP® Contextos recomendados
La belleza y la estética	La moda y el diseño Definiciones de la belleza Las definiciones de la creatividad
Los desafíos mundiales La ciencia y la tecnología	El bienestar social La conciencia social La ciencia y la ética Los fenómenos naturales
La vida contemporánea Los desafíos mundiales La ciencia y la tecnología Los desafíos mundiales	Los estilos de vida Los viajes y el ocio Los fenómenos naturales Los temas del medio ambiente

 Mi progreso comunicativo

Sé comprender las ideas principales y secundarias presentadas en varias fuentes auténticas para responder a algunas preguntas sobre los usos de la mochila entre la gente hispanohablante y avisar a otros de los peligros potenciales de las mochilas.

Sé participar en conversaciones, responder a algunas preguntas, pedir información y expresar opiniones sobre los diferentes adornos, estilos, gustos y diseños de las mochilas que usamos.

Sé dar presentaciones orales, hacer comparaciones culturales y expresar una opinión para persuadir a otros.

 Mi progreso intercultural

Sé describir las influencias culturales en el diseño de la mochila en comunidades hispanohablantes y en mi comunidad.

Sé intercambiar información con hispanohablantes, respetando sus opiniones, sobre cómo las mochilas reflejan la identidad de la gente de las comunidades.

El producto cultural:

La mochila

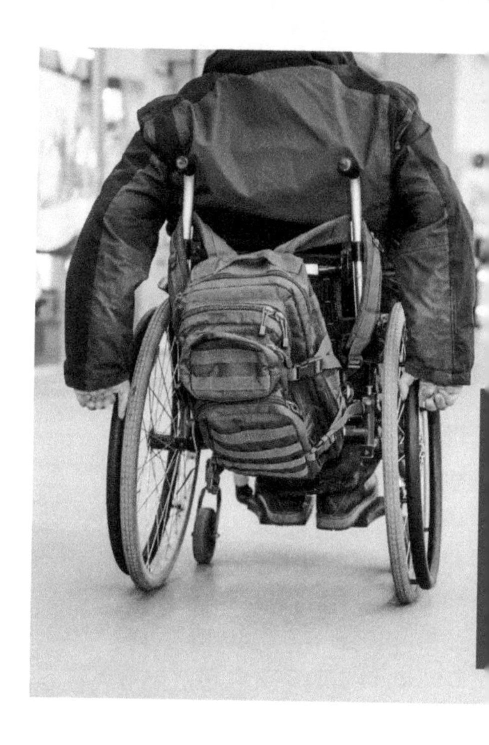

Una mochila es una pertenencia muy apreciada que casi siempre nos acompaña a todos lados. En la niñez, la primera vez que salimos de la casa para ir al parque de recreo o ir a la casa de los abuelos, nuestros padres empacaron la mochila con juguetes, comida, ropa y otros objetos que ellos creían que eran necesarios e importantes. Al pasar los años, cada vez que hacíamos un viaje, corto o largo, llevábamos una mochila con todo lo que nosotros creíamos necesario.

¿Y nuestro primer viaje con más independencia? Cuando nos preparábamos para la secundaria, una aventura que iba a durar cuatro años, escogimos la mochila que nos iba a acompañar y cambiábamos el diseño según nuestro gusto del momento. ¿Y por qué era necesario el cambio? La mochila siempre ha expresado nuestros intereses y experiencias en cada etapa de la vida.

¿Qué es una mochila para nosotros? Aunque es cualquier bolso o bolsa que llevemos, además, es un reflejo de nuestra personalidad y de nuestra cultura. Aun cuando muchos la consideramos un accesorio muy práctico, la mochila puede ser una expresión de libertad y aventura. Lamentablemente en la actualidad ha llegado a ser, a veces, un signo de peligro para algunos.

Explora estas ideas sobre la mochila y después, recógela, póntela y acompáñanos en este viaje a lo largo de este capítulo.

Conexión 1

El diseño y la identidad personal

El enfoque: ¿Qué revela el diseño de la mochila de los que la llevan?

La gran diversidad del español

Hay muchas palabras usadas en el mundo hispanohablante para referirnos a un accesorio que usamos para portar nuestras pertenencias. Por ejemplo: la mochila, el bolso, la bolsa, la cartera, el macuto, el morral, el saco. Para entender las diferencias entre estos accesorios, busca imágenes para cada palabra en internet.

¿Qué sabes?

Fíjate en... los intereses y el estilo de vida de las personas que usarían estos tipos de equipaje. ¿Cuál es el más parecido al tuyo?

Vocabulario para una mejor discusión

Para mejorar tu capacidad de participar más ampliamente en las conversaciones de clase, encontrarás aquí vocabulario útil y pertinente para el tema de esta conexión. Además, este vocabulario te va a ayudar a aumentar y desarrollar tu español en general.

los adornos para decorar tu mochila (la ornamentación)	**llevar** mi portátil y mis libros (transportar)
la bolsa donde guardo mis cosas (el saco)	**la marca** identifica al fabricante de un producto (el nombre de la empresa)
diseñar un nuevo tipo de mochila (crear)	**meter** en la mochila útiles para la escuela (poner)
el gusto expresa preferencias (la inclinación estética)	**las pertenencias** encontradas en una mochila (las posesiones personales)
llamativo/a llama la atención (sugerente)	**reflejar** nuestra personalidad en el diseño (mostrar)

Desarrollando tu vocabulario

Antes de participar en las discusiones de clase, accede a tu cuenta en la guía digital, el sitio *web* estudiantil donde puedes encontrar práctica y recursos adicionales para este libro. Hay ejercicios para ayudarte a recordar y usar el **Vocabulario para una mejor discusión.**

Comunica

AP® Conversación simulada

Instrucciones: Vas a participar en una conversación. Primero, vas a tener un minuto para leer la introducción y el esquema de la conversación. Después, comenzará la conversación, siguiendo el esquema. Cada vez que te corresponda participar en la conversación, vas a tener 20 segundos para grabar tu respuesta.

Debes participar de la manera más completa y apropiada posible.

Introducción: Viste a Mario, un compañero de clase después de la escuela. Le dijiste que necesitabas comprar una mochila nueva. Como no tuvieron tiempo para hablar más, Mario te llama más tarde.

Mario	▶ Te saluda y te hace una pregunta.
Tú	▶ Salúdale y contesta.
Mario	▶ Reacciona y te hace una pregunta.
Tú	▶ Contesta.
Mario	▶ Continúa la conversación y te pide explicar algo.
Tú	▶ Contesta negativamente y explica por qué.
Mario	▶ Reacciona y te hace una pregunta.
Tú	▶ Contesta dando detalles.
Mario	▶ Reacciona y te gasta una broma.
Tú	▶ Reacciona y despídete.

Exprésate

Para contar tu propia experiencia con las mochilas, responde a lo que sigue. Tu profesor/a te explicará cómo quiere que contestes.

- Describe tu mochila favorita, la que tenías antes o la que deseas tener en el futuro.
- ¿Para qué servía o servirá tu mochila favorita?
- Explica si consideras tu mochila actual una pertenencia personal o un mero accesorio práctico.

¡Para saber más!

¿Qué expresan los adornos de las mochilas de tu clase de español? Debes verlos como un reflejo de la personalidad de tu clase.

Paso 1

Instrucciones: Vamos a suponer que el director de tu colegio propone restringir el uso de adornos en las mochilas de la escuela porque cree que suelen representar actitudes y valores antisociales. Por esto, tu profesor/a te ha pedido que participes en un estudio sobre los diseños y adornos que se encuentran en las mochilas. Ahora, vas a juntarte con algunos compañeros de clase para hacer un estudio de los diseños y adornos de las mochilas de tu grupo.

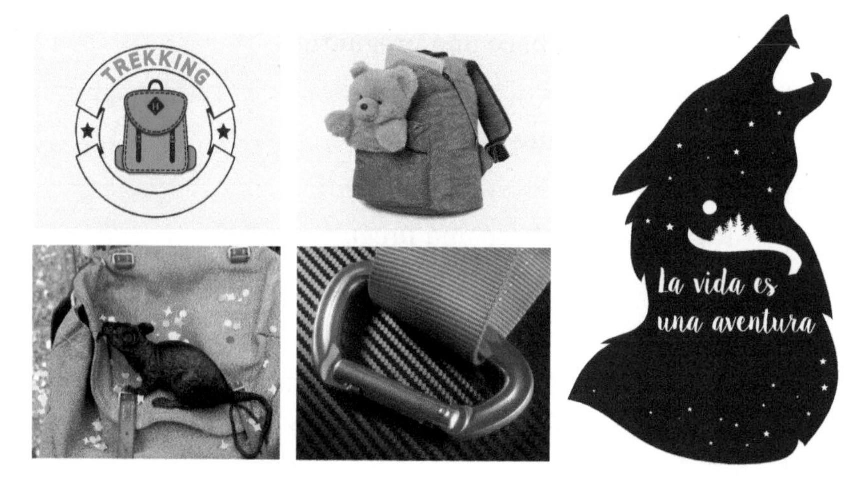

Paso 2

Instrucciones: Para recordar tus ideas y las explicaciones de tus compañeros, usa este organizador gráfico.

El significado del diseño y de los adornos de las mochilas de mi grupo		
Un dibujo del adorno y/o descripción del diseño (color, tamaño, material, etc.)	**Lo que yo creo que representa**	**Lo que el/la dueño/a dice que representa**

AP® Paso 3: Aplicación práctica

Instrucciones: Vas a escribir una respuesta a un mensaje electrónico. Vas a tener 15 minutos para leer el mensaje y escribir tu respuesta. Tu respuesta debe incluir un saludo y una despedida, y debe responder a todas las preguntas y peticiones del mensaje. En tu respuesta, debes pedir más información sobre algo mencionado en el mensaje. También debes responder de una manera formal.

Introducción: Aquí tienes una copia del *mail* que el director le mandó a tu profesor/a sobre la urgencia de hacer un estudio de los significados de los adornos de las mochilas de tu clase de español. Como tu profesor/a es una persona meticulosa, quiere que le ayudes a escribir una respuesta.

De: La dirección de tu colegio — Cc Bcc

Asunto: Mensajes comunicados en las mochilas

Muy estimados colegas:

Me han hecho saber que hay mochilas de nuestros estudiantes que comunican mensajes y valores antisociales. Los adornos y decoraciones que han puesto nuestros estudiantes en sus mochilas están dañando la reputación de nuestro gran colegio. Les ruego a Uds. que hagan un estudio de los diseños y decoraciones de las mochilas de cada clase. Necesitamos protegernos de cualquier mensaje que sea peligroso y abusivo.

El estudio debe incluir entrevistas con cada estudiante sobre el significado de los adornos encontrados en su mochila para investigar lo siguiente.

- ¿Qué se puede concluir de la salud física y emocional de sus clases a través de los adornos de las mochilas?
- ¿Cuáles son algunos mensajes encontrados en el exterior de las mochilas que revelan actividades y actitudes peligrosas?
- Información sobre cómo los adornos representan las actitudes más nobles de nuestra comunidad (colegio, pueblo, o país).

Favor de entregarme sus hallazgos en ocho días.

Estaré muy agradecido por su cooperación.

El director de su seguro y limpio colegio.

Responder

Infórmate

¿Cómo influye la cultura de uno en la selección de una mochila?

Paso 1

Instrucciones: Para desarrollar tu entendimiento de lo que es una mochila, investiga estas imágenes. ¿Qué culturas de trabajo, de ocio y/o de etnia representan estas imágenes? Luego, para profundizar en el esoterismo de la mochila, discute con tus compañeros de clase la pregunta: ¿Cómo influye la cultura de uno en la selección de una mochila?

Introducción: Vamos a imaginar que has accedido a internet para comprar un nuevo accesorio para llevar tus cosas al colegio. La página *web* te hace estas preguntas para completar tu perfil de usuario de su sitio de compras. Contesta a las preguntas lo más completamente posible.

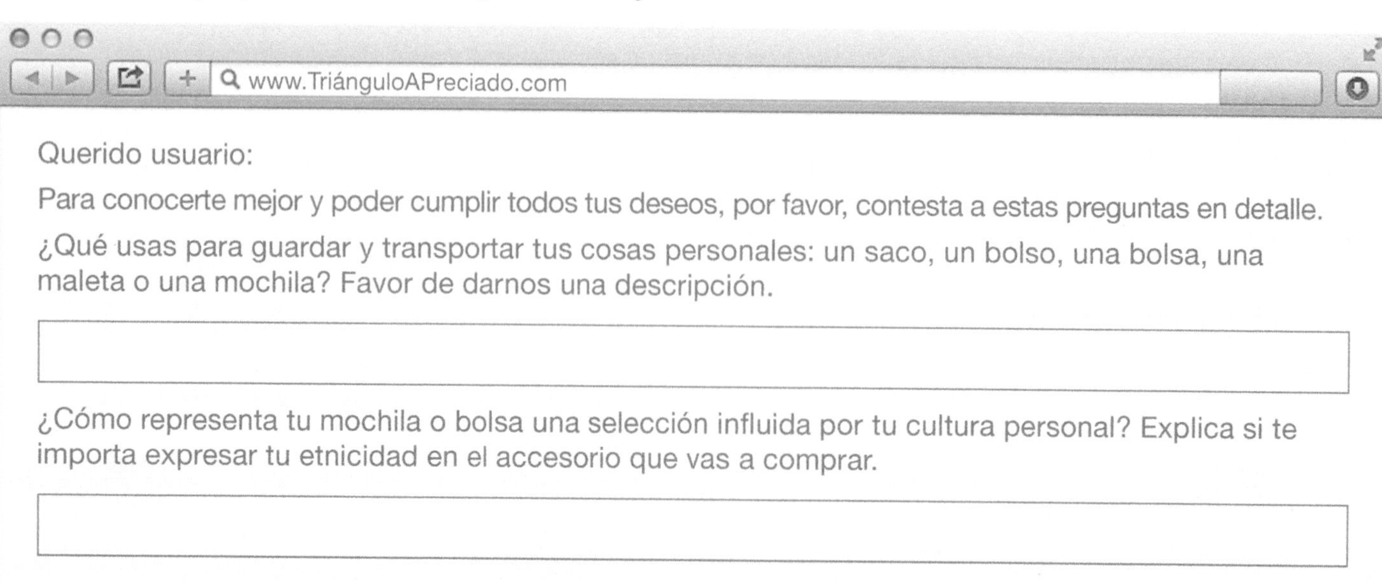
www.TriánguloAPreciado.com

Querido usuario:

Para conocerte mejor y poder cumplir todos tus deseos, por favor, contesta a estas preguntas en detalle.

¿Qué usas para guardar y transportar tus cosas personales: un saco, un bolso, una bolsa, una maleta o una mochila? Favor de darnos una descripción.

¿Cómo representa tu mochila o bolsa una selección influida por tu cultura personal? Explica si te importa expresar tu etnicidad en el accesorio que vas a comprar.

Paso 2

Instrucciones: Lee los mensajes de algunos hispanohablantes que respondieron a la pregunta: "¿Qué dice tu mochila de tu cultura?". Empareja el mensaje con la(s) imagen(es) de la(s) mochila(s) del **Paso 1** que mejor representa(n) la cultura personal y/o etnia de la persona que lo mandó.

A. S. de España

"Pues que soy activo, inquieto, con ganas de conocer mucho, deportista".

M. J. de México

"Dice que soy como un caracol. Que traigo todo lo que necesito pero todo. Uso una bolsa grande porque caben desde mis cosméticos hasta mi *tablet* y todos mis *gadgets*. Esto es para asegurarme que no me falte nada".

J. L. de Puerto Rico

"Que soy una persona práctica o pragmática. O al menos eso creo".

M.C. de Costa Rica

"Mi bolsa creo que dice que soy muy dinámica ya que como es grande debe de caber todo lo que necesito durante el día. Además, que es de que me gusta estar a la moda. Lo práctico no debe estar peleado con lucir bien. De mi cultura no creo que diga nada. Es una bolsa Tous marca francesa creo".

A.G. de Paraguay

"Pues, escogería la bolsa de deporte. En ella puedo guardar mil cosas para entrenar y para viajar. Indica que eres una persona activa, que te gusta el deporte, viajar, conocer gente".

Paso 3

Instrucciones: ¿Cuáles de estas mochilas no usaría ninguno de los que mandaron los mensajes? Explica tu respuesta según la información personal revelada en los mensajes.

Paso 4

Tema de debate: La mochila debe ser una expresión de la vida personal de su dueño/a.

Mi progreso comunicativo

Sé dar y justificar opiniones sobre si la mochila es una expresión de la vida de una persona.

¿Qué más necesitas saber?

Vocabulario para una mejor comprensión

Para comprender las ideas principales de la fuente auditiva en **¿Aprecias la cultura hispanohablante?** de esta conexión, estudia y practica el uso de estas palabras antes de escucharlas.

ancestral/es	tradicional/es; de los antepasados Las mochilas arhuacas tenían diseños **ancestrales** imaginados por sus antepasados.
el colorido	la coloración; el tono de los colores La diversidad d**el colorido** comunica las diferentes ideas en las mochilas arhuacas.
elaborar	producir; crear un producto La wati tiene que **elaborar** dos mochilas antes de casarse.
el hilo	el filamento; una fibra larga y delgada La mujer arhuaca prepara **el hilo** que va a usar por la mañana.
el linaje	la ascendencia; la historia de la familia desde sus orígenes Los dibujos de la mochila muestran **el linaje** familiar del artista.
minucioso/a	meticuloso/a; cuidadoso/a con atención a los menores detalles La elaboración **minuciosa** de la mochila es tan importante como el diseño.
la puntada	el punto hecho con hilo; la acción de adornar tela hecha con hilo El inmenso trabajo se refleja en **la puntada** y el diseño.
la sabiduría	el saber extendido; el conocimiento profundo de algo Según la leyenda arhuaca, la mujer recibió de su dios **la sabiduría** de hacer mochilas.
el tamaño	el volumen; la dimensión de algo **El tamaño** de la mochila tiene importancia cultural e histórica.
tejer	juntar filamentos finos; producir telas al combinar fibras El arte de **tejer** ha pasado de generación en generación.

ESTRATEGIAS

Observa y realiza para usar listas de vocabulario

Observa: En español hay una serie de palabras que son similares a otras. Si observas estas semejanzas, puedes adivinar su significado. Por ejemplo, en esta lista, están las palabras **ancestral, colorido, elaborar, puntada,** y **sabiduría**. Puedes relacionarlas con otras palabras que conoces como ancestro, color, elaboración, punta y saber. Así pues, como puedes observar, hay palabras que son cognados del inglés también.

Realiza: Para confirmar tus conjeturas, lee con cuidado los sinónimos y las oraciones ilustrativas. Pronuncia las palabras en voz alta y ponlas en una oración original asociada con alguien que conoces. Por ejemplo, "Los calcetines de mi amigo Mateo tienen puntadas rojas y blancas". Si estas ideas todavía no te ayudan, estudia sus definiciones en diccionarios en línea.

Oportunidad inicial

Instrucciones: Acabas de recibir este mensaje incompleto. Para entender la historia familiar de este orgulloso inmigrante español, elige la mejor posibilidad entre las tres para completar el siguiente párrafo. Así, vas a practicar las palabras del **Vocabulario para una mejor comprensión**.

Soy Juan Molinero y soy español. ¡Entiéndelo! Y estoy muy orgulloso de ______________ (mi linaje, mi sabiduría, mi tamaño) étnico. La historia de mis antepasados incluye la de un sastre, claro, un hombre que confeccionaba ropa, para decirlo bien, el primero de mis familiares en llegar a este continente desde tierras ______________ (ancestrales, minuciosas, tejidas) en Asturias. Yo sé que era un hombre talentoso porque sabía ______________ (apuntar, elaborar, tejer) muy bien y porque hizo el primer uniforme del General Simón Bolívar. Es obvio que nuestro gran héroe de la Independencia era un líder de mucha ______________ (linaje, puntada, sabiduría) porque contrató a mi ancestro para ______________ (apuntar, colorar, elaborar) un uniforme de ______________ (ancestros, puntadas, sabidurías) bellas, botones brillantes y decoraciones llamativas. Nunca he visto el uniforme pero estoy seguro de esto: tendría ______________ (coloridos, hilos, sabidurías) muy finos, ______________ (linaje, puntada, sabiduría) de tonos naturales y sería de ______________ (un colorido, un hilo, un tamaño) pequeño porque el General no era un hombre muy grande. También estoy seguro que a mi antepasado le hubiera gustado la técnica moderna y ______________ (ancestral, colorida, minuciosa) que usaban los artesanos arhuacas para confeccionar puntadas tan detalladas y precisas. A mí me gusta porque soy español. ¡Entiéndelo!

Palabras imprescindibles para esta fuente

arhuaco/a
de una cultura indígena de Colombia. Hablan su propia lengua, chibchana. No debe confundirse con arahuaco, término que se aplica a otros grupos de la misma zona.

el mamu
el líder de los arhuacos

la tutu
la mochila arhuaca

la wati
la mujer arhuaca

ESTRATEGIAS

Observa y realiza para comprender un audio

Observa: El título es el primer dato que te va a orientar sobre los temas principales del audio. También la introducción te dice el tema.

Realiza: Mientras escuchas el audio, presta atención a la práctica (cómo se produce y usa la mochila, el producto) y la perspectiva (la importancia tradicional de la mochila) y apunta cuantos datos puedas. Vas a escuchar el audio dos veces. Mientras se dan las instrucciones y entre las dos presentaciones del audio, echa un vistazo a las preguntas de selección múltiple, sobre todo, a las que tratan del propósito, de una frase particular, y/o de un resumen de temas.

¿Aprecias la cultura hispanohablante?

Audio

AP® **Instrucciones**: Vas a escuchar una grabación. Vas a tener un minuto para leer la introducción y prever las preguntas. Vas a escuchar cada grabación dos veces. Mientras escuchas, puedes tomar apuntes, que no serán calificados. Después de escuchar por primera vez, vas a tener un minuto para empezar a contestar las preguntas. Luego de escuchar la segunda vez, vas a tener 15 segundos por pregunta para terminarlas. Elige la mejor respuesta según la grabación.

Introducción: Este audio, *La Wati y la Tutu (cultura, estética y pensamiento arhuaco)*, trata de la importancia de la mochila arhuaca. Los arhuacos son una cultura indígena de la Sierra Nevada de Colombia. Un narrador explica en detalle la elaboración tradicional de las mochilas. El audio fue producido por la Comunidad de Palomino, La Guajira, Colombia.

Exploraciones culturales

Como este audio trata de los arhuacos, debes explorar su cultura y la de otros indígenas relacionados por lengua, costumbres y territorio. Los wiwa and los cogui son otros grupos amerindios que residen en la Sierra Nevada de Santa Marta. Debes explorar lo que une y diferencia a estas gentes. Aquí tenemos la imagen de una casa wiwa, una familia kogui y un hombre arhuaco. ¿Por qué viven ahora en la Sierra Nevada de Santa Marta y no en sus territorios ancestrales?

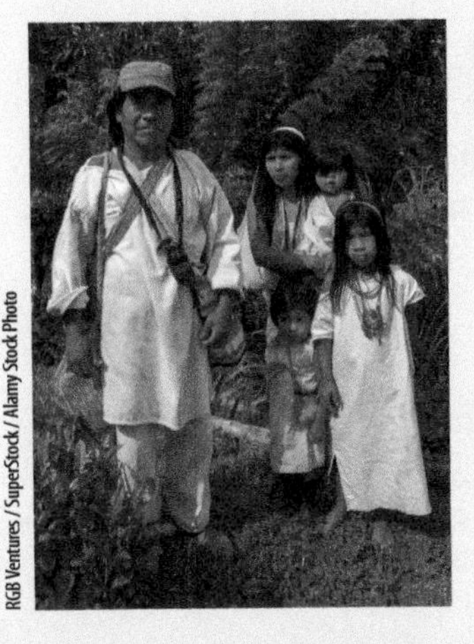

RGB Ventures / SuperStock / Alamy Stock Photo

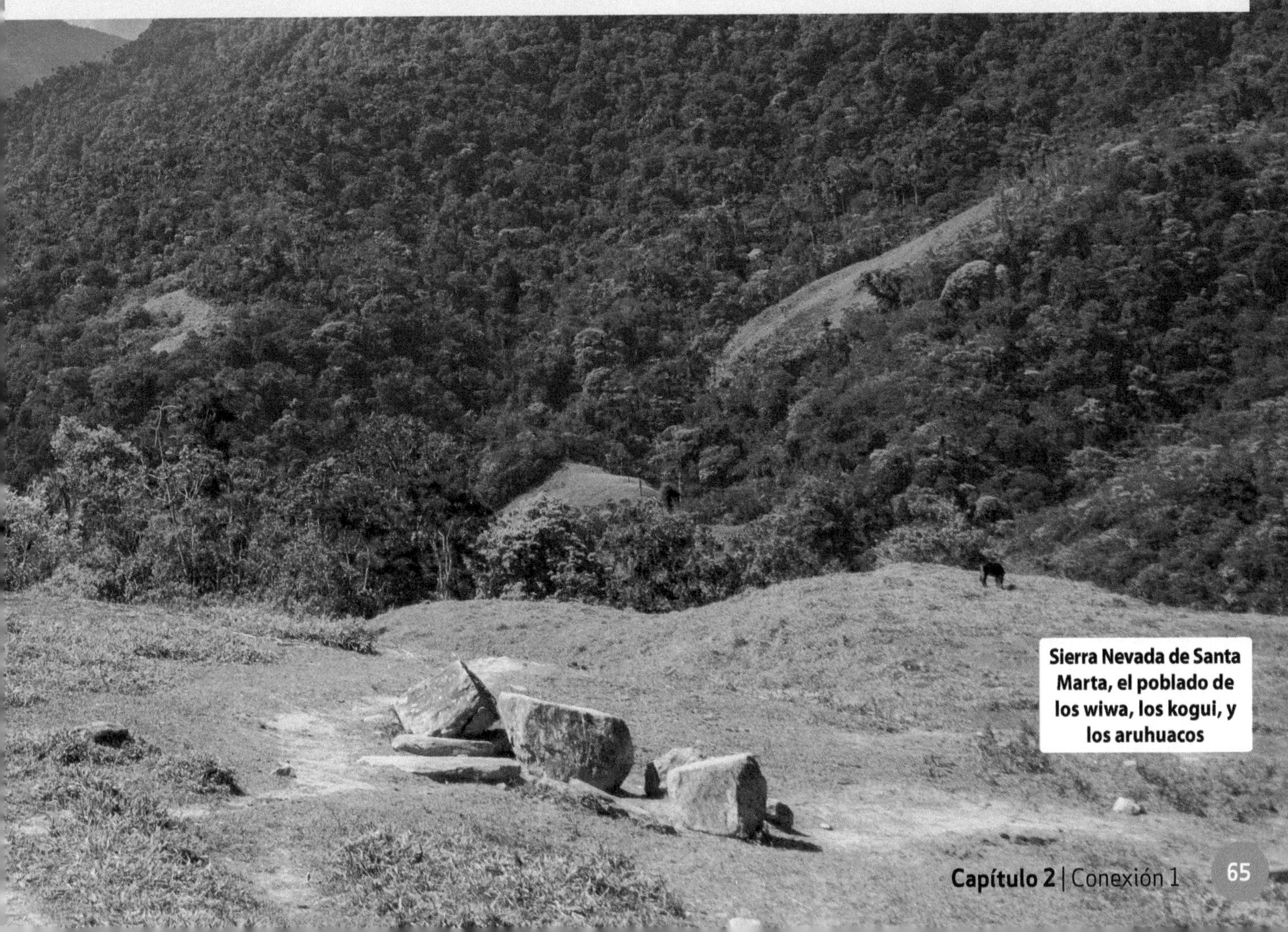

Sierra Nevada de Santa Marta, el poblado de los wiwa, los kogui, y los aruhuacos

¿Qué aprendiste?

Paso 1

Instrucciones: Para mostrar lo que has comprendido del audio, comenta con tus compañeros estas preguntas basándote en lo que recuerdas.

1. ¿Por qué es la mujer arhuaca la que tiene una relación especial con la mochila?
2. ¿Qué rol tiene la mochila arhuaca en la vida de una pareja enamorada?
3. ¿Cómo se manifiesta la individualidad de la mujer arhuaca a través de los elementos artísticos de su mochila?

AP® Paso 2

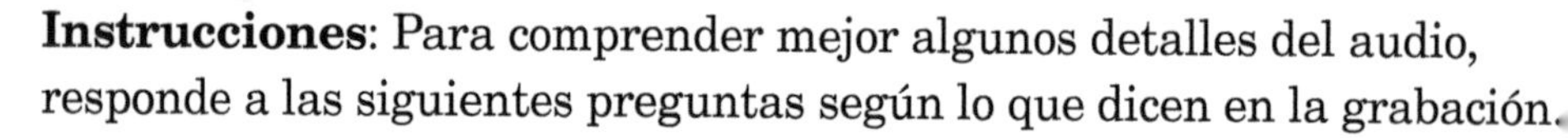

Instrucciones: Para comprender mejor algunos detalles del audio, responde a las siguientes preguntas según lo que dicen en la grabación.

1. ¿Cuál es el propósito principal de este audio?
   a. Vender mochilas arhuacas
   b. Explicar la complejidad de los diseños de las mochilas arhuacas
   c. Contar la relación personal entre la mochila arhuaca y los arhuacos
   d. Señalar la influencia religiosa en la elaboración de las mochilas arhuacas
2. Según el narrador, ¿qué responsabilidad cultural tienen las muchachas arhuacas?
   a. Ser buenas y modestas en la elaboración del tejido
   b. Destacar el linaje arhuaco en los mercados turísticos
   c. Elaborar diseños geométricos contemporáneos
   d. Pasar la sabiduría del tejer a sus hijos

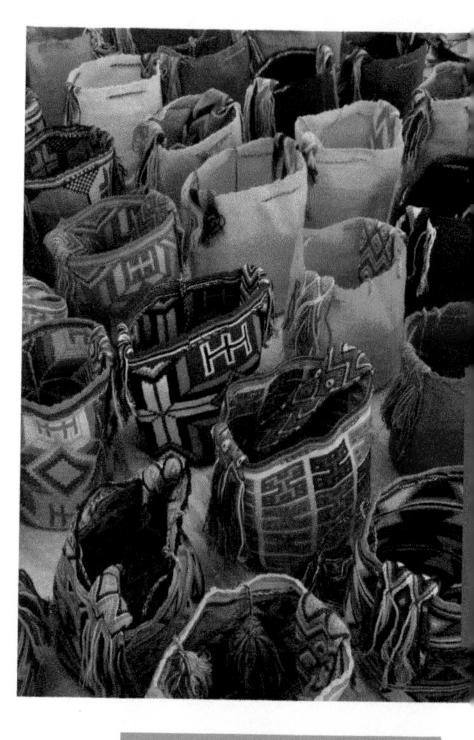

3. Según el audio, ¿qué hace la mujer arhuaca antes de unirse en matrimonio?
   a. La novia elabora mochilas de un tamaño especial para el novio.
   b. La novia produce una mochila para sus pertenencias más íntimas.
   c. La novia arhuaca produce una mochila para ella y otra para él.
   d. La novia elabora su promesa de amor en los diseños geométricos de la mochila.
4. Según el audio, ¿qué importancia principal tienen la puntada, el tamaño y el colorido?
   a. Su relación íntima con la naturaleza
   b. Su diversidad de ideas ancestrales
   c. Su interpretación ornamental
   d. Su papel como símbolo del amor
5. ¿Qué se puede inferir de la declaración "La madre naturaleza se encarga de todo"?
   a. Que la gente arhuaca está muy unida a la naturaleza
   b. Que los arhuacas tienen una conexión única con sus dioses naturales
   c. Que la naturaleza les da inspiración artística a las wati
   d. Que la madre naturaleza exige que la mujer arhuaca siga sus instrucciones

Mi progreso comunicativo

Sé comprender la información presentada en un audio para contestar a algunas preguntas sobre el uso de la mochila entre la gente hispanohablante.

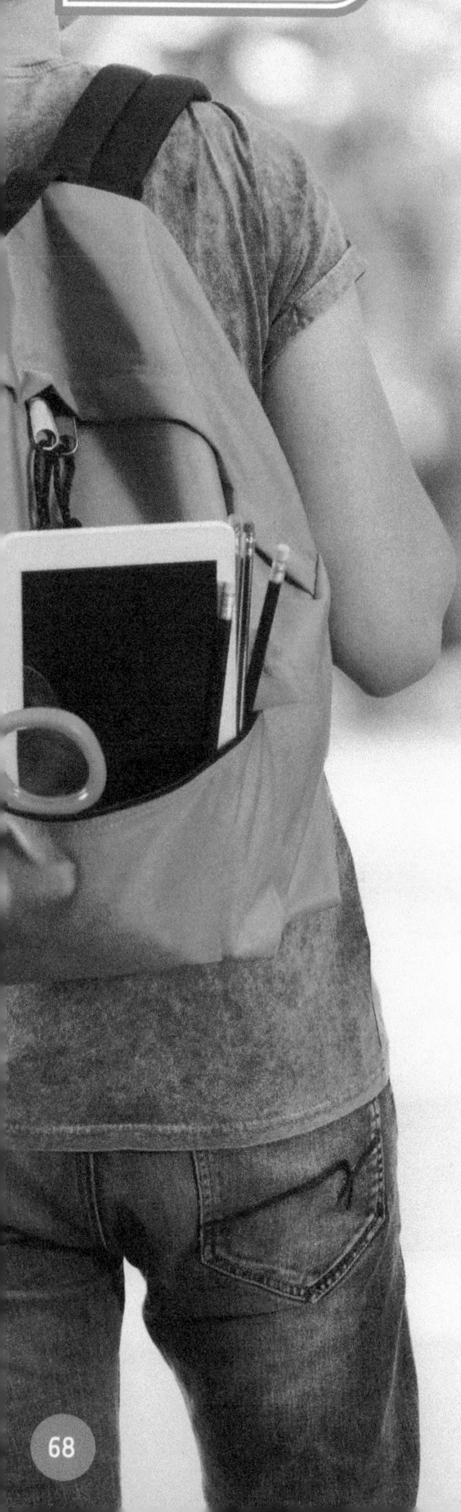

Mi progreso intercultural

Sé describir cómo las mochilas de la cultura arhuaca las de y mi cultura reflejan la identidad de la comunidad.

Paso 3

Instrucciones: Para comprender mejor las prácticas y las perspectivas culturales que se encuentran en tu comunidad y en la grabación, usa estas preguntas de discusión para enfocarte en cuestiones de estilos de vida.

Prácticas culturales

1. ¿Qué elementos de diseño deben incluir las arhuacas en las mochilas?
2. ¿Qué elementos de diseño incluyes en tu mochila de todos los días?
3. ¿Cómo crees que las mujeres arhuacas utilizan sus mochilas de todos los días a diferencia de ti?

Perspectivas culturales

1. ¿Qué características culturales revela el énfasis en el simbolismo del diseño de la mochila arhuaca?
2. ¿Qué valores personales de tus compañeros revelan la marca, el tipo y el diseño de su mochila?
3. ¿Qué diferencias observas entre la mochila arhuaca y la tuya en cuanto al entendimiento de lo que es importante en la vida?

Presenta

Para mejorar tu capacidad de hacer una presentación oral, vas a leer sobre algunos tipos populares de bolsas y mochilas en el mundo hispanohablante, organizar ideas personales y grupales y presentar tus hallazgos. La presentación se basará en la pregunta de **El enfoque**.

El enfoque: ¿Qué revela el diseño de la mochila de los que la llevan?

Paso 1: El texto relevante

Introducción: Este artículo *Tendencias Mochilas 2017: Elige la tuya según tu personalidad y estilo*, trata de algunos estilos de bolsas y mochilas que complementan algunos estilos de vida. Es de *AR-13*, un *magazine* en línea de entretenimiento y moda. Fue publicado en Chile.

Tendencias Mochilas 2017: Elige la tuya según tu personalidad y estilo

Tradicional pero con estilo

¿Tradicional, *fashionista* o *outdoor*? Conoce aquí cuál es la que más se adecua a ti y por qué debes de tenerla para esta vuelta a clases.

La mochila es sinónimo de volver al colegio o a la universidad, llena de libros y largas horas de estudio por delante. Sin embargo, si lo pensamos detenidamente, la mochila es mucho más que eso, y realmente es un complemento en nuestro *outfit*. Si bien es un accesorio que nos ayuda a la hora de cargar cualquier cosa que necesitemos andar llevando con nosotros, la mochila es perfecta para nuestra apariencia del día a día. Pero, ¿te has preguntado qué tipo de mochila va contigo, tu estilo y tu forma de vida? A continuación te contamos sobre las tendencias de esta temporada.

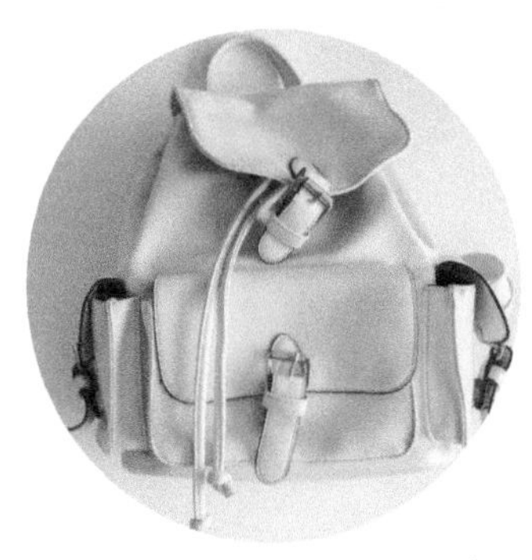
Atrevido pero casual

Tradicional pero con estilo

Si eres de los que gusta de las cosas simples de la vida, te contamos que Herschel trae su línea de mochilas de un color, las que te darán la comodidad que andas buscando, con una mochila práctica y de alta calidad.

Atrevido pero casual

Ahora bien, si andas detrás de un poco de color, Herschel también trae sus mochilas con distintos diseños y estampados, los que vienen a ser una tremenda opción a la hora de buscar un bolso con más estilo y onda, lo que te ayudará con tu *look* en cualquier momento y lugar.

Fashionista

Fashionista

¿Buscando moda en todas partes? En este caso te recomendamos las mochilas Kanken, hoy conocidas en todo el mundo como uno de los bolsos por excelencia. Si bien las puedes buscar para suplir tu necesidad en cuanto a estudios, estas mochilas son tildadas como un accesorio que viste de sofisticación y moda a quien la cargue.

Deportista y todo terreno

Deportista y todo terreno

Si tu idea de mochila está ligada a soportar distintos climas, pasar más en el piso que en una superficie menos agresiva o simplemente, usar un accesorio que te sea útil a la hora de cambiar los libros por las zapatillas, las Bubba Bags son una línea de mochilas acolchadas, super resistentes, pero con mucha onda.

AR-13 Magazine (2017), "Tendencias Mochila 2017: Elige la tuya según tu personalidad y estilo", Adaptado de http://tinyurl.com/mav9p4q.

Paso 2: La exploración

Instrucciones: Para pensar más a fondo sobre el artículo *Tendencias Mochilas 2017: Elige la tuya según tu personalidad y estilo*, vas a buscar avisos comerciales de tu comunidad local o nacional sobre los tipos de bolsas y mochilas indicados en el artículo. Usa el organizador gráfico para apuntar los datos del artículo y de tu investigación.

Los tipos de bolsas y mochilas	Las palabras descriptivas usadas en el artículo de Chile	Las palabras descriptivas usadas e los avisos comerciale de mi comunidad
Una bolsa o mochila tradicional pero con estilo	Simple, práctica, cómoda y de alta calidad	
Una bolsa o mochila atrevida pero casual		
Una bolsa o mochila *fashionista*		
Una bolsa o mochila deportista y todo terreno		

Paso 3: La presentación

Tema de la presentación: ¿Qué revela el diseño de la mochila sobre los que la llevan?

Instrucciones: Vas a dar una presentación oral a tu clase sobre los temas culturales expuestos en **El enfoque**. Vas a comparar lo que comunican los estilos de mochila en tu comunidad con las descripciones expresadas en el artículo, *Tendencias Mochilas 2017: Elige la tuya según tu personalidad y estilo*. Debes demostrar tu comprensión de aspectos culturales en las dos comunidades.

Vas a grabar tu presentación en la guía digital, el sitio *web* estudiantil donde puedes encontrar prácticas y recursos adicionales para este libro.

ESTRATEGIAS

Observa y realiza para una presentación oral

Observa: Hay un tema de la presentación en el que debes enfocar tu atención. Vas a conectar el tema con prácticas y perspectivas de tu comunidad y las de una comunidad de habla hispana. Será importante identificar las dos comunidades con claridad.

Realiza: ¿Cuáles son las palabras claves del tema? En este caso, son "revela", "diseño" y "los que la llevan". Debes enfocar la organización de tus ideas en ellas. Usa un diagrama de Venn para darles un enfoque a las diferencias y semejanzas que vas a discutir.

Atando cabos sueltos

Una conversación simulada

AP® Ahora que has completado esta conexión, tienes la oportunidad de practicar en la guía digital una conversación simulada que sigue el formato de la tarea en el examen de AP®. Fíjate en que esta conversación se basa en el tema de esta conexión.

Tu progreso comunicativo e intercultural

Después de grabar la conversación simulada, evalúa tu progreso durante esta conexión en el Apéndice A y en **Mi portafolio** en la guía digital para indicar lo que has aprendido a hacer.

Mi progreso comunicativo

Sé dar una presentación oral sobre las semejanzas y diferencias entre los diseños de mochilas en mi comunidad y los de algunas comunidades hispanohablantes.

Conexión 2

La adaptación de la mochila a la realidad de uno

El enfoque: ¿Qué brinda la mochila en utilidad y comodidad?

¿Qué sabes?

Fíjate en... cómo el uso de la mochila coincide con las circunstancias en que se encuentra cada persona. ¿Qué imágenes reflejan la vida de personas que conoces?

Vocabulario para una mejor discusión

Para mejorar tu capacidad de participar más ampliamente en las conversaciones de clase, encontrarás aquí vocabulario útil y pertinente para el tema de esta conexión. Además, este vocabulario te va a ayudar a aumentar y desarrollar tu español en general.

adaptarse a las condiciones de la comunidad (acostumbrarse)	**pesado/a** como una mochila de cien kilos (de mucho volumen)
el ambiente donde vivo determina la mochila que tengo (la atmósfera)	**protegerse** contra el clima con un impermeable que llevas en tu mochila (defenderse)
escoger una mochila cómoda y útil (elegir)	**provechoso/a** para mis necesidades (beneficioso/a)
herir a alguien al golpearlo con la mochila (dañar)	**sobrevivir** una catástrofe (seguir viviendo)
peligroso/a como un objeto prohibido en una mochila (destructivo/a)	**superar** los obstáculos y los problemas que nuestra vida nos presenta (conquistar)

Desarrollando tu vocabulario

Antes de participar en las discusiones de clase, accede a tu cuenta en la guía digital, el sitio *web* estudiantil donde puedes encontrar práctica y recursos adicionales para este libro. Hay ejercicios para ayudarte a recordar y usar el **Vocabulario para una mejor discusión**.

Comunica

AP® **Instrucciones**: Vas a escribir una respuesta a un mensaje electrónico. Vas a tener 15 minutos para leer el mensaje y escribir tu respuesta.

Tu respuesta debe incluir un saludo y una despedida, y debe responder a todas las preguntas y peticiones del mensaje. En tu respuesta, debes pedir más información sobre algo mencionado en el mensaje. También debes responder de una manera formal.

Introducción: Recibes este correo electrónico en respuesta a tu solicitud de participar en un programa de conservación medioambiental en Honduras durante las vacaciones de primavera. La directora, la Sra. Alicia del Gado, del programa, El Verde Vital, te responde con el siguiente correo electrónico.

De: Adelgado@verdevital.org Cc Bcc

Asunto: Participación en el programa de conservación medioambiental

Estimado/a voluntario/a:

Le felicito por su interés en nuestro programa medioambiental. Como Ud. ya sabrá, el programa les pide sacrificios personales a los participantes porque deben saber protegerse de grandes cambios en la topografía. La caminata es larga y peligrosa pero los resultados individuales serán provechosos para todos. Si todavía desea Ud. escoger nuestro sub-programa de "Gestión de desastres naturales" como su meta, debe pensar con cuidado en los obstáculos que tendrá que superar. Solo los que se adapten fácilmente al ambiente cordial de un grupo diverso de participantes podrán unirse al programa.

Para conocerle mejor y entender sus capacidades y personalidad, le pedimos nos describa el tipo de mochila que va a escoger para llevar durante nuestra expedición a la Gran Cortadura Transversal, que se extiende desde el Caribe hasta el Pacífico. El clima suele ser agradable pero puede llegar a temperaturas de 29ºC o más. Además, los senderos pueden ser peligrosos y uno puede herirse fácilmente. Entre otros motivos y para poder sobrevivir adecuadamente a cualquier emergencia, ¿qué pondría Ud. en su mochila? Hay que recordar que la mochila revela mucho sobre uno.

En espera de su respuesta, se despide atentamente,

Alicia del Gado

Directora, Programa El Verde Vital

Responder

Exprésate

Vas a usar las preguntas que siguen para ayudarte a resumir los temas generales de esta conexión desde el lente de tu propia experiencia con las mochilas en tu ambiente. Considera cómo tus circunstancias personales han influido en la selección de tu(s) mochila(s). Tu profesor/a te explicará cómo vas a presentar tus pensamientos y recuerdos.

- Describe la utilidad de la(s) mochila(s) que has tenido y cómo fueron elegidas.
- ¿Qué factores de tu ambiente influyeron en la selección de tu(s) mochila(s)?
- ¿Por qué es tu mochila actual un ejemplo de utilidad y/o un ejemplo de comodidad?
- Si tuvieras que darle un título a tu historia personal relacionada con las mochilas, ¿cuál sería y por qué?

¡Para saber más!

¿Sabes que la utilidad y la comodidad no siempre cuentan en la elección de una mochila?

Paso 1: ¿Qué crees que está pasando aquí?

Introducción: Desde el inicio en 2003 de la campaña en EE. UU. de "Si ves algo sospechoso, alerta a las autoridades", miles y miles de personas han avisado que vieron algo sospechoso. Muchas veces el algo sospechoso ha sido una mochila dejada por su dueño en aeropuertos, parques, calles y oficinas.

Instrucciones: Vamos a imaginar que tú ves esta mochila en un sitio público en tu escuela. Piensa en tus reacciones y tus responsabilidades. Considera estas preguntas cuyas respuestas vas a compartir con tus compañeros. Finalmente, vas a hacer una presentación temática oral en la cual haces una comparación entre tu comunidad y una de habla hispana. El tema de la presentación estará relacionado con esta imagen.

- ¿Cuál sería tu primera reacción emocional al ver esta mochila sin su dueño al lado?
- ¿Por qué creerías que es sospechosa esta mochila?
- Como la consideras sospechosa, describe las próximas acciones que realizarías.
- ¿Qué crees que puede contener la mochila?
- ¿Qué podría pasar si no haces nada; y, en realidad, la mochila es peligrosa y puede herir a alguien?
- ¿Qué recursos cívicos tienes al ver esta mochila sola y sin dueño al lado?
- ¿Qué responsabilidades cívicas tienes en un caso similar?

Paso 2

Instrucciones: Ahora tienes la oportunidad de consultar con algunos compañeros de clase para compartir sus reacciones emocionales y acciones.

- Rellena el organizador con las reacciones tuyas y las de tus compañeros.
- También, apunta sus razones para creer que la mochila es sospechosa.
- Luego, consulta con tus compañeros sobre cuáles son las cinco responsabilidades por otros y por ti mismo/a ante una situación potencialmente peligrosa.
- Finalmente, según tu propia opinión, llena el círculo central con las cinco responsabilidades en un orden lógico de prioridades. El número 1 es la más importante.

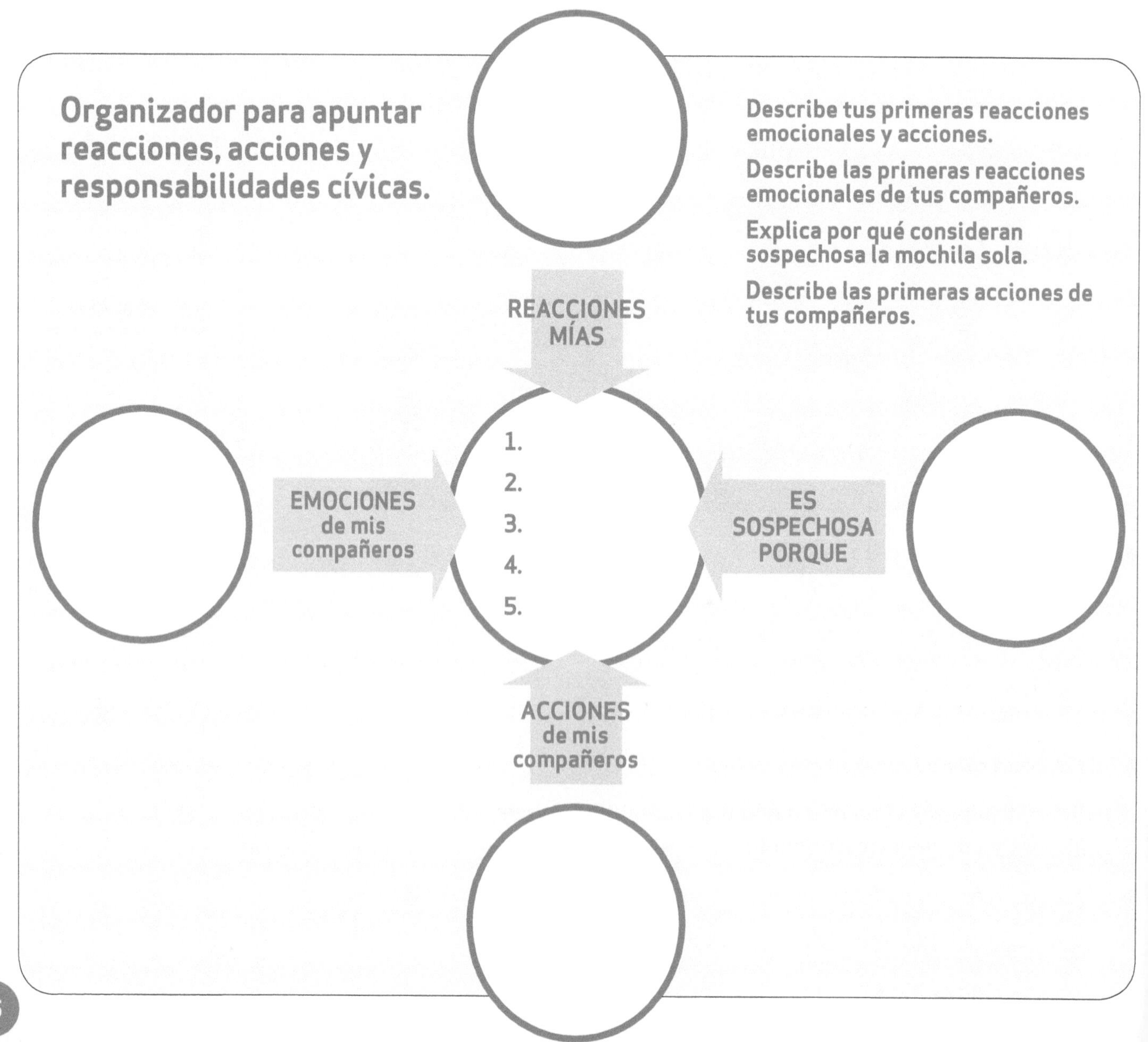

AP® Paso 3: Aplicación práctica

Instrucciones: Vas a dar una presentación oral a tu clase sobre un tema cultural. Vas a tener 4 minutos para leer el tema de la presentación y prepararla. Después vas a tener 2 minutos para grabar tu presentación.

Tema de la presentación: ¿Qué responsabilidades y opciones cívicas tiene la gente de tu comunidad al presenciar algo sospechoso en un lugar público?

En tu presentación, compara una región del mundo hispanohablante que te sea familiar con tu propia comunidad. Debes demostrar tu comprensión de aspectos culturales en el mundo hispanohablante y organizar tu presentación de una manera clara.

ESTRATEGIAS

Observa y realiza para escribir la tesis de una presentación oral o escrita

Observa: Vas a dar una presentación oral basada en la imagen de una mochila que se encuentra abandonada en una sala. Necesitas dar dirección a tu presentación para que tus oyentes sigan fácilmente tus ideas.

Realiza: Para dar dirección a tu presentación, vas a preparar una tesis. Una tesis consiste en una o dos oraciones que explican globalmente lo que vas a decir durante tu presentación. En otras palabras, una tesis es un plan de ruta para indicar lo que los oyentes van a escuchar durante la presentación. Vas a desarrollar esta idea central con detalles durante la presentación.

Mi progreso comunicativo

Sé hacer una presentación oral comparando cómo reacciona la gente de mi comunidad y la gente de una comunidad hispanohablante al presenciar algo sospechoso.

Infórmate

¿Más vale prevenir que curar?

Paso 1

Instrucciones: Antes de leer el artículo, busca pistas para orientarte sobre el posible contenido del texto. En este caso, ¿qué tiene que ver la imagen de un coche patrulla con el título del artículo? ¿De qué va a tratar el artículo?

Paso 2

Instrucciones: La ansiedad que puede producir una mochila que se encuentra abandonada tiene consecuencias diversas. Al leer este artículo, presta atención a las reacciones de los participantes en esta situación y adivina por qué hicieron lo que hicieron. Toma apuntes, anotando las acciones realizadas debido a una mochila sospechosa, aunque el incidente no resultó ser grave.

Introducción: Este artículo, *Una falsa alarma por una mochila sospechosa obliga a los Mossos a cortar el tráfico en la Diagonal Mar de Barcelona*, trata de las consecuencias que producen las mochilas durante la época de miedo a los terroristas. El artículo fue publicado en *LaSexta noticias,* un diario digital de Barcelona, España, el 3 de septiembre del 2017.

El tráfico de personas, vehículos y del tranvía de la línea Trambesós durante una hora ha sido cortado para revisar una mochila abandonada en una de las salidas del centro comercial -Diagonal Mar de Barcelona. La alarma ha resultado ser falsa.

5 La Policía Autonómica ha avisado de que ha recibido el aviso de que había una mochila abandonada en el exterior de una de las salidas del centro comercial, que está situado al final de la avenida Diagonal de la capital catalana, cerca del mar.

Los Mossos han activado a los equipos Tedax y a la unidad 10 canina para, según el protocolo establecido, realizar las correspondientes comprobaciones ordinarias, que han certificado que se trataba de una falsa alarma, según ha informado la Policía.

Además de cortar el tráfico de personas y vehículos, la Policía 15 ha cortado también el servicio del tranvía Trambesòs en esta zona, aunque no ha sido necesario evacuar el centro comercial, hasta que han comprobado que el contenido de la mochila no era peligroso.

La directora del centro comercial Diagonal Mar, Isabel Bofill, ha explicado a 'TV3' que no ha sido necesario evacuar el centro comercial. Además, destaca que no se ha producido ninguna escena de nerviosismo y que los clientes han podido salir por las otras salidas del establecimiento, por lo que ha seguido con su actividad normal de un domingo.

EFE America, publicado en LaSexta Noticias (2017), "Una falsa alarma por una mochila sospechosa obliga a los Mossos a cortar el tráfico en la Diagonal Mar de Barcelona", Adaptado de http://tinyurl.com/yboxjnn3.

Paso 3

Instrucciones: Para mejorar tu capacidad de comunicarte con otros, conversa con un/a compañero/a y responde apropiadamente a las preguntas basándote en la información del artículo.

- ¿Qué acción inició este incidente?
- En tu opinión, ¿fueron justificadas las reacciones emocionales que ocasionó el incidente?
- ¿A qué se debió la falta de reacciones emocionales en el centro comercial?
- ¿Cuáles serían algunas posibles consecuencias sociales, cívicas o personales de este incidente que no menciona el artículo?
- Fue una falsa alarma. ¿Qué se infiere de la palabra "alarma" con respecto a las posibles reacciones del público?

Paso 4

Tema de debate: Al ver algo sospechoso en un lugar público, nuestra primera acción siempre debe ser alertar a las autoridades.

ESTRATEGIAS

Observa y realiza para usar listas de vocabulario

Observa: Presta atención a los cognados de la lista como genio y localizar.

Realiza: Debes verificar el significado de las palabras con diccionarios en línea como wordreference.com o dle.rae.es/?w=diccionario. Después, aprende las palabras pronunciándolas y usándolas en oraciones originales semejantes a los ejemplos que lees aquí.

¿Qué más necesitas saber?

Vocabulario para una mejor comprensión

Para comprender las ideas principales de la fuente impresa y la fuente auditiva en **¿Aprecias la cultura hispanohablante?** de esta conexión, estudia y practica el uso de estas palabras antes de leerlas y escucharlas.

aprovechar	utilizar; hacer algo beneficioso La niña **aprovecha** su fama para promover su campaña de ayuda a otros.
cargar	llevar; poner peso sobre una persona o cosa La mochila que **carga** el chico no pesa mucho.
darse cuenta de	entender bien; ocurrírsele algo Para saber cambiar de ruta, debes **darte cuenta de** dónde estás.
disfrutar	gozar; experimentar placer o alegría con algo o alguien El chico **disfruta** las matemáticas.
el dispositivo	un aparato; un mecanismo útil La mochila es **un dispositivo** que funciona para dar quimioterapia intravenosa.
evitar	escapar; eludir un problema La mochila ayuda a **evitar** las balas perdidas de un tiroteo.
los fondos	el dinero; las donaciones de dinero La niña pedía **fondos** para convertir su idea en realidad.
el genio	el sabio; una persona muy inteligente El padre de este **genio** le ayudó a completar el proyecto.
localizar	situar; saber dónde está algo o alguien La tecnología incluida en la mochila permite **localizar** al dueño.
lograr	conseguir; cumplir una meta Con esfuerzo y dedicación el chico **logró** producir una mochila blindada.

Oportunidad inicial

Instrucciones: La directora de tu escuela, junto con otros miembros de la comunidad, trabajaron para crear un plan de seguridad para garantizar el bienestar de los estudiantes. Lee la carta que la directora les mandó a los padres de los estudiantes. Lamentablemente la copia original se dañó y se perdieron algunas de sus palabras más importantes. Para ayudar a la directora, llena los espacios en blanco con las palabras de la lista de esta sección de vocabulario. ¡Ojo! Se debe usar cada palabra solamente una vez.

Muy estimados padres:

Como directora del Colegio Juan Molinero, les escribo para anunciar un nuevo plan de seguridad después de muchos meses de trabajar para 1) ______________ un acuerdo con todos los interesados.

Para 2)______________ la posibilidad de incidentes violentos, vamos a suspender el uso de cualquier 3)______________ tecnológico que pueda causarnos daño. Con respecto a esta situación, les recomiendo que tengan conversaciones serias con sus hijos para que puedan 4)______________ de los peligros potenciales y cómo Uds. pueden 5)______________ a sus hijos en caso de emergencia.

Les aseguro que estamos buscando medidas para recolectar 6)______________ públicos y privados para apoyar nuestra campaña de protección para cada uno de nuestros estudiantes.

Esta es la hora de 7)______________ esta oportunidad para mantener nuestro estándar de formación escolar para sus hijos.

Cordialmente,
Sra. María Josefa Gutiérrez
Directora del Colegio Juan Molinero

Exploraciones culturales

Matamoros, México es una ciudad de más de 500.000 personas localizada en el sureste de México y es la segunda ciudad más grande del estado de Tamaulipas. Esta ciudad fronteriza coincide con Brownsville, Texas que está al otro lado del río Bravo (México), también conocido como el río Grande en Estados Unidos. Según algunos, pese a ser una ciudad muy peligrosa, disfruta de un nivel alto de turismo.

¿Aprecias la cultura hispanohablante?

Lectura con audio

AP® **Instrucciones**: Vas a escuchar una o varias grabaciones. Algunas grabaciones van acompañadas de lecturas. Cuando haya una lectura, vas a tener un tiempo determinado para leerla. Para cada grabación, vas a tener un tiempo determinado para leer la introducción y prever las preguntas. Vas a escuchar cada grabación dos veces. Mientras escuchas, puedes tomar apuntes. Tus apuntes no van a ser calificados. Después de escuchar cada selección por primera vez, vas a tener 1 minuto para empezar a contestar las preguntas; después de escuchar por segunda vez, vas a tener 15 segundos por pregunta para terminarlas. Para cada pregunta, elige la mejor respuesta según la grabación o el texto.

Fuente número 1

Introducción: Este artículo, *Niña de once años inventó mochila para niños con cáncer*, trata de una invención de conciencia social ideada a consecuencia de una circunstancia personal. Fue publicado en *Montevideo Portal*, un periódico digital.

Cuando tenía ocho años, Kylie Simons fue diagnosticada con rabdomiosarcoma, un tipo de cáncer que afecta el tejido muscular. Tras recibir quimioterapia, la niña superó la enfermedad y, según ella misma expresa en su cuenta de Twitter, 5 lleva "dos años libre de cáncer", informó E!

Recientemente se hizo famosa con un invento que realizó en el marco de una tarea escolar, que buscaba que los alumnos crearan objetos que solucionaran problemas diarios.

Kylie inventó una mochila infantil que funcionara a su vez como 10 dispositivo para aplicar la quimioterapia intravenosa.

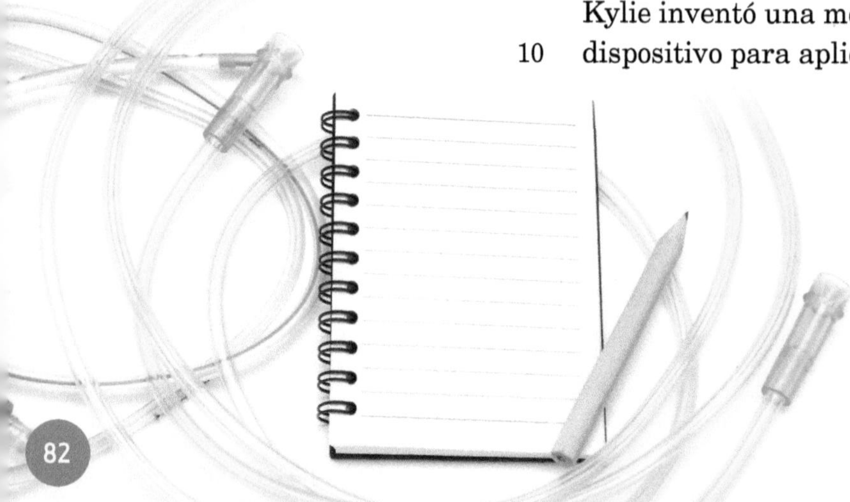

"Se me ocurrió cuando tenía cáncer. Mientras tenía quimio, debía ir con la intravenosa portátil por todos lados y siempre me enredaba con los cables o me quedaba enganchada", dijo la niña a ABC News.

15 Por el momento la mochila es tan solo un prototipo, aunque ha ganado premios en ferias de inventos. No obstante, la joven aprovecha que su historia la está haciendo conocida en todo el mundo para llevar adelante una campaña de recolección de fondos y convertir su idea en realidad.

Montevideo Portal (2014), "Niña de 11 años inventó mochila para niños con cáncer", Extraído de http://tinyurl.com/y87tpk9d.

Fuente número 2

Audio

Palabras imprescindibles para esta fuente

la balacera
una confrontación armada

blindado/a
algo protegido para no ser penetrado por balas

Introducción: Este audio, *Mochila antibalas ¿creatividad o necesidad?*, trata de una invención hecha por un chico mexicano de once años. La creatividad de este chico le ayudó a crear esta arma contra la violencia. Un periodista entrevista al inventor de la mochila, Juan David Hernández, de once años. El audio fue publicado por RadioDual Televisión de Matamoros, México.

¿Qué aprendiste?

Paso 1

Instrucciones: Para mostrar lo que has comprendido del artículo y del audio, contesta a estas preguntas con un/a compañero/a.

1. ¿Qué experiencia impulsó a Kylie a inventar su mochila?
2. ¿Qué experiencia impulsó a Juan David a inventar su mochila?
3. ¿Cuáles han sido las consecuencias de haber inventado esas mochilas especiales?
4. ¿En qué sentido son esas mochilas una combinación de utilidad y comodidad?

AP® Paso 2

Instrucciones: Para comprender mejor algunos detalles de la grabación y del artículo, responde a las siguientes preguntas según lo que se dice en las dos fuentes. Para cada pregunta, elige la mejor respuesta según la grabación o el texto.

1. ¿Cuál es el propósito del artículo sobre la niña?
   a. Pedir fondos para adelantar la producción de una mochila especial
   b. Informar sobre una niña que inventó una mochila especial
   c. Describir la utilidad y comodidad de una mochila especial
   d. Señalar la importancia social y personal de una mochila especial
2. Según la fuente impresa, ¿para qué inventó la niña su mochila especial?
   a. Para una tarea de clase
   b. Para una feria científica
   c. Para otros alumnos de su colegio
   d. Para hacerse famosa

3. Según el artículo sobre la niña, ¿por qué se dice que la mochila funciona "...a su vez como dispositivo..." (líneas 9-10)?
   a. Porque se puede usar como portalibros y teléfono celular
   b. Porque se puede usar como botiquín de primeros auxilios
   c. Porque se puede usar como almohada antialérgica
   d. Porque se puede usar como un aparato para administrar medicinas

4. Según la fuente impresa, ¿qué se puede inferir sobre lo provechoso de la mochila especial?
   a. El paciente puede aprovechar la comodidad de la mochila especial.
   b. El paciente puede disfrutar de los avances en la curación del cáncer.
   c. El paciente puede localizar sus pertenencias médicas con más facilidad.
   d. El paciente puede evitar la inconveniencia del aparato intravenoso del hospital.

5. Según la fuente impresa, ¿para qué fin aprovecha Kylie su fama?
   a. Para ayudar a encontrar una solución para el cáncer
   b. Para llamar la atención de los niños que padecen cáncer como ella
   c. Para encontrar fondos para desarrollar el prototipo de su mochila
   d. Para celebrar sus dos años libre de cáncer

6. ¿Cuál es el tono de la fuente auditiva?
   a. Pesado
   b. Ansioso
   c. Animado
   d. Melancólico

Juan David

7. ¿Cuál es el propósito de la fuente sobre el niño de Matamoros?
   a. Describir el ingenio del chico que inventó la mochila blindada
   b. Señalar la capacidad de los niños para adaptarse a su ambiente
   c. Anunciar la invención de una mochila que supera peligros en las escuelas
   d. Informar sobre la mochila blindada y su inventor
8. Según la fuente auditiva, ¿quién le dio a Juan David la idea de crear esa mochila?
   a. Su padre
   b. Él mismo
   c. Un maestro del colegio
   d. El director de una feria de ciencias
9. ¿Qué tienen en común las dos fuentes?
   a. Información sobre la función de las dos mochilas especiales
   b. Información sobre dos niños ingeniosos
   c. Información sobre los pasatiempos de los dos niños
   d. Información sobre la importancia de las tareas escolares
10. ¿Cuáles se puede concluir que son los motivos de los dos niños?
    a. Superar algunos desafíos de su realidad
    b. Sobrevivir momentos peligrosos de su realidad
    c. Aplicar su creatividad a la realidad
    d. Hacerse famosos para poder mejorar la realidad de otros

Paso 3

Instrucciones: Para comprender mejor las prácticas y las perspectivas culturales que se encuentran en las dos fuentes y en tu comunidad, usa estas preguntas de discusión. Puedes trabajar en parejas o en grupos pequeños para contestarlas.

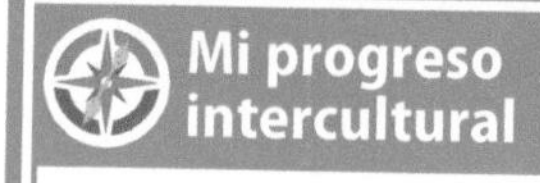

Sé describir influencias culturales indicando cómo las personas adaptan su mochila a las circunstancias de su comunidad.

Prácticas culturales

1. ¿Por qué decidió Kylie usar una mochila para solucionar un problema diario?
2. Explica si la mochila blindada de Juan David, de veras, le protegería de una balacera.
3. ¿Qué cambios originales se han hecho para solucionar problemas sociales de tu comunidad?

Perspectivas culturales

1. ¿Cómo refleja la mochila blindada las preocupaciones de Juan David?
2. ¿Qué rol tienen las mochilas inventadas en el desarrollo del carácter de ambos niños?
3. ¿Cómo valora tu comunidad las ideas de los jóvenes para mejorar condiciones de salud y de seguridad?

ESTRATEGIAS

Observa y realiza para escribir un ensayo argumentativo

Observa: Vas a ver que hay dos fuentes presentadas que corresponden al tema del ensayo. Las dos fuentes presentan diferentes puntos de vista, lo cual requiere la preparación del ensayo argumentativo del examen *AP® Spanish Language and Culture.*

Realiza: Como es un ensayo en el cual tendrás que persuadir, debes elegir tu propio punto de vista y usar detalles relevantes de las fuentes para defenderlo. Tu punto de vista puede seguir uno de los puntos de vista expresados en las dos fuentes o puede ser una combinación de ellos.

Patagonia

Presenta

Instrucciones: Para mejorar tu capacidad de escribir un ensayo argumentativo, vas a analizar un par de fuentes sobre algunas mochilas para concretar una opinión personal, la cual será apoyada por las ideas expresadas en las dos fuentes. El tema del ensayo, "¿Se debe elegir una mochila por razones de utilidad o por razones de comodidad?", se basa en la pregunta de **El enfoque**.

El enfoque: ¿Qué brinda la mochila en utilidad y comodidad?

Paso 1: El texto relevante

Instrucciones: Aquí tienes dos fuentes. La primera es un gráfico publicitario y la segunda es un artículo. Después de leer las dos fuentes, vas a decidir un punto de vista personal sobre el tema del ensayo. Tendrás que persuadir a otros sobre la validez de tu punto de vista en un ensayo, basándote en algunas ideas expresadas en las dos fuentes. Usa el organizador gráfico para apuntar tu punto de vista y los datos de las dos fuentes que te apoyan.

El tema del ensayo: ¿Se debe elegir una mochila por razones de utilidad o de comodidad?		
	Fuente nº 1: Datos de apoyo	Fuente nº 2: Datos de apoyo
Mi punto de vista es:		

Fuente número 1

Introducción: Esta propaganda es de una mochila nueva y trata de los aspectos más deseados de una mochila.

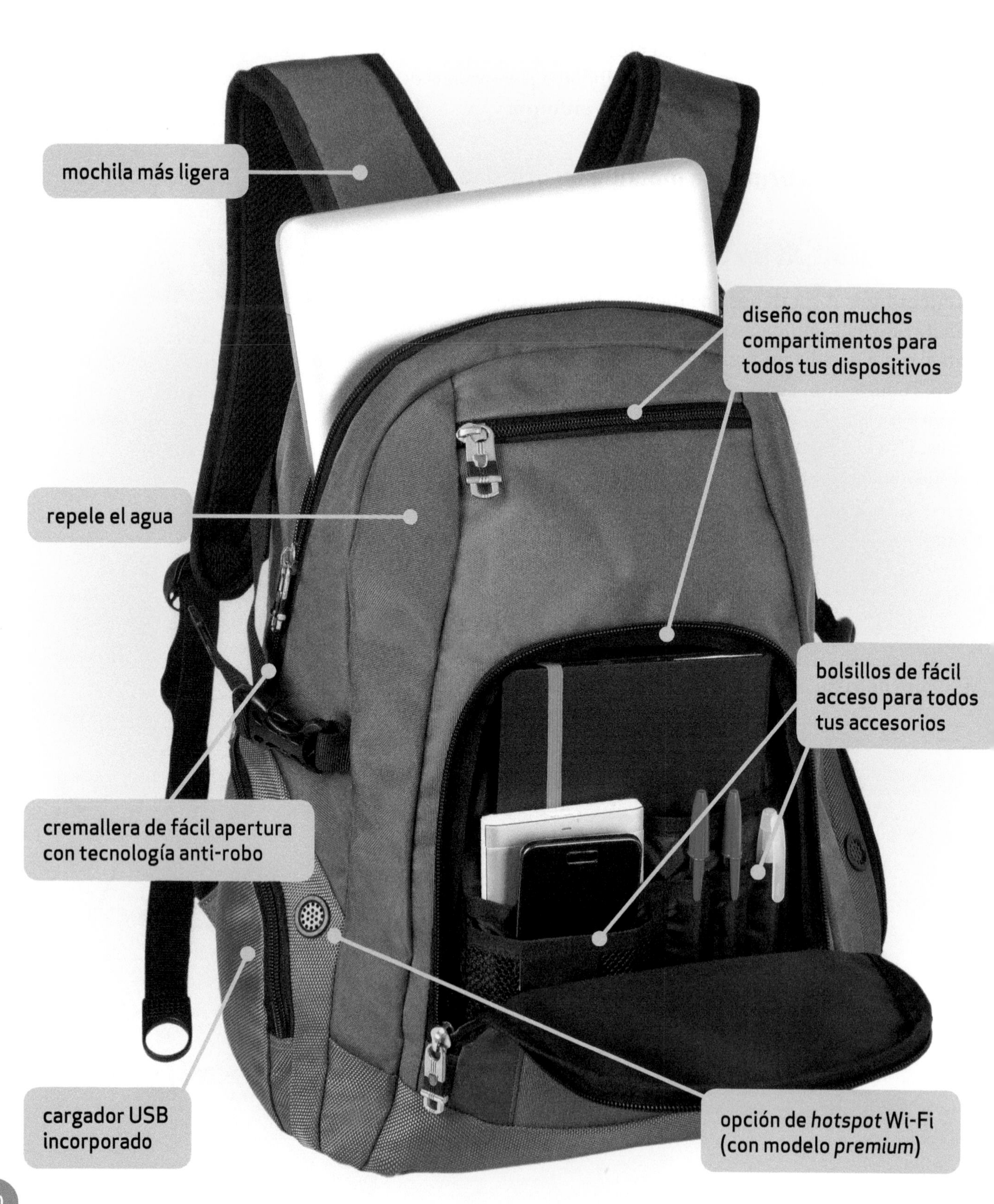

Fuente número 2

Introducción: Este artículo, *¡Hazte con una mochila chic y triunfa esta primavera!*, trata de la nueva moda y las mochilas. El artículo fue publicado en *TrendyAdvisor*, un blog digital.

¡Hazte con una mochila chic y triunfa esta primavera!

Si eres de esos que piensa que las mochilas sirven únicamente para llevar los libros al colegio o las cosas de deporte al *gym*, créeme, estás muy confundido. Y es que las grandes firmas de moda se han encargado de dar un lugar privilegiado a este 5 accesorio que lleva años siendo muy poco valorado.

Chanel, Versace, Dior o Louis Vuitton son algunas de esas grandes casas de moda. Cada una con un diseño completamente diferente y siempre fieles a su estilo han creado piezas únicas que poco han tardado en tener réplicas similares de marcas *low* 10 *cost*. Existen modelos para todos los gustos y es casi imposible que no encaje una mochila con el estilo de cada persona.

Para aquellos que les gusta llevar la mochila con un *look* diario y urbanita las hay con tejidos *denim* o sintéticos de colores y además las puedes customizar poniendo emoticonos 15 y hacerlas todavía más divertidas. Pero no solo eso, sino que ahora puedes llevar tu *mochila chic* de fiesta y es que para eso están las versiones más chic, con pedrería, tejidos de purpurina y lentejuelas. Y es que ¿a quién no le gusta poder meter todas sus cosas en el bolso sin hacer un tetris, ir cómoda y no dejar el 20 hombro dolorido a lo largo de la jornada?

En TrendyAdvisor creemos que es una de las tendencias más acertadas de los últimos tiempos y es que reúne la comodidad y el estilo en una sola pieza. Ya hay un séquito de famosas que se han encargado de completar sus 25 roperos con algunas de las mochilas más exquisitas del mercado.

Además, esta tendencia no afecta únicamente al sector femenino, sino que los chicos también pueden hacerse con una mochila para llevar 30 sus cosas a la oficina. Los modelos de Herschel, Penfield, Faguo y Carhatt nos encantan, y también los pueden usar las chicas.

TrendyAdvisor (2017), "¡Hazte con una mochila chic y triunfa esta primavera!", Adaptado de http://tinyurl.com/y8rx6lhx.

Paso 2: La exploración

Instrucciones: Para investigar más las posibles ideas a favor y en contra del tema del ensayo, habla con algunos compañeros de clase y apunta sus puntos de vista y la información relevante de las dos fuentes que van a usar para apoyar sus ideas. Aquí tienes un organizador gráfico para prepararte a escribir el ensayo argumentativo. Finalmente vas a convencer a tus compañeros para que acepten tu punto de vista a favor o en contra del tema del ensayo.

- Completa este organizador gráfico con tu opinión sobre el tema del ensayo.
- Comparte tus ideas con tus compañeros de clase.
- Apunta las ideas de tus compañeros.

¿Se debe elegir una mochila solo por razones de gusto y comodidad?

Mi punto de vista es:	**El punto de vista de mi compañero/a es:**	**El punto de vista de otro/a compañero/a es:**
Voy a apoyar mi punto de vista con los siguientes datos de:	Va a apoyar su punto de vista con los siguientes datos de:	Va a apoyar su punto de vista con los siguientes datos de:
Fuente nº 1:		
Fuente nº 2:		

Mi progreso comunicativo

Sé escribir un ensayo argumentativo citando evidencia de un artículo y un gráfico.

Paso 3: La presentación

Instrucciones: Vas a escribir un ensayo argumentativo en español. El tema del ensayo se basa en las dos fuentes encontradas en **Paso 1: El texto relevante**, que presentan diferentes puntos de vista sobre el tema e incluyen material visual. Primero, vas a tener 6 minutos para leer el tema del ensayo y los textos. Luego, vas a tener 40 minutos para preparar y escribir tu ensayo.

Tema del ensayo: ¿Se debe elegir una mochila por razones de utilidad o por razones de comodidad?

Atando cabos sueltos

Una conversación simulada

AP® Ahora que has completado esta conexión, tienes la oportunidad de practicar en la guía digital una conversación simulada que sigue el formato de la tarea en el examen de AP®. Fíjate en que esta conversación se basa en el tema de esta conexión.

Tu progreso comunicativo e intercultural

Después de grabar la conversación simulada, evalúa tu progreso durante esta conexión en el Apéndice A y en **Mi portafolio** en la guía digital para indicar lo que has aprendido a hacer.

Conexión 3

El uso de la mochila en la renovación personal

El enfoque: ¿Qué beneficios físicos y emocionales ofrece desconectarse de la rutina?

¿Qué sabes?

Fíjate en... ¿dónde consigues la renovación personal?

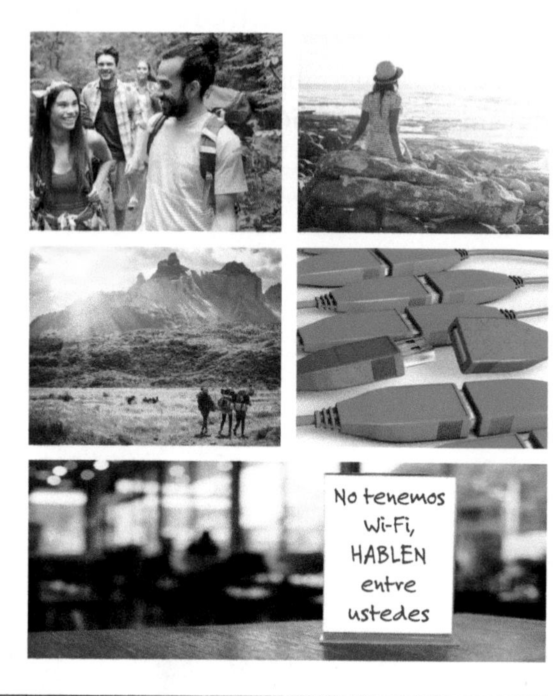

Vocabulario para una mejor discusión

Para mejorar tu capacidad de participar más ampliamente en las conversaciones de clase, encontrarás aquí vocabulario útil y pertinente para el tema de esta conexión. Además, este vocabulario te va a ayudar a aumentar y desarrollar tu español en general.

al aire libre dando un paseo en la naturaleza (afuera)	**estresado/a** por los compromisos pendientes (preocupado/a)
alejarse de la vida monótona (distanciarse)	**experimentar** cosas nuevas (tener experiencia con)
dejar la rutina e ir a un parque nacional (abandonar)	**fuera de** la Red para desconectarse (lejos de)
desenchufarse de los aparatos móviles (desconectarse)	**el hospedaje** donde pasar la noche como cliente o turista (el lugar para dormir)
empacar la mochila (hacer la maleta)	**el senderismo** en los parques nacionales (el *trekking*)

La gran diversidad del español

Dejar es un verbo versátil. Se puede dejar de hacer algo (no hacer más), o dejar algo en algún sitio (abandonar), dejar a una persona (abandonar) y dejar que alguien haga algo (permitir).

Desarrollando tu vocabulario

Antes de empezar a participar en las discusiones de clase, accede a tu cuenta en la guía digital, el sitio *web* estudiantil donde puedes encontrar práctica y recursos adicionales para este libro. Hay ejercicios para ayudarte a recordar y usar el **Vocabulario para una mejor discusión**.

Parque Nacional de Doñana

Exprésate

Vas a usar estas preguntas para profundizar tu comprensión de los temas de esta conexión. Antes de hablar de ellas con tus compañeros, piensa en algunas respuestas y su justificación. Luego, reúnete con algunos compañeros de la clase para compartir tus ideas y refinarlas las tuyas.

- ¿En qué circunstancias te desenchufarías de todo dispositivo electrónico?
- ¿Cómo sería desconectarte e ir a las montañas a solas por dos semanas?
- ¿De qué disfrutarías si viajaras con un programa comercial y con algunos desconocidos?

¡Para saber más!

¿Viajaste a algún sitio para desconectarte de la rutina? ¿Qué sentiste al pasar tiempo allá?

Paso 1

Instrucciones: Se supone que en tu vida viajaste a algún sitio tranquilo. Quizás fuiste a un parque infantil en tu vecindario, o fuiste de campamento cuando eras niño/a, o hiciste un *tour* al extranjero con la escuela. O quizás tu familia es muy aventurera y fuiste con ellos a un parque nacional. Piensa en una experiencia tuya cuando fuiste a descansar y desenchufarte. Luego habla con cuatro compañeros y rellena el organizador gráfico. Comparte esta experiencia con un/a compañero/a de clase. Explícale qué hiciste cuándo, dónde, con quién, etc. y cómo te sentiste antes y después.

Paso 2

	Compañero/a 1:
Me llamo ____________ y fui a ____________.	Se llama ____________ y fue a ____________.
Antes de ir, me sentía ____________ porque ____________.	Antes de ir, se sentía ____________ porque ____________.
Allí, yo hice ____________, ____________, ____________.	Allí, él o ella hizo ____________, ____________, ____________.
Después de ir, me sentía ____________ porque ____________.	Después de ir, se sentía ____________ porque ____________.

Paso 3: Aplicación práctica

Instrucciones: Haz una presentación oral comparando el impacto de los viajes de tus compañeros y los tuyos. Usa estas preguntas para guiarte.

- ¿Hubo un cambio en tu estado emocional durante los viajes? ¿Por qué sí, o por qué no?
- ¿Qué te reveló esta experiencia sobre tu estilo de vida? Y, ¿a tus compañeros? Da ejemplos.
- Describe la posible conexión entre las actividades que hicieron tú y tus compañeros durante los viajes y cualquier cambio de actitud sobre tu vida personal.

Sé dar una presentación oral para comparar el impacto de un viaje que he hecho con lo que otros han experimentado en sus viajes.

Infórmate

¿Tienes ganas de desconectarte y explorar?

Paso 1

Instrucciones: Antes de mirar el video, mira las instantáneas y responde a las preguntas.

- ¿Qué crees tú que estaba haciendo la pareja?
- Adivina de dónde era la pareja.
- ¿Qué piensas que les dejaba hacer la mochila a los viajeros?
- Según lo que ves en las instantáneas, ¿qué accesorios llevaban además de la mochila? ¿Por qué los llevaban?
- ¿Cómo crees que se sentían ellos en estos momentos del viaje?
- ¿Por qué piensas que querían que alguien les sacara la foto?

Paso 2

Introducción: Este video, *Mochileros argentinos*, presenta una entrevista sobre la vida de dos jóvenes argentinos que se desconectaron de la rutina. El video es de Repretel, Costa Rica, y trata de dos jóvenes argentinos que lo dejan todo para ir de viaje con su mochila.

Instrucciones: Mira el video por lo menos dos veces. Debes prestar atención a los comentarios de los jóvenes, Ezequiel Vilas y Noelia Córdoba, a la opinión de sus familias y a lo que llevaron en su viaje.

Paso 3

Instrucciones: Para compartir lo que recuerdas del video, habla con algunos compañeros de los siguientes temas:

- Llevar solo lo necesario.
- Pasar momentos difíciles de enfrentar emocionalmente.
- Estar junto con otros.
- Sostener los gastos del viaje.

Mi progreso comunicativo

Sé conversar con otros dando ejemplos de los desafíos que enfrentaron algunos mochileros argentinos.

Paso 4

Tema de debate: Para poder desconectarse mejor, es más beneficioso y satisfactorio viajar con otras personas.

Mi progreso comunicativo

Sé dar y justificar opiniones sobre los beneficios de viajar solo, con otra persona o con un grupo para desconectarme.

¿Qué más necesitas saber?

Vocabulario para una mejor comprensión

Para comprender las ideas principales de las fuentes en **¿Aprecias la cultura hispanohablante?** de esta conexión, estudia y practica el uso de estas palabras antes de leerlas.

advertir	informar; dar una sugerencia La información para los turistas les **advirtió** que solo se permitiría el paso a un número determinado de personas.
al tope	al máximo; al límite de algo El número de entradas a los parques nacionales llegó **al tope**.
el aumento	el incremento; el crecimiento en número A causa d**el aumento** de visitantes, no había bastante espacio para todos.
ingresar	entrar; meterse en algún lugar Era necesario registrarse para **ingresar** en las zonas restringidas del parque.
la medida	la precaución; una prevención tomada para asegurar algo **La medida** tomada por el parque nacional intenta salvar ciertas zonas del parque.
la portería	la conserjería; la zona de servicios en la entrada Entrar en un parque nacional con planes de acampar requería pasar por la **portería** y registrarse.
restringir	limitar; no permitir Fue evidente que estaban intentando **restringir** el número de turistas para preservar el parque nacional.
la solicitud	la petición; una demanda de algo Para pedir acceso a algunas zonas del parque nacional, había que rellenar **la solicitud**.
la sucursal	la oficina; una agencia que forma parte de una empresa Los turistas hicieron solicitudes en **las sucursales** para pedir acceso a la zona restringida del parque.
vigente	válido/a; en uso Las restricciones de uso de los parques estuvieron **vigentes** desde anteayer.

Oportunidad inicial

Instrucciones: Para empezar a practicar el vocabulario de esta conexión, escoge la palabra o la expresión que completa correctamente las oraciones. Debes usar las formas correctas de las palabras según el contexto de la oración.

1. Antes de salir de viaje, tuvimos que llenar ___________ para hacer reservas en el parque nacional.
2. No entendíamos ___________ vigente para controlar el número de turistas cuando hicimos la reserva para acampar en el parque.
3. Vimos una cola bastante larga mientras nos acercábamos a ___________ de la sucursal para entrar al parque.
4. Hay ___________ notable en el número de gente que hoy en día hace senderismo en las afueras de la ciudad de Buenos Aires.
5. Antes del viaje, mis compañeros del club de senderismo me ___________ que era necesario reservar el hospedaje con antelación.
6. Para desenchufarte bien, no es suficiente ___________ en el parque por unas horas. Debes pasar unos días en la naturaleza.
7. Las normas ___________ hoy en día existen para educar a la población y cuidar el medio ambiente.

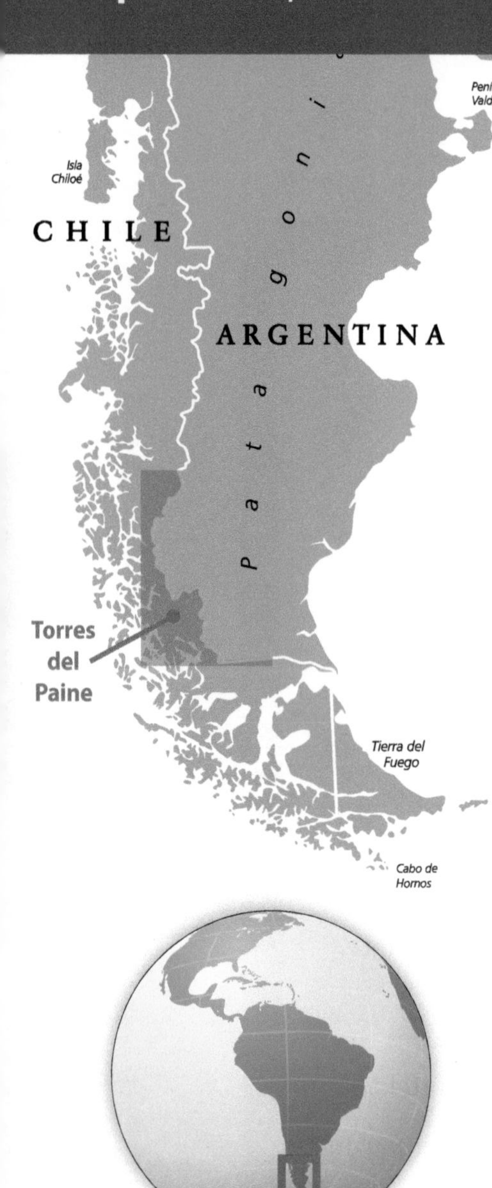

¿Aprecias la cultura hispanohablante?

Lectura con gráfico

AP® **Instrucciones**: Vas a leer uno o varios textos. Cada texto va acompañado de varias preguntas. Para cada pregunta, elige la mejor respuesta según el texto.

Fuente número 1

Introducción: Esta lectura, *Torres del Paine: Limitan acceso a zona montañosa por aumento explosivo de visitantes*, trata del parque nacional chileno, las Torres del Paine, y la restricción de visitantes a ciertas zonas. Es un artículo publicado por la Televisión Nacional de Chile.

Torres del Paine: Limitan acceso a zona montañosa por aumento explosivo de visitantes

***LA MEDIDA** ESTARÁ **VIGENTE** A PARTIR DEL 15 DE FEBRERO, EN DONDE SÓLO SE PERMITIRÁ EL PASO DE UN MÁXIMO DE 80 PERSONAS DIARIAS ENTRE LOS CAMPAMENTOS PASO, DICKSON, LOS PERROS Y COIRÓN.*

Debido **al aumento** explosivo en la cantidad de visitantes durante la época estival, el Parque Nacional Torres del Paine **restringirá** el acceso a la zona montañosa a partir del lunes 15 de febrero.

Según afirmó a *El Mercurio*, el superintendente del parque,
5 Federico Hechenleitner, la zona "colapsó, llegó **al tope** y a su capacidad máxima", por lo que se pueden apreciar ciertas aglomeraciones humanas en territorios protegidos, situación que podría afectar la biodiversidad presente.

La medida implica que sólo se permitirá el paso de un máximo
10 de 80 personas diarias entre los campamentos Paso, Dickson, Los Perros y Coirón. Si bien el territorio limitado es uno que comprende mayor biodiversidad, la autoridad **advirtió** que la **medida** se podría extender a todos los sectores con el fin de "educar a la población".

15 **Las solicitudes** para **ingresar** y acampar se deben efectuar en la propia **portería** del parque o en las **sucursales** de la Conaf presentes en Puerto Natales y Punta Arenas. Cabe mencionar que sólo durante enero del presente año, hubo casi 48 mil turistas en el territorio, un 15% más respecto al mismo mes en 2015.

24 Horas, TVN (2016), "Torres del Paine: Limitan acceso a zona montañosa por aumento explosivo de visitantes", Extraído de https://tinyurl.com/y8745gey.

ꟷuente número 2

ntroducción: Este gráfico compara el aumento de usuarios
e celulares en Chile con el número de visitantes a los parques
acionales chilenos. Los datos vienen de *CONAF* en Chile y un
studio de gsmaintelligence.com.

Jna comparación gráfica de los usuarios de celulares en Chile y las visitas a parques nacionales chilenos

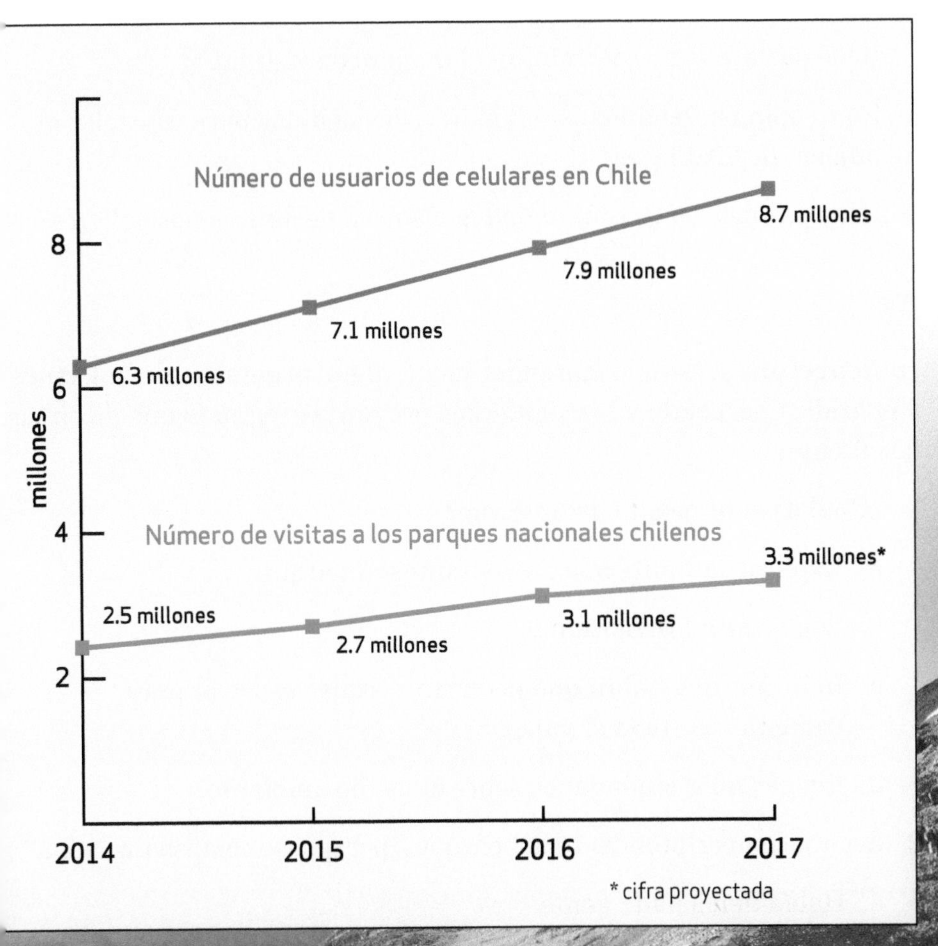

Patagonia

ESTRATEGIAS

Observa y realiza para comprender una lectura con gráfico

Observa: Esta selección tiene dos fuentes. Las dos fuentes presentan información de maneras distintas. ¿Tienen las lecturas algunas ventajas que no tienen los gráficos? Nota cómo los dos modos de comunicación presentan su información.

Realiza: Lee con cuidado cómo la información del gráfico complementa o contradice la de la lectura. Busca la relación entre estas dos fuentes y **El enfoque: ¿Qué beneficios físicos y emocionales ofrece desconectarse de la rutina?**

¿Qué aprendiste?

Paso 1

Instrucciones: Para mostrar lo que has comprendido de la lectura y el gráfico, comenta en tu grupo las respuestas a estas preguntas basándote en lo que recuerdas de las dos fuentes.

- ¿Por qué es necesario controlar el número de visitantes a los parques nacionales?
- ¿Qué pasaría si no controlaran el número de visitantes?
- En tu opinión, ¿cuánto éxito tendrán las medidas para controlar el número de visitantes?
- ¿Hay parques en tu comunidad que sufren de los mismos peligros?

AP® Paso 2

Instrucciones: Para comprender mejor algunos detalles de la lectura y el gráfico, responde a las siguientes preguntas según lo que dicen las dos fuentes.

1. ¿Cuál es el propósito del informe?
   a. Explicar la limitación de visitantes al parque
   b. Rechazar a los visitantes
   c. Informar que habrá que pedir un permiso especial para transitar por todo el parque
   d. Educar a los ciudadanos sobre el medio ambiente
2. Según el superintendente del parque, ¿por qué se colapsó una zona?
   a. Había demasiada gente.
   b. La gente no cuidaba el parque.
   c. No era una zona bastante bien protegida.
   d. Hubo un terremoto.

3. ¿A qué se refiere la autoridad cuando dice “educar a la población” (línea 14)?
   a. A que la clausura de los campamentos será por un tiempo extendido
   b. A que puede extenderse la medida vigente al resto del parque
   c. A que los visitantes tienen que esforzarse en cuidar más la naturaleza
   d. A que debe haber clases en el parque sobre el medio ambiente

4. Según el gráfico, ¿qué correlación hay entre el número de usuarios de celulares y las visitas a los parques?
   a. El número de visitas baja con el incremento del uso del celular.
   b. El número de visitas sube con el descenso del uso del celular.
   c. El número de visitas sube con el incremento del uso del celular.
   d. El número de visitas no cambia con el descenso del uso del celular.

5. Con respecto al gráfico, ¿por qué es significativa la cifra 3.1 millones?
   a. Representa un crecimiento constante de las visitas.
   b. Representa un crecimiento más grande que en otros años.
   c. Representa el número de visitantes de los parques nacionales.
   d. Representa la mayor cantidad de usuarios de celulares en Chile.
6. ¿Qué punto de vista sugiere el artículo con respecto al gráfico?
   a. Que el mundo de la tecnología deja atrás a la naturaleza
   b. Que la tecnología acompaña a la naturaleza
   c. Que los humanos queremos estar siempre compartiendo momentos con otros
   d. Que cuanto más conectados estamos, más queremos desenchufarnos
7. Según el gráfico y el artículo, ¿qué se puede deducir de los ingresos a los parques?
   a. Es probable que haya más visitantes en los parques en el futuro.
   b. Es probable que no haya ningún aumento de visitantes en el futuro.
   c. Es probable que el número de visitantes disminuya.
   d. Es importante que las visitas aumenten en el futuro.

Paso 3

Instrucciones: Para comprender mejor las prácticas y las perspectivas culturales que se encuentran en las dos fuentes, usa estas preguntas de discusión en grupos de compañeros de clase.

Prácticas culturales

1. ¿Cómo se relacionan los chilenos con lo que ofrece la naturaleza?
2. ¿Qué crees que suelen hacer los visitantes al parque que afecta su biodiversidad?

Perspectivas culturales

1. ¿Qué importancia pueden tener los parques nacionales para los chilenos internautas?
2. ¿Por qué crees que al aumentar el número de usuarios internautas, se aumenta a la vez el número de visitantes a los parques nacionales?
3. ¿Por qué, con tantas opciones para entretenernos en el mundo, volvemos al viaje y/o a la naturaleza?

Presenta

Para mejorar tu capacidad de hacer una presentación oral, vas a leer un blog de una chica argentina que viaja sola. Tu presentación se basará en tu experiencia y en la pregunta de **El enfoque**.

El enfoque: ¿Cómo se eligen los lugares para desconectarse?

Imagina que tienes que dar una presentación oral al consorcio entre el Club Verde de tu escuela y una fundación filantrópica de tu comunidad. Tuvieron una subasta de viajes y experiencias para desenchufarse y vivir fuera de la Red y…¡ganaste! Ahora tienes que darles un informe sobre el viaje que hiciste.

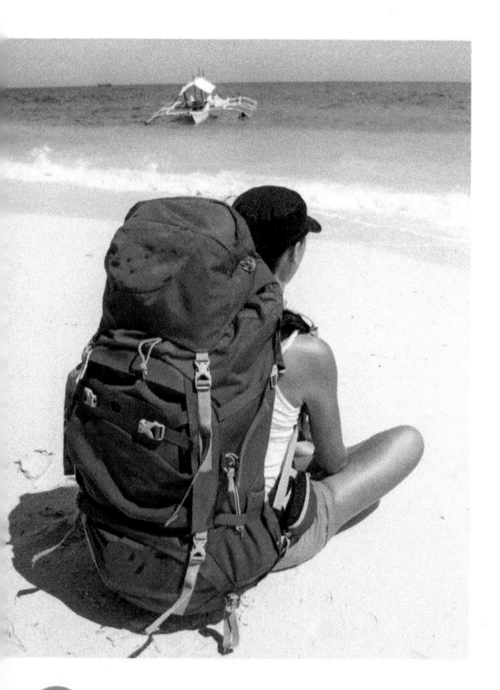

Paso 1: El texto relevante

Introducción: Este texto adaptado, *Si querés viajar, viajá*, viene de una bloguera argentina, Aniko Villalba. Se trata del sentimiento de estar atrapado/a en la monotonía de la vida cotidiana. Ella alienta a otros a viajar, dejar todo y cumplir un sueño.

Si querés viajar, viajá

Al igual que Martin Luther King, vos también tenés un sueño.

Puede que sea un sueñito o Un Sueño. No importa, es lo que deseás para tu vida, lo que harías si pudieras dejar todo atrás y elegir cómo vivir. Pero te sentís atado a un mecanismo del cual ya no podés escapar. O eso creés.

Tu sueño es viajar por el mundo. No se lo contás a mucha gente. Crees que todos te van a responder "Pff, obvio, quién no quiere viajar por el mundo/poner un bar en la playa/ser astronauta/etc". Tenés miedo de que te tilden de nómade, vago, rebelde, idealista (una cualidad que se tiende a descalificar) hippie o loco. Pensás que viajar por el mundo implica demasiada plata, demasiados riesgos, demasiadas preguntas y ninguna certeza. Dejar todo para viajar por el mundo es un camino de ida sin carteles de señalización. Un interrogante que solamente se responde mientras se lo vive. No sabés si estás preparado.

No le decís a nadie, pero soñás despierto. Cada vez que te tomás el mismo colectivo, subís el mismo ascensor, bajás por las mismas escaleras, te mirás al mismo espejo, apoyás la cabeza sobre la misma almohada, pensás: *Esta no es la vida que quiero. Un día de éstos largo todo y me voy. Pero de verdad eh, yo me voy. Ya van a ver.*

Pero los días siguen.

Seguís creciendo, conseguís mejores puestos, un mejor sueldo, y tus sueños te parecen cada vez más infantiles e inconcretables. ¿Vivir viajando? Es imposible. ¿Cómo hago? ¿De dónde saco la plata? ¿De qué vivo?

¿Te hace feliz viajar? Viajá. ¿Te hace feliz pintar? Pintá. ¿Te hace feliz cantar? Cantá. ¿Te hace feliz hacer nado sincronizado en el canal de Panamá? Hacelo.

Seré idealista (lo cual para mí es algo positivo), pero esta vida es demasiado corta para desperdiciarla dedicándote a algo que no te hace feliz cada día de tu existencia.

No pongas más excusas.

Si querés viajar, viajá.

Aniko Villalba (2011), "Si querés viajar, viajá", Adaptado de https://viajandoporahi.com.

La gran diversidad del español

En el mundo hispanohablante existe el vos - es más o menos como "tú". El voseo (el uso de vos) se escucha por América Central (Honduras, El Salvador, Guatemala) y además por Sudamérica. De hecho, en Argentina y Uruguay se acepta el voseo en los periódicos. ¿Te fijás?

Paso 2: La exploración

Instrucciones: Esta información te va a ayudar a hacer la presentación en **Paso 3**. Ya que tienes que contar del viaje que ganaste, investiga opciones de viajes del mundo de habla hispana para desconectarte de cualquier acceso a la tecnología. Elige uno de ellos según el criterio sugerido en **El texto relevante**. Debe ser un programa que permitiría tu familia.

Mi progreso comunicativo

Sé dar una presentación oral sobre un viaje que hice con mi mochila sin acceso a tecnología para desconectarme.

Paso 3: La presentación

Instrucciones: Como propusiste un viaje al consorcio del Club Verde de tu escuela y la fundación filantrópica de tu comunidad y ganaste la subasta, ahora tienes que dar una presentación oral acerca del viaje que hiciste. El viaje que hiciste tuvo estas características:

- Fue un sueño personal.
  ¿Por qué fue un sueño? ¿Qué te animó a hacer ese viaje? ¿Qué riesgos tuviste que enfrentar?
- Fuiste a algún lugar en el mundo de habla hispana para existir fuera de la Red.
  ¿Qué hacías con frecuencia cuando estuviste allí? ¿Por qué elegiste este sitio?
- Solo llevaste una mochila.
  ¿Cómo era? ¿Qué llevabas en ella? ¿Qué decía tu mochila de ti?
- Fuiste solo/a.
  ¿Qué riesgos había para alguien que viajaba solo?
- No llevaste nada de tecnología.
  ¿Cómo te ubicabas? ¿Cómo te comunicabas? ¿Cómo te entretenías?

Después de prepararte, tendrás que grabar y entregar tu presentación oral en la guía digital, el sitio *web* estudiantil donde puedes encontrar práctica y recursos adicionales para este libro.

Atando cabos sueltos

Una conversación simulada

AP® Ahora que has completado esta conexión, tienes la oportunidad de practicar en la guía digital una conversación simulada que sigue el formato de la tarea en el examen de AP®. Fíjate en que esta conversación se basa en el tema de esta conexión.

Tu progreso comunicativo e intercultural

Después de grabar la conversación simulada, evalúa tu progreso durante esta conexión en el Apéndice A y en **Mi portafolio** en la guía digital para indicar lo que has aprendido a hacer.

Resumen de vocabulario

Palabras para apreciar

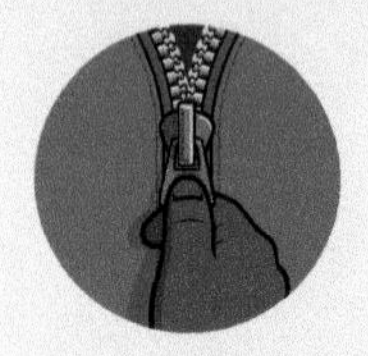

Vocabulario para una mejor discusión – Conexión 1

los adornos - la ornamentación

la bolsa - el saco

diseñar - crear

el gusto - la inclinación estética

llamativo/a - sugerente

llevar - transportar

la marca - el nombre de la empresa

meter - poner

las pertenencias - las posesiones personales

reflejar - mostrar

Vocabulario para una mejor comprensión – Conexión 1

ancestral/es - tradicional/es

el colorido - la coloración

elaborar - producir

el hilo - el filamento

el linaje - la ascendencia

minucioso/a - meticuloso/a

la puntada - el punto hecho con hilo

la sabiduría - el saber extendido

el tamaño - el volumen

tejer - juntar filamentos finos

Vocabulario para una mejor discusión – Conexión 2

adaptarse - acostumbrarse

el ambiente - la atmósfera

escoger - elegir

herir - dañar

peligroso/a - destructivo/a

pesado/a - de mucho volumen

protegerse - defenderse

provechoso/a - beneficioso/a

sobrevivir - seguir viviendo

superar - conquistar

Vocabulario para una mejor comprensión – Conexión 2

aprovechar - utilizar

cargar - llevar

darse cuenta - entender bien

disfrutar - gozar

el dispositivo - un aparato

evitar - escapar

los fondos - el dinero

el genio - el sabio

localizar - situar

lograr - conseguir

Vocabulario para una mejor discusión – Conexión 3

al aire libre - afuera
alejarse - distanciarse
dejar - abandonar
desenchufarse - desconectarse
empacar - hacer la maleta
estresado/a - preocupado/a
experimentar - tener experiencia con
fuera de - lejos de
el hospedaje - el lugar para dormir
el senderismo - el *trekking*

Vocabulario para una mejor comprensión – Conexión 3

advertir - informar
al tope - al máximo
el aumento - el incremento
ingresar - entrar
la medida - la precaución
la portería - la consejería
restringir - limitar
la solicitud - la petición
la sucursal - la oficina
vigente - válido/a

Gramática problemática

El imperfecto y el pretérito de indicativo

El uso de dos de los tiempos pasados, el imperfecto y el pretérito, es el enfoque gramatical de este capítulo. Para recordar la importancia de estos dos tiempos verbales, vas a leer una entrada de diario ilustrada y escrita. Presta atención a la escena mental que crea cada acción. Luego, tendrás la oportunidad de volver a contar el viaje de Constanza Molinero, la autora del diario.

Soy Constanza Molinero y este es mi diario de mi viaje boliviano desde La Paz hasta Copacabana en el lago Titicaca

Querido diario:

Hace tiempo que no he podido escribir de mi trek al lago Titicaca desde La Paz. Esto es lo que me pasó.

El primer día me levanté muy animada y sonreía de oreja a oreja mientras empaquetaba mi mochila con una muda de ropa ligera y otra abrigada, agua y un botiquín con cortaúñas, aguja e hilo, y alcohol yodado, entre otras cosas. Tenía una carpa y saco de dormir. Me alegraba la idea de pasar la noche bajo las estrellas bolivianas.

Por fin, empezamos la caminata y me sentía aliviada cuando salimos de La Paz. Era un día hermosísimo porque hacía mucho sol, lo que animaba mi espíritu. Salía con mis nuevos mejores amigos y también ellos estaban muy emocionados por comenzar.

Era el 24 de junio, Día de San Juan y el día que celebraban los incas con el nombre de Inti Raymi. Los españoles lo tradujeron como "La fiesta del sol".

Eran las 14 horas de la tarde y estábamos cansados. Por suerte, nos encontramos con un aymará que vendía botellas de agua. Era muy viejo y nos vendió las botellas frías por 2 bolivianos. Nos dijo que el agua venía del lago Titicaca. Cuando alivié la sed, seguimos nuestra caminata a Copacabana.

Caminamos por dos horas más antes de llegar al camping Suma Samawi, que era medio hostal y medio camping, y que estaba al lado del lago Titicaca pero no tenía vistas al lago. Anochecía cuando montamos nuestras carpas y luego nos duchamos y cocinamos unos deliciosos platos de porotos y choclo. Disfrutamos de la compañía de amigos hasta muy tarde esa noche. Por fin, me eché en el saco de dormir y soñé con los rituales que usaban los incas para celebrar el solsticio de verano austral. ¡Era mi cumpleaños y cumplí 21 años ese día!

Instrucciones: Después de leer el diario de Constanza Molinero e identificar los usos del pretérito y del imperfecto, estudia las explicaciones de los usos.

Reglas generales: el imperfecto y el pretérito de indicativo

El imperfecto es el tiempo pasado utilizado para comunicar lo normal—lo habitual y lo esperado—que ocurría.

1. Comunica fecha y hora.
   a. Era el 23 de junio.
   b. Eran las tres de la tarde.
2. Comunica edad.
   a. Tenía 20 años cuando empecé mi viaje a Bolivia.
   b. Era muy joven cuando imaginé un viaje al lago Titicaca.
3. Enfatiza lo habitual, lo normal o lo ordinario de una acción, una descripción o una emoción.
   a. Cuando era joven, me alegraba el desafío de hacer *trekking* en las montañas.
   b. Mientras yo empaquetaba mi mochila, sonreía de oreja a oreja.

El pretérito es el tiempo pasado utilizado para comunicar un cambio en el estado normal.

1. Señala una serie de acciones: una acción empieza y otra empieza después.
   a. Primero, puse una muda de ropa en la mochila, luego, metí un botiquín con algodón, y finalmente, incluí una botella de agua.
   b. Busqué el mapa del *trek*, lo encontré y lo desplegué.
2. Señala una interrupción en un momento ordinario.
   a. Mientras caminábamos por la ruta a Copacabana, vi a un aymará viejo.
   b. Cuando llegamos, estaba sin aliento.
3. Señala una acción ocurrida dentro de un período limitado.
   a. Viajamos por dos horas antes de llegar a Copacabana.
   b. Hice mi *trek* boliviano el verano pasado.

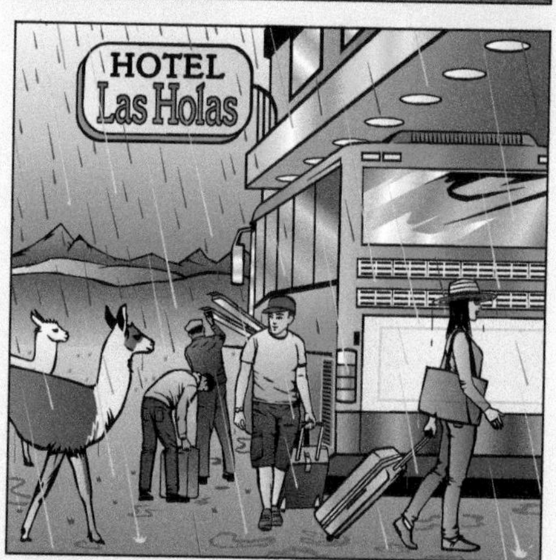

La verdadera versión del *trek* boliviano que Constanza Molinero no quería contar.

Instrucciones: Ya que has estudiado las entradas del diario que escribió Constanza Molinero sobre su versión del viaje a Copacabana, observa estas imágenes de lo que en realidad le pasó. Con un/a compañero/a, vas a contar la verdadera historia de su *trek* boliviano desde La Paz hasta Copacabana. Pero, primero, consulta y estudia las explicaciones de las diferencias entre lo que comunican el imperfecto y el pretérito.

En resumen: el IPA

Integrated Performance Assessment

as fuentes del capítulo

onexión 1

Audio: *La Wati y la Tutu (cultura, estética y pensamiento arhuaco)*

Lectura: *Tendencias Mochilas 2017: Elige la tuya según tu personalidad y estilo*

onexión 2

Lectura: *Una falsa alarma por una mochila sospechosa obliga a los Mossos a cortar el tráfico en la Diagonal Mar de Barcelona*

Lectura: *Niña de once años inventó mochila para niños con cáncer*

Audio: *Mochila antibalas ¿creatividad o necesidad?*

Lectura: *¡Hazte con una mochila chic y triunfa esta primavera!*

Conexión 3

Video: *Mochileros argentinos*

Lectura: *Torres del Paine: Limitan acceso a zona montañosa por aumento explosivo de visitantes*

Gráfico: *Una comparación gráfica de los usuarios de celulares en Chile y las visitas a parques nacionales chilenos*

Lectura: *Si querés viajar, viajá*

Blanca Leonor Varela es una joven peruana de veinte años. En su vida ha tenido varias mochilas. Para conocer su viaje desde los años de primaria y saber quién es hoy, vas a examinar su mochila actual por dentro y por fuera. Tu presentación final será un retrato de quién es y cómo llegó a ser quién es.

Antes de planear tu proyecto, ten en cuenta *las preguntas esenciales* del capítulo para guiar tu presentación.

1. ¿Cómo se refleja la identidad del individuo en el diseño de una mochila?
2. ¿Cómo adapta uno la mochila a las circunstancias de su comunidad?
3. ¿Qué papel juega el uso de la mochila en la renovación personal?

Evaluación de tu comprensión

Vamos a imaginar que observas a una chica de unos 20 años desempacar su mochila. Por razones desconocidas, la joven saca todas sus pertenencias. Mientras ella va sacándolas, vas inventando la historia de su vida según lo que puedes espiar. La joven está sentada a tu lado, y escribe en su diario mientras lee y vuelve a leer una carta y un folleto de turismo. Te alienta la curiosidad.

Evaluación de tu comunicación interpersonal

Instrucciones: Ya que has pensado en las pistas presentadas sobre quién es Blanca Varela, vas a tener una conferencia de entrometidos. Tu misión: chismear con tus compañeros sobre Blanca y sacarles información sobre la vida que han ideado para ella. Lo más importante es intercambiar ideas sobre la vida de Blanca y apoderarte de las mejores y más interesantes. Esta actividad te va a ayudar a desarrollar tu presentación final que será un retrato personal de Blanca Varela. Un/a buen/a entrometido/a siempre se queda con ideas pedidas y prestadas y la misión cumplida.

Evaluación de tu presentación

Instrucciones: Para mejorar tu capacidad oral, vas a dar una presentación sobre la vida de una joven. Debes valerte de:

- las ideas apuntadas en un organizador gráfico;
- los recursos presentados en este *IPA*;
- una representación visual para mostrar tus ideas;
- dos minutos para dar la presentación oral;
- una tarjeta con menos de 20 palabras para recordar tu ideas.

Capítulo 3
El pan

Metas del capítulo

- Comprender las ideas principales y secundarias presentadas en varias fuentes auténticas sobre el rol del pan en las tradiciones, la nutrición y el bienestar socioeconómico.
- Conversar con otros sobre lo que se come o no se come considerando las tradiciones, la comida transgénica y las condiciones socioeconómicas.
- Explorar, reflexionar y presentar sobre lo que el pan representa para la población o una comunidad, el rol de la ciencia en la nutrición y la brecha entre ricos y pobres.
- Comparar las prácticas y perspectivas en comunidades hispanohablantes y en tu comunidad sobre cómo ayudan los jóvenes a proveer alimentación básica para todos.

El producto cultural: El pan

El pan, el producto del enfoque de este capítulo, representa más que la barra de pan que encuentras en tu mesa a la hora de comer. Puede ser el símbolo de todo lo que se consume o la falta de comida para algunos. Vas a hacer una serie de actividades y reflexiones que te darán una visión sobre el rol que la comida, o la falta de ella, tiene en las tradiciones, la dieta saludable y la desigualdad en algunas comunidades.

Conexión 1: La influencia del pan en las tradiciones 120

Te informarás sobre el pan y el rol que tiene en algunas celebraciones y tradiciones. Te familiarizarás con el pan y otros platos que reflejan las tradiciones en algunas culturas hispanohablantes y las compararás. Participarás en intercambios con tus compañeros sobre estas ideas.

Conexión 2: La relación entre la ciencia y la nutrición 136

Explorarás la conexión entre la ciencia y la nutrición en el mundo moderno. Te informarás sobre los efectos de avances científicos en cada individuo y en la sociedad hispanohablante y harás comparaciones de algunas culturas hispanohablantes con tu cultura.

Conexión 3: El pan como representación del bienestar 152

Descubrirás que la falta de recursos económicos por razones sociales y económicas crea una brecha entre la gente de la sociedad. Participarás en intercambios con tus compañeros sobre el bienestar y la conciencia social.

Resumen de vocabulario

Palabras para apreciar 170

Encontrarás una lista del vocabulario importante para cada conexión: **Vocabulario para una mejor discusión** y **Vocabulario para una mejor comprensión**. Incorporarás y desarrollarás este vocabulario en las actividades del capítulo además del vocabulario ya presentado en el capítulo anterior.

Gramática problemática

Usos fundamentales del subjuntivo con "que" 172

Estudiarás los usos básicos del subjuntivo. Aprenderás a usarlo en vez del indicativo en una variedad de casos prácticos y comunes. Verás cómo el presente y el imperfecto de subjuntivo siguen una secuencia de tiempos verbales.

En resumen: el *IPA*

(Integrated Performance Assessment) 176

Este capítulo te ha preparado para mostrar y demostrar lo que aprendiste sobre la importancia del pan. Tendrás la oportunidad de hacer una presentación en la cual propondrás una solución.

Preguntas esenciales

- **¿Cómo influye el pan en las tradiciones?**
- **¿Cuál es la relación entre la ciencia y la nutrición en el mundo moderno?**
- **¿Cómo representa el pan el bienestar socioeconómico?**

AP® Temas curriculares	AP® Contextos recomendados
Las familias y las comunidades Las identidades personales y públicas Los desafíos mundiales La belleza y estética	Las tradiciones y los valores Las creencias personales El pensamiento filosófico y la religión Las definiciones de la creatividad
La ciencia y la tecnología	Las innovaciones tecnológicas Los efectos de la tecnología en el individuo y en la sociedad El cuidado de la salud y la medicina
Los desafíos mundiales	Los temas económicos El bienestar social La conciencia social

Mi progreso comunicativo

Sé comprender las ideas principales y secundarias de varias fuentes auténticas sobre el rol del pan en las tradiciones, la nutrición y la desigualdad.

Sé participar en conversaciones, responder a algunas preguntas, pedir información, expresar y defender opiniones sobre el papel que juega la comida en la tradición, la nutrición y la desigualdad.

Sé dar presentaciones orales, hacer comparaciones culturales y escribir un ensayo argumentativo sobre varios aspectos y perspectivas de la comida en las tradiciones, la nutrición y la desigualdad.

Mi progreso intercultural

Sé explicar las prácticas relacionadas con el pan y las tradiciones, la ciencia y la nutrición y la brecha entre ricos y pobres en las comunidades hispanohablantes y cómo las perspectivas culturales las influyen.

Sé conversar con hispanohablantes sobre el rol de la comida en las tradiciones, la relación entre la ciencia y la nutrición y la desigualdad en el acceso a la comida en algunas comunidades.

El producto cultural:

El pan

Al oír a una mujer en un café de Sevilla exclamar… *tú eres un trozo de pan…*, le picó la curiosidad a la gente presente. *¡Un trozo de pan!* U otra expresión semejante… *¡Ser más bueno que el pan!* ¿Por qué la referencia al pan? ¿Es posible que el pan pueda representar más que un alimento básico que se consume?

Exactamente, ¿qué es el pan? Y, ¿cómo es que se usa la palabra *pan* en tantas expresiones? A través de la historia, este alimento adquirió cada vez más importancia. Al principio se preparaba como una simple mezcla de agua y trigo para producir un alimento con valor nutritivo. Poco a poco, las distintas culturas empezaron a añadir diferentes ingredientes para desarrollar varias recetas y formas de pan que se usaron de varias maneras y en varias ocasiones. Además de ser algo rico y nutritivo, el producto llegó a tener un rol en ceremonias religiosas y se transformó en un símbolo de los valores que definen una cultura. Esta práctica está presente en tradiciones y costumbres de hoy en día.

Por esto, la palabra literal, pan, representa mucho más que este alimento simple. En muchas culturas, representa las tradiciones que se celebran, la dieta que se come y la brecha entre ricos y pobres que existe en ciertas comunidades.

También tiene un impacto en el lenguaje que se usa. Así, *compañero/a…* persona con quien se comparte el pan… ojalá que aprecies mejor el pan de cada día, a medida que te involucres en este capítulo y pienses en las tradiciones que el pan perpetúa, el rol de la ciencia en mantener una dieta saludable y la desigualdad existente al no tener comida por razones económicas.

Conexión 1

La influencia del pan en las tradiciones

El enfoque: ¿Cuál es el rol del pan en la identidad de una comunidad?

¿Qué sabes?

Fíjate en... la variedad y el simbolismo del pan.

Vocabulario para una mejor discusión

Para mejorar tu capacidad de participar más ampliamente en las conversaciones de clase, encontrarás aquí vocabulario útil y pertinente para el tema de esta conexión. Además, este vocabulario te va a ayudar a aumentar y desarrollar tu español en general.

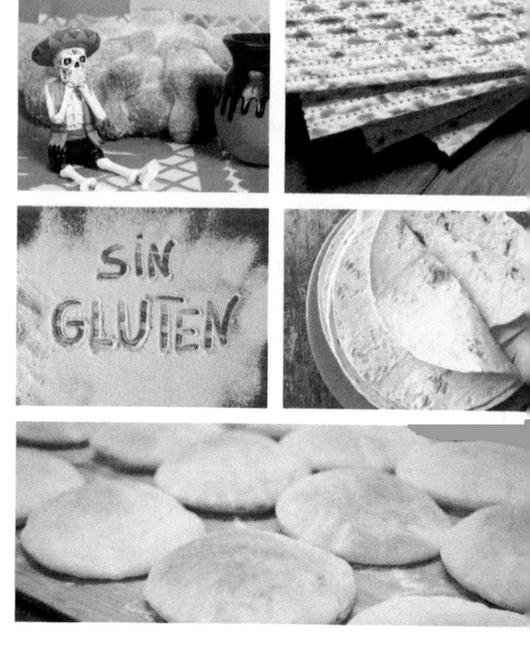

amasar los ingredientes del pan antes de ponerlo en el horno (mezclar)	**engordar** porque se comen demasiados carbohidratos (ganar peso)
conmemorar un evento importante para una comunidad (recordar con un acto público)	**hornear** el pan a fuego lento (cocinar en el horno)
la costumbre de celebrar algo todos los años (la tradición)	**la merienda** que comemos entre la comida y la cena (una comida entre el almuerzo y la cena)
la creencia de una cultura ancestral (la convicción)	**la panadería** donde compramos el pan (la tienda de pan)
empanado/a con harina y huevo (recubierto/a)	**el trigo** que es el ingrediente básico del pan (un tipo de grano)

Desarrollando tu vocabulario

Antes de participar en las discusiones de clase, accede a tu cuenta en la guía digital, el sitio *web* estudiantil donde puedes encontrar práctica y recursos adicionales para este libro. Hay ejercicios para ayudarte a recordar y usar el **Vocabulario para una mejor discusión**.

Comunica

AP® **Instrucciones**: Vas a escribir una respuesta a un mensaje electrónico. Vas a tener 15 minutos para leer el mensaje y escribir tu respuesta. Tu respuesta debe incluir un saludo y una despedida, y debe responder a todas las preguntas y peticiones del mensaje.

Introducción: Recibes este correo electrónico de la directora del Festival de las Naciones, quien te escribe como respuesta a tu carta en la que solicitas participar en la organización de esta celebración anual de la comunidad. Te pide más detalles e ideas puntuales sobre tu rol como organizador/a. Responde a su correo contestando a las preguntas y peticiones del correo original.

De: Marta Luces y Gutiérrez Cc Bcc

Asunto: Festival de las Naciones

Estimado/a estudiante:

Gracias por habernos escrito acerca de su interés en participar en nuestra celebración anual del *Festival de las Naciones* patrocinado por el Gobierno de nuestra comunidad. Este año será la quinta vez que celebramos aquí este evento que conmemora las costumbres de la población diversa que vive en nuestra comunidad. Nosotros, que organizamos la celebración, creemos que es importante que los miembros de la comunidad celebren con orgullo las tradiciones de su herencia. También, esperamos que nuestro festival sea tan exitoso como lo ha sido en años anteriores.

Cuando Ud. nos escribió, nos dijo que quería participar pero incluyó pocos detalles de cómo quisiera hacerlo y en qué podría contribuir al comité. Como directora del evento, me gustaría que Ud. nos explicara más en detalle su aporte al festival. La única información que mencionó es que tiene experiencia trabajando en una de las panaderías locales pero no explicó lo que hace en la panadería. Le pido que nos diga si puede preparar algunas comidas o meriendas típicas de cualquier cultura para que formen parte de nuestro festival.

Queremos tomar una decisión lo antes posible, así que le ruego que conteste a mi carta a la brevedad y responda a los siguientes puntos y preguntas con detalles específicos.

- El rol que Ud. puede tener en la preparación antes y durante el festival.
- ¿Qué sugerencias nos puede dar para hacer nuestro festival más inclusivo y mejor?

Otra vez le doy las gracias por su interés en participar. Buscamos a personas que demuestren interés y estén orgullosas de la comunidad en la que viven. Creo que Ud. es este tipo de persona.

Cualquier pregunta que Ud. tenga, aquí estoy a su disposición para contestar.

Atentamente,

Marta Luces y Gutiérrez
Directora del *Festival de las Naciones*

Responder

Exprésate

Para compartir tu opinión con tus compañeros de clase, responde a las preguntas que siguen. Tu profesor/a te guiará.

- ¿Además del pan, ¿conoces algunas comidas que sean típicas de otras culturas? ¿Cuáles?
- ¿Por qué es importante que una cultura celebre su identidad a través de la comida que se prepara?
- ¿Qué sabes de las variedades de panes que se usan en celebraciones de tu comunidad?
- ¿Qué tipo de pan se puede encontrar en las panaderías de tu comunidad?
- ¿Es el pan parte de tu dieta? ¿Por qué sí o por qué no?

Mi progreso comunicativo

Sé investigar, colaborar y participar en conversaciones sobre el rol de la comida tradicional en diferentes celebraciones de comunidades hispanohablantes.

¡Para saber más!

¿De qué manera es la comida mucho más que alimentación?

Paso 1: ¿Qué rol tiene la comida en las tradiciones y en la identidad de una comunidad?

Instrucciones: En diferentes comunidades, hay cierta comida y tradiciones que definen su identidad. Primero, reflexiona sobre el rol de la comida en la familia y en las celebraciones de tu comunidad y completa las tres primeras columnas del organizador gráfico.

El rol de la comida como parte de las tradiciones

Celebración	En la familia	En la comunidad	En las comunidades hispanohablantes
1			
2			
3			

Paso 2

Instrucciones: Ahora, con tus compañeros de clase, investiga lo que se come en algunas comunidades hispanohablantes en diferentes celebraciones y completa el organizador gráfico. Después de investigar, participa en una conversación con algunos miembros de la clase comparando lo que has descubierto y poniendo las celebraciones en orden de importancia para mantener las tradiciones y la convivencia de la comunidad.

Recuerda que una comunidad puede ser tan pequeña como una familia o tan grande como un continente.

AP® Paso 3: Aplicación práctica

Instrucciones: Vas a participar en una conversación. Primero, vas a tener un minuto para leer la introducción y el esquema de la conversación. Después, comenzará la conversación, siguiendo el esquema. Cada vez que te corresponda participar en la conversación, vas a tener 20 segundos para grabar tu respuesta.

Debes participar de la manera más completa y apropiada posible.

Introducción: Estás participando en un programa de intercambio y viviendo con una familia en una comunidad hispanohablante. Tú amigo Ricardo, te llama para saber de ti y preguntarte sobre tu estadía en México y sobre una celebración.

Ricardo	▶ Te saluda y te hace una pregunta.
Tú	▶ Salúdalo y contesta su pregunta.
Ricardo	▶ Continúa la conversación y te pide más información.
Tú	▶ Responde con detalles.
Ricardo	▶ Reacciona y te hace más preguntas.
Tú	▶ Responde de forma negativa.
Ricardo	▶ Te hace una pregunta.
Tú	▶ Responde con detalles.
Ricardo	▶ Te hace una pregunta y te sugiere algo.
Tú	▶ Reacciona y despídete.

Sé participar en una conversación, responder, hacer preguntas y dar opiniones sobre una celebración cultural y la comida que se come durante la misma.

Pan de muerto de México

Infórmate

¿Cómo son las celebraciones una forma de incentivar la convivencia entre comunidades y perpetuar tradiciones?

 **Paso 1**

Instrucciones: Aquí tienes algunas imágenes de comidas que representan celebraciones de diferentes partes del mundo. Trata de adivinar de qué país o países vienen los productos y en qué celebraciones se comen.

1. 

2. 

3. 

4. 

5. 

6. 

De las imágenes que acabas de estudiar, ¿cuál es la rosca de reyes? ¿Cuándo se celebra el Día de Reyes? ¿Celebras tú ese día?

Paso 2

Instrucciones: Las celebraciones son una oportunidad para reunir a la comunidad alrededor de la mesa del pan u otra comida tradicional. Primero, vas a mirar por lo menos dos veces. Presta atención y toma notas sobre el origen de la rosca de reyes y sobre cómo esta tradición ha cruzado las fronteras y se ha convertido en parte de la identidad cultural de diferentes comunidades. Después de mirar, comenta sobre otros alimentos que conozcas que hayan traspasado las fronteras de una comunidad.

Introducción: Este video, *¿De dónde viene la rosca de reyes?*, trata del origen de este pastel. El video fue publicado por Excélsior TV, México.

Palabras imprescindibles para esta fuente

el haba
una habichuela; una figura escondida en la rosca de reyes

las ofrendas
los regalos; algo que le das a alguien

el pesebre
el belén; la representación del nacimiento del niño Jesús

Paso 3

Instrucciones: Para mejorar tu capacidad de comunicarte con otros, conversa con un/a compañero/a y responde apropiadamente a las preguntas.

- ¿Cómo se originó la historia de la rosca de reyes?
- ¿Hay alguna tradición similar a la rosca de reyes en tu cultura? Describe con detalles.
- ¿Qué conmemora la tradición de la rosca de reyes?
- ¿Qué representa la fruta cristalizada en la rosca de reyes?

Paso 4

Tema de debate: Hoy en día, la tendencia de perpetuar celebraciones tradicionales para fortalecer la convivencia de una comunidad no tiene tanta importancia como antes.

Sé dar y justificar opiniones sobre la importancia de perpetuar celebraciones tradicionales para fortalecer la convivencia de una comunidad.

Rosca de reyes de México

¿Qué más necesitas saber?

Vocabulario para una mejor comprensión

Instrucciones: Para comprender las ideas principales de la fuente auditiva en **¿Aprecias la cultura hispanohablante?** de esta conexión, estudia y practica el uso de estas palabras antes de leerlas y oírlas.

artesanal	hecho/a a mano; preparado/a en casa El horno **artesanal** es parte importante en la preparación de los panes campesinos.
el comensal	el/la invitado/a; la persona que viene a comer Un **comensal** va a conocer su patrimonio cultural si se fija en lo que está en su plato.
la convivencia	la coexistencia; el acto de vivir juntos La Semana Santa reúne a la comunidad a través de **la convivencia** y la solidaridad.
enorgullecerse	complacerse; sentirse muy satisfecho/a de algo o de alguien Los chefs usan alimentos locales porque **se enorgullecen** de su cultura y sus tradiciones.
evolucionar	crecer; transformarse en algo mejor Los países han podido **evolucionar** y proteger su patrimonio culinario gracias a la influencia de la migración y de otras culturas.
fortalecer	fortificar; hacer más fuerte Las costumbres en las comunidades remotas sirven para **fortalecer** la unidad de su gente.
incentivar	estimular; dar motivación La preparación del pan sirve para **incentivar** la reflexión y la unidad.
infaltable	imprescindible; que no puede faltar El pan es un producto **infaltable** en la celebración de Semana Santa.
resaltar	indicar; dar importancia a algo La gente de comunidades rurales **resaltan** que sus panes no son comunes.
el tesoro	la riqueza; algo que tiene mucho valor La directora del programa piensa que algunos alimentos deben considerarse **tesoros** nacionales.

Empanadas

Oportunidad inicial

Instrucciones: Para empezar a practicar el **Vocabulario para una mejor comprensión**, escoge la palabra o expresión en paréntesis que completa correctamente las oraciones.

1. ¡Entre todas las recetas, la de mi familia fue la mejor! Mi abuela va a ___________ (**evolucionar/enorgullecerse/fortalecer**) de que su receta de pan de muerto haya ganado la competición.
2. Es verdad que esta comunidad debe ___________ (**resaltar/incentivar/enorgullecerse**) nuestro patrimonio cultural para que los jóvenes lo aprecien y lo transmitan a nuevas generaciones.
3. Parece que ___________ (**la convivencia/el comensal/el tesoro**) disfrutó de nuestro pan de muerto. ¡Se lo comió todo!
4. El 6 de enero, los Reyes Magos pasaron por mi balcón para dejarme un regalo. Me gustó tanto que se convirtió en ___________ (**el tesoro/la convivencia/el comensal**) más valioso que tengo.
5. No hay duda de que esta celebración servirá para ___________ (**evolucionar/enorgullecerse/fortalecer**) los lazos de nuestra comunidad.
6. A través de los años, la receta del pan de muerto logró ___________ (**incentivar/evolucionar/fortalecer**) hasta convertirse en el pan que comemos hoy.
7. Está muy interesada en ___________ (**enorgullecerse/evolucionar/incentivar**) la participación de muchas personas en nuestra celebración de fin de año.
8. El pan es un elemento ___________ (**el tesoro/infaltable/el comensal**) en la mesa de la comunidad hispana.
9. Esta amistad es testimonio ___________ (**del comensal, del tesoro, de la convivencia**) que existe entre nosotros.
10. Si quieres comprar los mejores buñuelos, vete a la panadería (**infaltable/artesanal/comensal**) ___________ en el paseo de Aguas.

¿Aprecias la cultura hispanohablante?

Lectura con audio

AP® **Instrucciones**: Vas a escuchar una o varias grabaciones. Algunas grabaciones van acompañadas de lecturas. Cuando haya una lectura, vas a tener un tiempo determinado para leerla. Para cada grabación, primero vas a tener un tiempo determinado para leer la introducción y prever las preguntas. Vas a escuchar cada grabación dos veces. Mientras escuchas, puedes tomar apuntes. Tus apuntes no van a ser calificados. Después de escuchar cada selección por primera vez, vas a tener 1 minuto para empezar a contestar las preguntas; después de escuchar por segunda vez, vas a tener 15 segundos por pregunta para terminarlas. Para cada pregunta, elige la mejor respuesta según la grabación o el texto.

Fuente número 1

Introducción: Este artículo, *¿Cómo refleja la comida tradicional nuestra identidad cultural?*, trata de cómo lo que comemos es parte fundamental de la identidad de una comunidad y de la importancia de cuidar las tradiciones. El artículo fue publicado en el periódico *METRO* de Nicaragua.

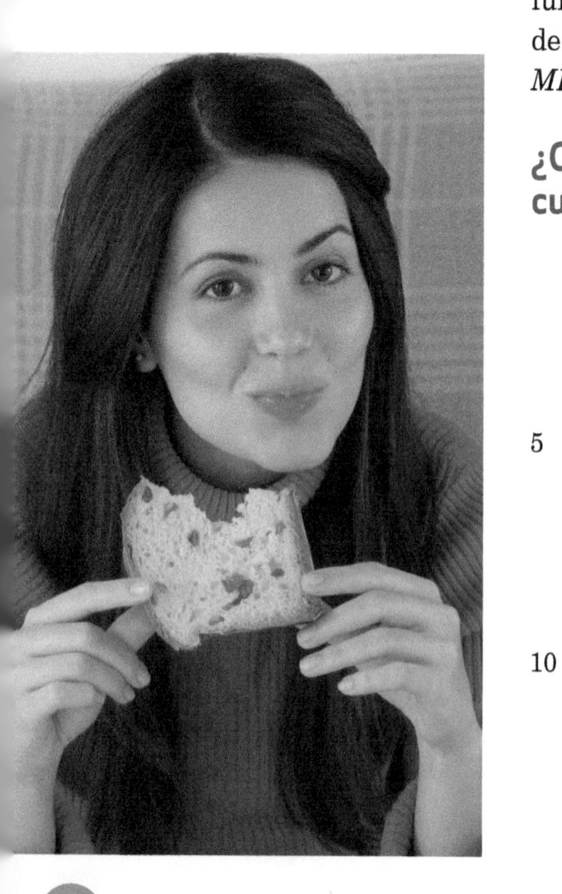

¿Cómo refleja la comida tradicional nuestra identidad cultural?

La comida es una de las pocas cosas que unen a todas las naciones. Cuando conoces a alguien de otro país, normalmente terminas hablando de deportes y platos tradicionales.

Lo que está en la mesa de alguien hoy es el resultado de la
5 influencia directa de la historia de un lugar. De hecho, **un comensal** puede aprender mucho sobre la cultura y el patrimonio de un lugar prestando mucha atención a lo que está en su plato.

"He estado cocinando recetas de todos los países del mundo durante más de tres años", dice Mike Benayoun, director
10 culinario en el blog de comida "196 Flavors".

METRO investiga por qué la comida está en el corazón de la identidad de cada nación, y analiza cómo los países están buscando proteger su patrimonio culinario.

"Muchos de ellos han **evolucionado** con el tiempo, y esto refleja la evolución de la migración, los regímenes y las influencias de otros países. Al final, se obtiene una muy buena idea de la identidad de una nación mediante la comprensión de los ingredientes, técnicas y recetas".

Almojábanas de Colombia

Algunos de los países, incluso, quieren proteger sus alimentos y métodos de preparación.

"Es parte de una cultura particular y ciertos alimentos deben ser considerados como **tesoros** nacionales", dice Sabrina Sexton, directora del programa de artes culinarias en el Instituto de Educación Culinaria, Nueva York.

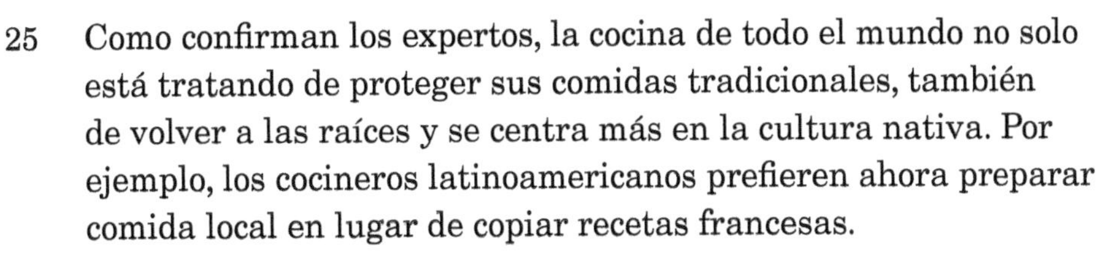

Como confirman los expertos, la cocina de todo el mundo no solo está tratando de proteger sus comidas tradicionales, también de volver a las raíces y se centra más en la cultura nativa. Por ejemplo, los cocineros latinoamericanos prefieren ahora preparar comida local en lugar de copiar recetas francesas.

"Solo en los últimos 30-40 años hemos visto que se ha vuelto aceptable para los mejores chefs cocinar sus alimentos locales, **se enorgullecen** de las tradiciones de su cultura y de los ingredientes", agrega Sexton. "Y esta tendencia se está extendiendo".

Otra influencia en la cocina mundial es la demanda de los consumidores por una mejor calidad: productos más ecológicos y sostenibles. "La industria alimentaria continuará respondiendo a esto y encontrando maneras de hacer que tales productos lleguen a un mayor número de personas", dice Benayoun.

La cocina **evoluciona** y la globalización ha contribuido a ayudar a descubrir otras culturas y platos.

Dmitry Belyaev, Metro World News (2016), "¿Cómo refleja la comida tradicional nuestra identidad cultural?", Adaptado de https://tinyurl.com/ybpqf2y7.

Churros de España

Fuente número 2

Introducción: Este audio, *Guatemaltecos hacen del pan una forma de perpetuar tradiciones,* trata de cómo las comunidades rurales en Guatemala se reúnen para preparar y compartir el pan durante la Semana Santa. Es un reportaje de *teleSUR noticias, Guatemala*.

¿Qué aprendiste?

Paso 1

Instrucciones: Para mostrar lo que has comprendido de las fuentes, comenta con tus compañeros estas preguntas basándote en lo que recuerdas.

1. ¿Qué influencia tiene la historia de un lugar en lo que se come en esa región?
2. ¿Qué información de las fuentes muestra la influencia que tiene la religión en las tradiciones y en la comida?
3. ¿Qué idea o ideas tienen en común las dos fuentes?

AP® Paso 2

Instrucciones: Para comprender mejor algunos detalles de las fuentes, responde a las siguientes preguntas según lo que se dice en la lectura y en el audio.

1. ¿Qué idea resume mejor el tema del artículo?
   a. Muchos países quieren preparar diferentes platos tradicionales.
   b. La comida fusión es una tendencia que se está extendiendo en las comunidades.
   c. La comida de una cultura pertenece sólo a esa cultura.
   d. La comida es la base de la identidad de cada nación.
2. ¿A qué le atribuye el artículo la evolución culinaria de los países?
   a. A la influencia de la identidad
   b. A los productos tradicionales de cada país
   c. A la evolución de la migración
   d. A la evolución de la tecnología
3. De acuerdo al artículo, ¿qué se puede inferir de la idea de que "ciertos alimentos deben ser considerados como tesoros nacionales" (líneas 21-22)?
   a. Se deben fusionar las culturas
   b. Se deben proteger las comunidades
   c. Se deben proteger los alimentos tradicionales
   d. Se deben atesorar las culturas diferentes

4. Según la fuente escrita, ¿qué tendencia se ha vuelto aceptable entre los chefs en los últimos treinta a cuarenta años?
   a. Cocinar productos importados
   b. Cocinar comida fusión
   c. Cocinar productos globales
   d. Cocinar alimentos locales
5. Según el audio, ¿qué se celebra en el mundo católico al preparar el pan?
   a. La pasión de Jesucristo
   b. La última cena antes de la crucifixión
   c. La crucifixión de Jesucristo
   d. La última misa celebrada antes de la crucifixión
6. En el audio, ¿qué elementos en la preparación del pan lo hacen diferente del pan común?
   a. El horno artesanal y los leños
   b. La cocina a gas licuado
   c. El horno y el tipo de harina
   d. La receta especial para este tipo de pan
7. ¿Qué afirman la fuente escrita y la fuente auditiva?
   a. Que las comunidades no han sido afectadas por la globalización.
   b. Que las comunidades no tienen interés en su comida tradicional.
   c. Que las comunidades están tratando de perpetuar sus tradiciones.
   d. Que las comunidades prefieren probar ideas y recetas nuevas.

Mi progreso intercultural

Sé describir influencias culturales en tradiciones culinarias que fortalecen la convivencia en mi comunidad y en una comunidad hispanohablante.

Paso 3

Instrucciones: Para comprender mejor las prácticas y perspectivas culturales que se encuentran en tu comunidad y en las fuentes, usa estas preguntas de discusión para enfocarte en los temas relevantes de esta conexión.

Prácticas culturales

1. Según la lectura, ¿qué hacen los chefs para proteger el patrimonio de su cultura?
2. ¿Por qué se dice en el audio que los hornos contribuyen a la preservación de la historia de una comunidad?
3. ¿Qué celebraciones hay en tu comunidad que reúnen a la gente?

Perspectivas culturales

1. ¿Por qué es importante para algunos proteger las tradiciones que fortalecen la convivencia comunal?
2. ¿Por qué algunos chefs quieren proteger las recetas de su cultura de la tendencia de cambiarlas usando productos de otra cultura?
3. Describe cómo algunas comidas típicas de tu comunidad reflejan el orgullo local.

Presenta

Para mejorar tu capacidad de hacer una presentación oral, vas a leer sobre una tradición retalteca, que es como se les llama a las personas de Retalhuleu, una ciudad en Guatemala. En este lugar, la gente de la comunidad se reúne para celebrar y comer el pan de recado, elaborado especialmente para esta ocasión. La presentación se basará en la pregunta de **El enfoque**.

El enfoque: ¿Cuál es el rol del pan en la identidad de una comunidad?

Paso 1: El texto relevante

Introducción: Este artículo, *El pan de recado, una tradición retalteca*, trata de una tradición en la que se celebra la Semana Santa con un pan especial, el pan de recado. El artículo fue publicado por *Prensa Libre*, Guatemala.

El pan de recado, una tradición retalteca

Los panes de recado forman parte de la dieta tradicional de las familias retaltecas durante la Semana Santa, costumbre que comparten con sus vecinos.

Lo usual es que los retaltecos encarguen pan de recado en las panaderías con suficientes días de anticipación, pues la demanda crece durante la Semana Mayor, ya que es una de tres festividades del año en las que los panificadores se toman un día de descanso.

Las panaderías inician la producción del pan el Lunes Santo, ya que muchas cierran el Jueves Santo. Sin embargo, sin importar que tengan pedidos, existen panaderías abiertas en esta fecha.

Una de estas es la panadería Don Taco, que funciona desde hace 45 años. Plutarco Rafael Sánchez, propietario del negocio, considera que la tradición de consumir este pan en la Semana Mayor continúa firme, y no acostumbran trabajar solo con pedidos.

"Las personas vienen y compran la cantidad de pan que necesitan, y nosotros tenemos la certeza de que no sobrará ni hará falta", expresó Sánchez y explicó que los precios varían. Refirió que la receta del pan de recado se diferencia de la del normal porque se agrega huevos, leche y margarina. Pero don Plutarco, considera que el sabor especial es porque para su cocción no utilizan los modernos hornos eléctricos, sino mantienen la costumbre de utilizar el horno artesanal—de ladrillo—.

El pan de Semana Santa se diferencia del pan normal porque es más grande, incluidas las cazuelejas que son de forma rectangular. Los vecinos piden entre una arroba hasta tres arrobas dependiendo de las familias y de las posibilidades económicas.

Una de las tradiciones más conocidas en Quiché es el intercambio de pan, que en algunos casos simplemente se envía en un canasto a familiares y amigos.

Prensa Libre (2016), "El pan de recado una tradición retalteca", Adaptado de https://tinyurl.com/zpws2gk.

Champurradas de Guatemala

Buñuelos de Guatemala

Paso 2: La exploración

Instrucciones: Para pensar más a fondo sobre la información de esta conexión, vas a explorar e investigar las celebraciones en algunas comunidades hispanohablantes para aprender cómo la comida tiene un rol en estas celebraciones.

Para ayudarte a resumir tus ideas antes de hacer una presentación cultural, usa este organizador gráfico.

Celebración	País	La comida

AP® Paso 3: La presentación

Instrucciones: Vas a dar una presentación oral a tu clase sobre un tema cultural. Vas a tener 4 minutos para leer el tema de la presentación y prepararla. Después vas a tener 2 minutos para grabar tu presentación en la guía digital, el sitio *web* estudiantil donde puedes encontrar práctica y recursos adicionales para este libro.

En tu presentación, compara una región del mundo hispanohablante que te sea familiar con tu propia comunidad. Debes demostrar tu comprensión de aspectos culturales del mundo hispanohablante y organizar tu presentación de una manera clara.

Tema de la presentación: ¡Somos lo que comemos!

Arepas de Colombia

Atando cabos sueltos

Una conversación simulada

AP® Ahora que has completado esta conexión, tienes la oportunidad de practicar en la guía digital, una conversación simulada que sigue el formato de la tarea en el examen de AP®. Fíjate en que esta conversación se basa en el tema de esta conexión.

Tu progreso comunicativo e intercultural

Después de grabar la conversación simulada, evalúa tu progreso durante esta conexión en el Apéndice A y en **Mi portafolio** en la guía digital para indicar lo que has aprendido a hacer.

Tustacas de Honduras

Conexión 2

La relación entre la ciencia y la nutrición

El enfoque: ¿Cómo afecta la producción de comida a la nutrición?

¿Qué sabes?

Fíjate en... la gran variedad de comida y opciones de producción que reconoces en las imágenes. ¿Cuál te llama más la atención?

Vocabulario para una mejor discusión

Para mejorar tu capacidad de participar más ampliamente en las conversaciones de clase, encontrarás aquí vocabulario útil y pertinente para el tema de esta conexión. Además, este vocabulario te va a ayudar a aumentar y desarrollar tu español en general.

añadir elementos artificiales a la comida (adicionar)	**manipular** los componentes de algo para mejorarlo (cambiar)
consumir productos que no tienen ingredientes artificiales (comer)	**el pesticida** elimina los insectos de la fruta (el producto químico para eliminar insectos)
cultivar productos agrícolas en tu rancho (plantar)	**sano/a** porque no daña el cuerpo (saludable)
ecológico/a sin elementos sintéticos (orgánico/a)	**el sello** verde garantiza que el producto no ha sido modificado (la marca)
la granja donde se producen frutas y verduras (la finca)	**transgénico/a** un producto que contiene una mezcla de componentes artificiales (modificado/a)

Desarrollando tu vocabulario

Antes de participar en las discusiones de clase, accede a tu cuenta en la guía digital, el sitio *web* estudiantil donde puedes encontrar práctica y recursos adicionales para este libro. Hay ejercicios para ayudarte a recordar y usar el **Vocabulario para una mejor discusión**.

Exprésate

Vas a usar las preguntas que siguen para ayudarte a resumir los temas generales de esta conexión según tu propia experiencia con la comida en tu entorno. Considera cómo tus circunstancias personales han influido en la selección de tu comida. Tu profesor/a te explicará cómo vas a presentar tus pensamientos y recuerdos.

- ¿Cómo influyen las imágenes en por qué eliges entre comida orgánica o comida transgénica?
- ¿Por qué debe haber una discusión en una familia acerca de las ventajas de consumir comida orgánica o comida transgénica?

¡Para saber más!

¿Es importante la nutrición en tu casa?

Paso 1

Instrucciones: Cada día elegimos lo que nos gusta y lo que nos parece bien. ¿Comes algo orgánico? Habla con tus compañeros sobre la elección de comida. Al conversar, puedes referirte a los siguientes puntos:

- las comidas que siempre comes semanalmente
- la elección de la comida orgánica o transgénica
- la preocupación por lo que comes.

Paso 2

Instrucciones: Como preparación para un correo electrónico que vas a escribir más tarde, habla con dos o tres otros grupos pequeños. Pídeles sus opiniones y llena apropiadamente el organizador gráfico con sus ideas.

Encuesta sobre la compra de comestibles

	¿Qué cinco comidas siempre comes semanalmente?	**¿Cuáles de estas comidas son orgánicas? ¿Cuáles son transgénicas? ¿Por qué?**	**¿Debemos preocuparnos por la comida modificada? Justifica tu respuesta.**
Mi grupo			
Otro grupo			

Exploraciones culturales

¿Cómo se etiqueta la comida orgánica?

Cada lugar tiene su manera de etiquetar la comida orgánica. Estas son algunas de las indicaciones de comida ecológica en Europa, Estados Unidos y Latinoamérica.

¡OJO!

En esta conexión debes estar pendiente del uso de la palabra convencional. Por lo general y tradicionalmente se usa para significar transgénico o modificado genéticamente. Sin embargo, en esta conexión hay casos en los cuales se usa coloquialmente para describir productos agrícolas no modificados. Cuidado con su significado en cada texto de esta conexión.

Paso 3: Aplicación práctica

Instrucciones: Vas a escribir una respuesta a un mensaje electrónico. Vas a tener 15 minutos para leer el mensaje y escribir tu respuesta. Tu respuesta debe incluir un saludo y una despedida, y debe responder a todas las preguntas y peticiones del mensaje.

Introducción: Recibes este correo electrónico de tu mejor amigo, quien te cuenta que en su casa su madre ha decidido empezar a comprar solo comida orgánica. Tu amigo no está muy de acuerdo con la decisión, y cree que la comida convencional no tiene nada de malo y te pide tu opinión al respecto. Decides expresar tu punto de vista y responder a las preguntas y peticiones del correo original.

De: Juan Pérez — Cc Bcc

Asunto: La comida de casa

Hola Manolo,

Cuánto tiempo sin saber de ti. Por aquí todo bien, acostumbrándome a la nueva casa y a la nueva rutina. En general, todo sigue igual; la única novedad es que a mi madre le ha dado por preocuparse de la salud, y, últimamente, ha decidido comprar solo productos orgánicos. Yo no estoy muy de acuerdo con ella y hemos tenido algunos roces y discusiones a raíz de esto. En verdad, no veo nada malo en comer comida convencional, que, además, es más barata y accesible. Ya sabes que con el cambio de casa nuestras finanzas disminuyeron, y, para serte franco, no veo la razón para invertir dinero en un tipo de comida que realmente no sabemos si es mejor o no. ¿Qué opinas tú del tema?, ¿qué se come en tu casa?, ¿sabes qué criterios usa tu mamá para decidir qué comprar?; y tus amigos de la clase, ¿sabes lo que comen en sus casas?

La verdad es que me encantaría saber tu opinión para zanjar esta discusión con mi madre de una vez por todas. Ya sabes cuánto valoro tus ideas y tus consejos.

Espero que todo te vaya bien y ojalá puedas responderme pronto.

Tu amigo,

Juan

Responder

Infórmate

¿Transgénico significa malo?

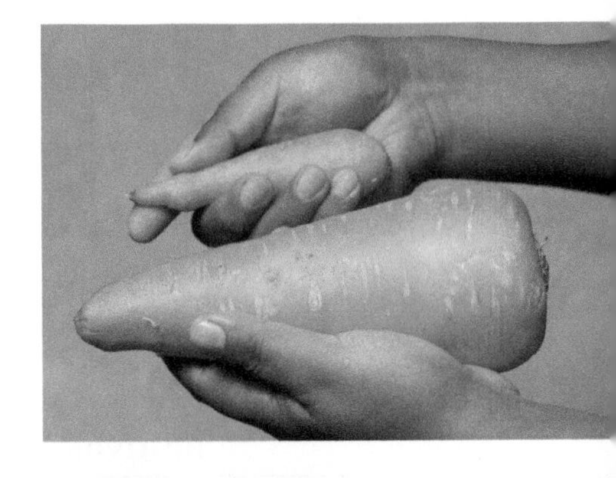

Paso 1

Instrucciones: Antes de escuchar, mira las imágenes y piensa en lo que ya sabes de la comida transgénica y orgánica. ¿Crees tú que a la gente le gusta la idea de que se cambie artificialmente la comida? ¿Por qué?

Paso 2

Instrucciones: Al mirar, presta atención a las ventajas y desventajas que presenta el video bloguero sobre los transgénicos. Toma apuntes y forma tu propia opinión sobre ellos.

Este video, *Los alimentos transgénicos: ¿Buenos o malos?*, trata de una explicación de los transgénicos. El video fue publicado en *CdeCiencia*, un canal de YouTube, por un video bloguero español.

Paso 3

Instrucciones: Para mejorar tu capacidad de comunicarte con otros, conversa con un/a compañero/a y responde apropiadamente a las preguntas basándote en la información del video.

- ¿Qué es un transgénico?
- ¿Cuáles son las ventajas de los transgénicos?
- ¿Cuáles son las desventajas de los transgénicos?
- ¿Cuál es la opinión de la Organización Mundial de la Salud con respeto a los organismos genéticamente modificados?

Paso 4

Tema de debate: Debemos confiar en la ciencia en materia de nutrición.

Palabras imprescindibles para esta fuente

el/la agricultor/a
cultivador/a; alguien que trabaja con la tierra

el gen
un fragmento de ADN

la insulina
el medicamento contra la diabetes

¿Qué más necesitas saber?

Vocabulario para una mejor comprensión

Instrucciones: Para comprender las ideas principales de la fuente impresa en **¿Aprecias la cultura hispanohablante?** de esta conexión, estudia y practica el uso de estas palabras antes de leerla.

el aditivo	la adición; añadir un ingrediente Ese producto sin **aditivos** no parece ser más nutritivo que el producto con **aditivos**.
constatar	verificar; asegurarse de algo A los científicos les sorprendió **constatar** que la comida orgánica no es siempre más saludable.
convencional	usual; lo establecido Los productos orgánicos cuestan más que su versión **convencional**.
disuadir	desalentar; tratar de convencer a alguien de no hacer algo Los resultados del estudio no tienen como objetivo **disuadir** al público de comprar productos orgánicos.
los gérmenes	las bacterias; que contienen microbios Temen que **los gérmenes** en la comida sean muy resistentes a los antibióticos
hallar	encontrar; descubrir algo nuevo El estudio no logró **hallar** pruebas de que lo orgánico es mejor para la salud.
recurrente	repetido/a; una situación o cosa que vuelve a aparecer La pregunta **recurrente** sobre si lo orgánico es más saludable originó esta investigación.
la resistencia	la oposición; el rechazo de algo Las bacterias en la comida mostraron **resistencia** a ese antibiótico.
sintético/a	artificial; lleno de productos químicos Los productos de origen **sintético** no tenían más nutrientes que el resto.
surgir	emerger; aparecer en un momento determinado El estudio **surgió** debido a las preguntas de los pacientes.

Tortillas de México

Oportunidad inicial

Instrucciones: Para empezar a practicar el **Vocabulario para una mejor comprensión**, escoge la palabra o la expresión que completa correctamente las oraciones.

1. Es bueno que mires las etiquetas de los productos que compras para ___________ (**constatar/disuadir/surgir**) que el sello indique que son orgánicos.
2. El colesterol alto es un problema ___________ (**sintético/recurrente/surgir**) en mi familia debido a malos hábitos alimenticios.
3. Espero que puedas ___________ (**constatar/hallar/disuadir**) a mis amigos de comer comida chatarra. Es mala para la salud.
4. La comida orgánica es muy cara. Mis padres prefieren la comida ___________ (**resistencia/convencional/recurrente**).
5. Los científicos esperan que la plaga del trigo no oponga ___________ (**aditivo/resistencia/gérmenes**) al tratamiento.
6. Prefiero que elijas un pan que no contenga ningún componente ___________ (**gérmenes/recurrente/sintético**).
7. Hoy en día es difícil ___________ (**hallar/convencional/surgir**) comida saludable a un precio razonable.
8. Estoy seguro de que van a ___________ (**disuadir/surgir/constatar**) muchos productos libres de pesticidas en el futuro.
9. Los científicos han encontrado ___________ (**gérmenes/resistencia/convencionales**) en la comida que afectan a nuestro organismo.
10. Hoy en día, la mayor parte de lo que comemos posee ___________ (**convencionales/resistencias/aditivos**) que no nos aportan nada en términos de nutrición.

¿Aprecias la cultura hispanohablante?

Lectura

AP® Instrucciones: Vas a leer uno o varios textos. Cada texto va acompañado de varias preguntas. Para cada pregunta, elige la mejor respuesta según el texto.

Introducción: Este artículo, *Estudio revela que la comida orgánica no es significativamente más sana*, trata de un estudio hecho por científicos de la Universidad de Stanford. Fue publicado por Radio Francia Internacional (RFI).

Estudio revela que comida orgánica no es significativamente más sana

Científicos de la Universidad de Stanford pasaron revista a más de 200 estudios comparativos sobre productos convencionales y orgánicos, llegando a la conclusión de que éstos últimos no presentan más nutrientes ni son menos peligrosos para la salud.

¿Vale la pena pagar más para consumir comida orgánica? "No hay mucha diferencia entre la comida orgánica y la **convencional**, si usted es un adulto que debe tomar una decisión basada únicamente en su salud", responde la doctora
5 Dena Bravata, principal autor del artículo publicado el 4 de septiembre en la revista Annals of Internal Medicine.

El equipo de científicos de la Universidad de Stanford revisó los 237 estudios publicados que comparaban los beneficios de los distintos alimentos. En sus conclusiones, arroja que los
10 productos sin **aditivos** químicos ni sustancias de origen **sintético** no contenían más nutrientes que los demás, con la excepción del fósforo.

Tampoco encontraron evidencias decisivas en cuanto a proteínas o grasas entre la leche orgánica y la **convencional**, aunque una
15 cantidad limitada de estudios sugiere que la versión "natural" puede contener niveles superiores de ácido graso omega 3.

La investigación no **halló** pruebas de que las frutas y verduras orgánicas fuesen más saludables. "Hay quienes creen que la comida orgánica es siempre más saludable y más nutricional. 20 Sin embargo nos sorprendió **constatar** que no encontráramos eso", asegura la Dra. Crystal Smith-Spangler, del equipo de investigadores.

El estudio hace hincapié en la **resistencia** de los **gérmenes** a los antibióticos. Cuando las bacterias aparecen en cerdos o 25 pollos, las carnes **convencionales** tienen un 33% mayor riesgo de presentar una **resistencia** a los antibióticos.

La doctora Bravata cuenta que su estudio **surgió** a partir de las **recurrentes** preguntas de sus pacientes sobre las ventajas de los productos orgánicos, que en algunos casos cuestan el doble de 30 su versión **convencional**.

La científica asegura que con estas conclusiones no pretende **disuadir** a la gente de comprar estos productos. "Si miras más allá de los efectos en la salud, hay muchas razones para comprar orgánico en vez de **convencional**", sostiene.

Radio Francia Internacional (2012), "Estudio revela que comida orgánica no es significativamente más sana", Adaptado de http://tinyurl.com/ycm3bad8.

¿Qué aprendiste?

Paso 1

Instrucciones: Para mostrar lo que has comprendido de la fuente, comenta con tus compañeros estas preguntas basándote en lo que recuerdas.

1. ¿Por qué se asocia lo natural con una vida más saludable?
2. ¿Qué rol piensa la gente que tiene la comida orgánica?
3. Según el artículo ¿cuál es el verdadero impacto de la comida orgánica en la salud?

AP® Paso 2

Instrucciones: Para demostrar tu conocimiento, responde a las siguientes preguntas según lo que se dice en la lectura.

1. ¿Cuál es el propósito del artículo?
   a. Mostrar que la comida orgánica es más saludable y más nutritiva que la convencional
   b. Comentar que el precio de la comida orgánica no disuade a la gente de comprarla
   c. Comentar que la comida orgánica no es ni más saludable ni más nutritiva que la convencional
   d. Mostrar que uno debe comer una mezcla de comida orgánica y convencional
2. Según la doctora Bravata, ¿en qué debe pensar uno al tomar una decisión?
   a. En el precio
   b. En la salud únicamente
   c. En la imagen
   d. En el deseo personal

3. Según el artículo, ¿qué resultados hay de las investigaciones sobre frutas y verduras orgánicas?
   a. Que son más saludables que las transgénicas
   b. Que no son más saludables que las transgénicas
   c. Que, científicamente, no hay ninguna diferencia
   d. Que la diferencia en el efecto en la salud entre la comida orgánica y transgénica es insignificante

4. Según el artículo, ¿qué consecuencia tiene el uso de antibióticos en las carnes?
   a. Que las carnes convencionales desarrollan resistencia a los antibióticos
   b. Que no hay ninguna resistencia a los antibióticos en las carnes
   c. Que las carnes son como las frutas y no hay pruebas de que sean más saludables
   d. Que los antibióticos ayudan a que haya opciones más económicas

5. ¿Qué se puede inferir de "si miras más allá de los efectos de la salud" (líneas 32-33)?
   a. La salud es invalorable
   b. La salud no importa
   c. La salud es lo más importante
   d. La salud no es el único factor

Paso 3

Instrucciones: Para comprender mejor las prácticas y perspectivas culturales que se encuentran en tu comunidad y en la fuente, usa estas preguntas de discusión para enfocarte en la elección de diferentes tipos de comida y en las opiniones sobre la producción de comida.

Prácticas culturales

1. Según la fuente, ¿qué rol tuvo el público en dirigir la dirección de la investigación?
2. ¿Por qué usaron los científicos otros estudios para justificar las conclusiones de su estudio?
3. Explica lo que hace la gente de tu comunidad para justificar sus razones para comprar comida orgánica o convencional.

Perspectivas culturales

1. ¿Por qué es importante que la científica Dra, Crystal Smith-Spangler no intente disuadir al público que compre productos orgánicos?
2. Según la fuente, ¿qué factores personales influyen en la elección de una comida u otra?
3. ¿Qué razones se dan para justificar la importancia de comer comida orgánica en tu comunidad?

ESTRATEGIAS

Observa y realiza para escribir un ensayo argumentativo

Observa: Vas a ver que aquí se presentan tres fuentes en vez de dos como en el capítulo anterior. Estas tres fuentes representan el formato oficial de esta tarea en el examen. Las fuentes son de una lectura, un gráfico y un audio, en ese orden. Debes hacer referencia a todas las tres fuentes en el ensayo.

Realiza: Como es un ensayo argumentativo, debes formar y defender tu propio punto de vista. Debes citar las fuentes explícita ("en Fuente número 1" o "en la fuente auditiva" o "según Fulano") o implícitamente (al hacer referencia a las ideas de la fuente).

Presenta

Para mejorar tu capacidad de escribir un ensayo argumentativo, vas a analizar tres fuentes sobre la comida para concretar una opinión personal la cual será apoyada por las ideas expresadas en las tres fuentes. El tema del ensayo, "¿Se debe preocupar uno por el uso de la comida transgénica en la nutrición?", se basa en la pregunta de **El enfoque.**

El enfoque: ¿Cómo afecta la producción de comida a la nutrición?

Paso 1: El texto relevante

Instrucciones: Aquí tienes tres fuentes. Una es un artículo en el que se habla de los beneficios de la comida orgánica. Otra es un gráfico que compara lo orgánico con lo transgénico. La tercera fuente es un audio sobre los beneficios de manipular los genes para el bien de los humanos. Debes estudiar cada fuente porque las usarás en tu proyecto.

Fuente número 1

Introducción: Este artículo, *Los beneficios de los productos orgánicos*, trata de varios aspectos positivos de la comida orgánica al ser comparada con la convencional. Es de *Cuidandose.com*, un diario digital de Seologic, S.L. Fue publicado en España.

Los beneficios de los productos orgánicos

Debido a este tipo de cultivo, los alimentos derivados de la producción orgánica tienen un gran impacto tanto psicológicamente, emocionalmente como físicamente. Por lo general, suelen contener más nutrientes. Os mostramos algunos de los mayores beneficios de consumir alimentos orgánicos: (5)

Los productos orgánicos tienen menos pesticidas. Los productos químicos tales como fungicidas, herbicidas, insecticidas son ampliamente utilizados en la agricultura convencional y los residuos permanecen en los alimentos que comemos, sin embargo, en los productos orgánicos no. (10)

La falta de pesticidas reduce el riesgo de cáncer.

Los alimentos orgánicos son más frescos. El hecho de que estos alimentos no contengan conservantes, hacen que duren más tiempo. Estos alimentos se suelen cultivar cerca del lugar de venta y dado que no hay conservantes están involucrados, la comida mantiene (15) los niveles más altos de nutrientes e incluso tiene mejor sabor.

La agricultura ecológica es mejor para el medio ambiente. Las prácticas que se llevan a cabo en la agricultura orgánica hacen reducir la contaminación, conservar el agua, reducir la erosión del suelo, aumentar la fertilidad del suelo, y consumir menos energía (20) en la producción.

La carne orgánica y la leche son más ricas en ciertos nutrientes. Los niveles de ciertos nutrientes, incluyendo ácidos grasos omega-3, en ocasiones son de hasta un 50 por ciento mayor en la carne orgánica y la leche que en las versiones convencionalmente (25) planteadas. Esto conduce a una mejor absorción de los nutrientes por el cuerpo.

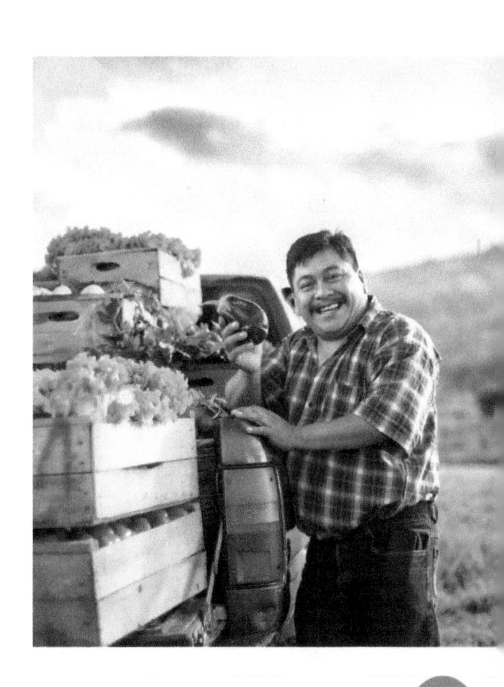

Los alimentos orgánicos son libres de transgénicos. Los transgénicos o también llamados Organismos Genéticamente Modificados (OGM) o alimentos genéticamente modificados (30) (GM) son plantas cuyo ADN ha sido alterado de manera que no se producen en la naturaleza o en el cruzamiento tradicional, más comúnmente con el fin de ser resistentes a los pesticidas o producen un insecticida.

Seologic, S.L. (2017), "¿Qué beneficios produce la alimentación orgánica?", Adaptado de http://tinyurl.com/y9fcprh6.

Fuente número 2

Introducción: Esta infografía, *¿Comida orgánica o comida transgénica?*, es una comparación de los beneficios de la comida transgénica y la orgánica.

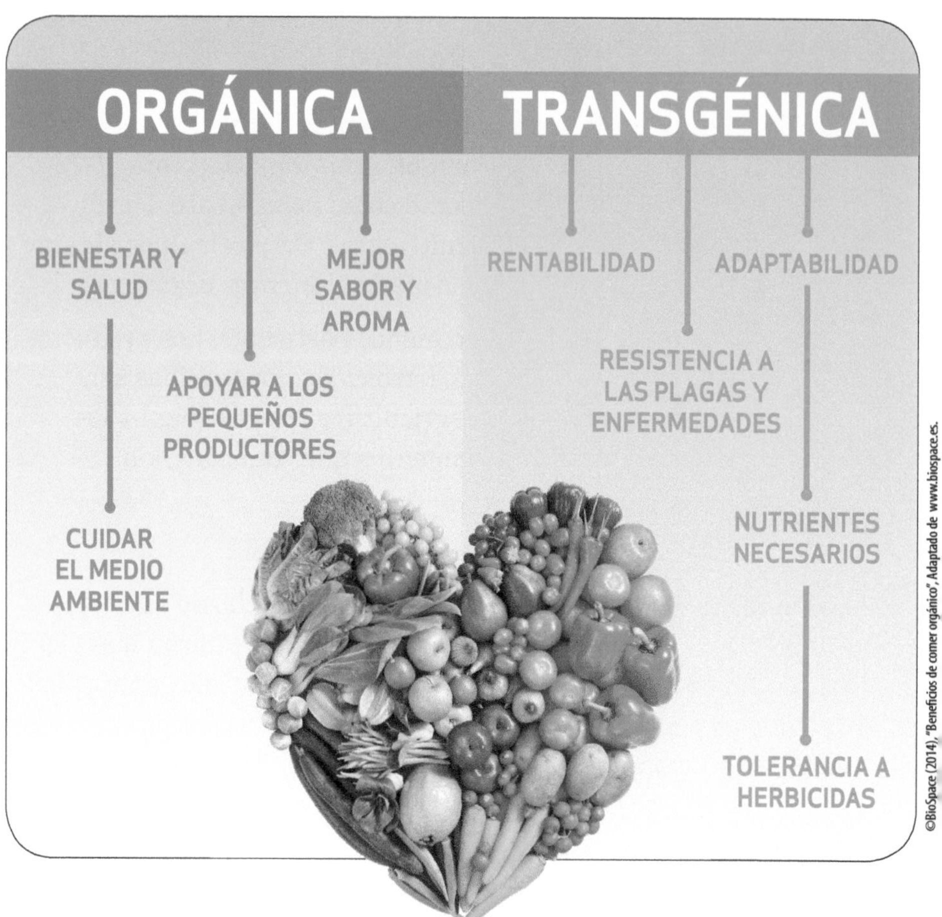

Fuente número 3

Introducción: Este audio, *La insulina es transgénica y nadie se queja,* trata de los beneficios de la manipulación de genes para el bien del ser humano. Es una entrevista con el autor, José Miguel Mulet, sobre su libro. Es de *Ser Consumidor*, un programa de radio transmitido por Cadena SER. Fue emitido en España.

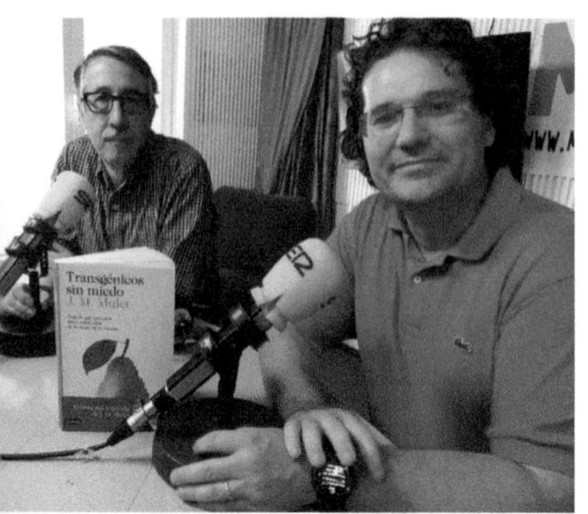

José Miguel Mulet (derecha)

Paso 2: La exploración

nstrucciones: Para investigar más las posibles ideas a favor y en contra del tema del ensayo, habla con algunos compañeros de clase y apunta sus puntos de vista y la información relevante de las tres fuentes que van a usar para apoyarlos. Aquí tienes un organizador gráfico para prepararte a escribir el ensayo argumentativo.

- Completa este organizador gráfico con tus opiniones sobre el tema del ensayo.
- Compártelas con tus compañeros de clase.
- Apunta las ideas de tus compañeros.

Mi punto de vista es:	**El punto de vista de mi compañero/a es:**	**El punto de vista de mi compañero/a es:**
Voy a apoyar mi punto de vista con los siguientes datos de:	Va a apoyar su punto de vista con los siguientes datos de:	Va a apoyar su punto de vista con los siguientes datos de:
Fuente nº 1:		
Fuente nº 2:		
Fuente nº 3:		

AP® Paso 3: La presentación

Instrucciones: Vas a escribir un ensayo argumentativo en español. El tema del ensayo se basa en las tres fuentes adjuntas, que presentan diferentes puntos de vista sobre el tema e incluyen material escrito y grabado. Primero, vas a tener 6 minutos para leer el tema del ensayo y los textos. Después, vas a escuchar la grabación dos veces; debes tomar apuntes mientras escuchas. Luego vas a tener 40 minutos para preparar y escribir tu ensayo.

En un ensayo argumentativo, debes presentar los diferentes puntos de vista de las fuentes sobre el tema, expresar tu propio punto de vista y apoyarlo. Usa información de todas las fuentes para apoyar tu punto de vista. Al referirte a las fuentes, identifícalas apropiadamente. Organiza también el ensayo en distintos párrafos bien desarrollados.

Tema del ensayo: ¿Se debe preocupar uno por el uso de la comida transgénica en la nutrición?

Atando cabos sueltos

Una conversación simulada

AP® Ahora que has completado esta conexión, tienes la oportunidad de practicar en la guía digital una conversación simulad que sigue el formato de la tarea en el examen de AP®. Fíjate en que esta conversación se basa en el tema de esta conexión.

Tu progreso comunicativo e intercultural

Después de grabar la conversación simulada, evalúa tu progreso durante esta conexión en el Apéndice A y en **Mi portafolio** en la guía digital, para indicar lo que has aprendido a hacer.

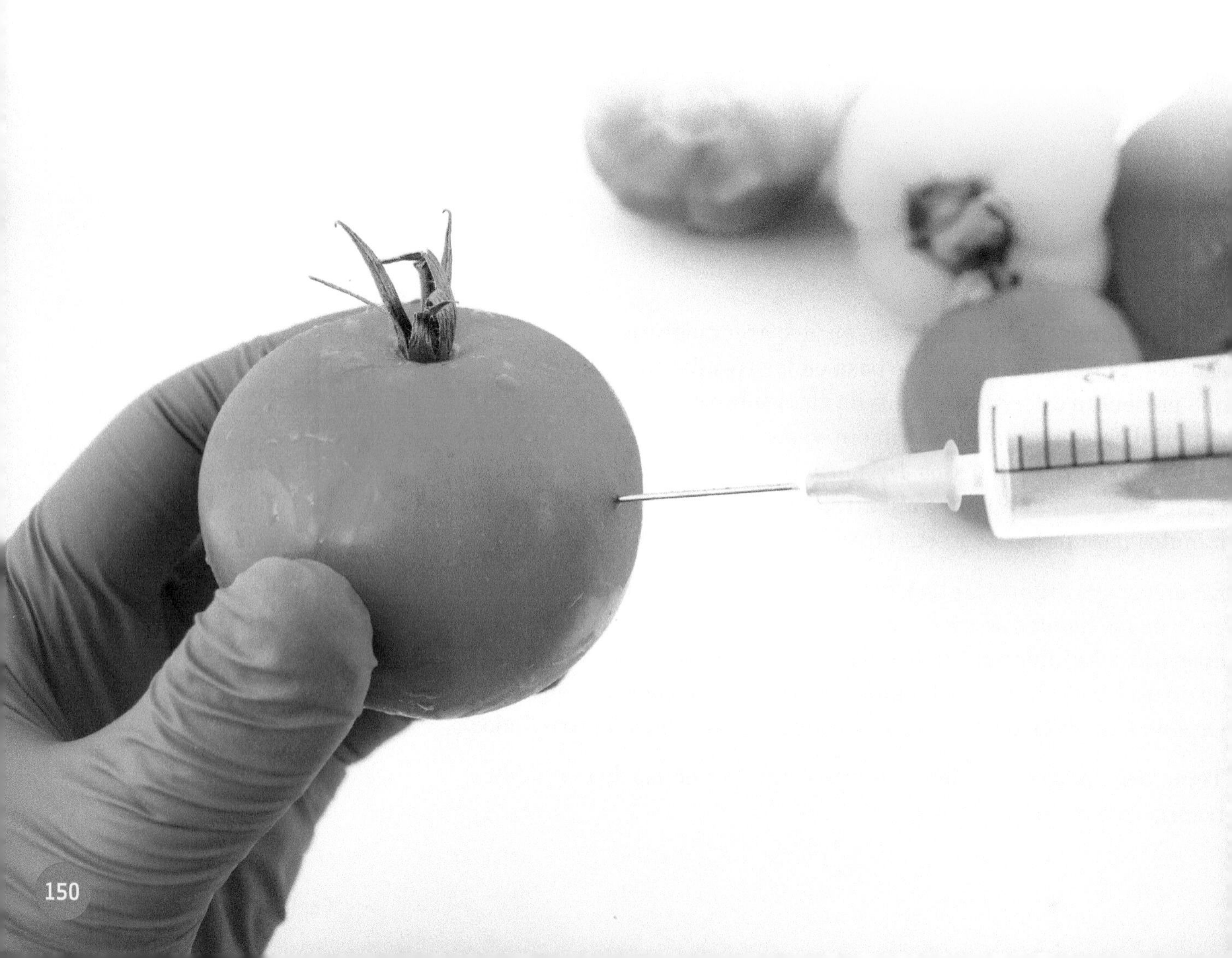

Conexión 3

El pan como representación del bienestar

El enfoque: ¿Cómo se puede erradicar la pobreza y la desigualdad?

¿Qué sabes?

Fíjate en... ¡la desigualdad!

Vocabulario para una mejor discusión

Para mejorar tu capacidad de participar más ampliamente en las conversaciones de clase, encontrarás aquí vocabulario útil y pertinente para el tema de esta conexión. Además, este vocabulario te va a ayudar a aumentar y desarrollar tu español en general.

aguantar los desafíos de ser pobre (tolerar)	**la limosna** dada en un momento de compasión (una donación por compasión)
los alimentos básicos necesarios para mantener una dieta saludable de verduras, frutas, carnes, huevos y lácteos (la comida esencial)	**padecer** la falta de comida (sufrir)
los barrios bajos localizados en lugares alejados del centro urbano (las zonas pobres)	**la política** realizada para ayudar a los necesitados (los programas sociales)
los gastos mínimos para poder comprar la comida básica (los pagos)	**el salario promedio** necesario para mantener a la familia (el pago medio)
los ingresos necesarios para mantener una vida saludable (las ganancias económicas)	**los sintecho** viven en la calle (las personas sin casa)

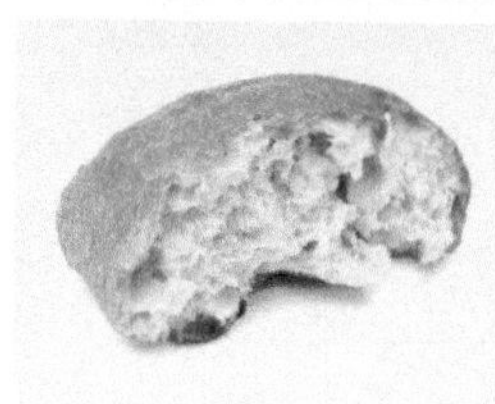

Desarrollando tu vocabulario

Antes de participar en las discusiones de clase, accede a tu cuenta en la guía digital, el sitio *web* estudiantil donde puedes encontrar práctica y recursos adicionales para este libro. Hay ejercicios para ayudarte a recordar y usar el **Vocabulario para una mejor discusión.**

Comunica

AP® **Instrucciones**: Vas a escribir una respuesta a un mensaje electrónico. Vas a tener 15 minutos para leer el mensaje y escribir tu respuesta. Tu respuesta debe incluir un saludo y una despedida, y debe responder a todas las preguntas y peticiones del mensaje. En tu respuesta, debes pedir más información sobre algo mencionado en el mensaje. También debes responder de una manera formal.

Introducción: Recibes este correo electrónico de un político local que quiere encontrar a jóvenes como tú para trabajar en su oficina. No has solicitado este correo pero lo vas a contestar o por curiosidad o por interés sincero. Decides expresar tu punto de vista a favor o en contra de las ideas expresadas y cumplir los requisitos del correo original.

De: pompeolloo@gov.gov Cc Bcc

Asunto: Ofrecemos trabajo a jóvenes

Querido estudiante:

Muy buenos días. Según nuestros datos, Ud. es una persona muy interesada en la cuestión de la pobreza. Estamos buscando a estudiantes como Ud. para trabajar en nuestra oficina este verano. El trabajo será investigar sobre la relación entre la pobreza y el deseo de trabajar. Es decir, estamos convencidos de que si los pobres y los sintecho tuvieran más ganas de trabajar, no vivirían en las calles, no pedirían limosna y no molestarían a los turistas que visitan nuestra bella ciudad. Tendrían más ingresos y menos gastos y no padecerían de hambre y malestares de salud. Esta es una situación que no podemos aguantar.

Tenemos solo algunas plazas abiertas para hacer este trabajo y, si le interesa a Ud., esperamos que nos responda a este mensaje. Buscamos a alguien que sea inteligente y trabajador, y que sepa manejar el español con un vocabulario amplio y apropiado. Para ser seleccionado para esta muy importante labor, favor de incluir en su solicitud lo siguiente:

- Una muestra de un vocabulario extendido y apropiado referente a la pobreza.
- Un ejemplo de experiencia previa para hacer investigaciones extensas.
- Una opinión personal sobre nuestro proyecto y nuestra justificación política.

Le agradecemos su interés en nuestra política de apoyar legislación para mejorar las circunstancias económicas de los menos afortunados de nuestra querida ciudad y, a la vez, eliminar la necesidad de tener viviendas de calidad inferior.

Quedamos sus seguros servidores,

Representante don Ostén Pompello

Responder

Exprésate

Vas a usar las preguntas que siguen para ayudarte a resumir los temas generales de esta conexión vistos por el lente de de lo que sabes de la pobreza. Considera cómo te afecta la pobreza. Tu profesor/a te explicará cómo vas a presentar tus pensamientos y recuerdos.

- Explica cuáles y cómo las imágenes que abrieron esta conexión expresan mejor lo que sabes de la pobreza.
- Describe los prejuicios y estereotipos respecto a la pobreza que has observado en la comunidad donde vives.
- ¿Cómo explicas y reaccionas personalmente a la desigualdad entre los que tienen y los que no tienen?
- Explica por qué crees que la desigualdad socioeconómica es algo inevitable o por qué crees que es posible cerrar la brecha entre los pobres y los demás.
- Explica los aspectos visibles y escondidos que tiene la pobreza en la vida de tu comunidad.
- ¿Qué soluciones recomiendas que formen la base de políticas e iniciativas locales?

¡Para saber más!

¿Son siempre explicables los ejemplos de pobreza?

Paso 1: ¿Cómo defines y mides la pobreza?

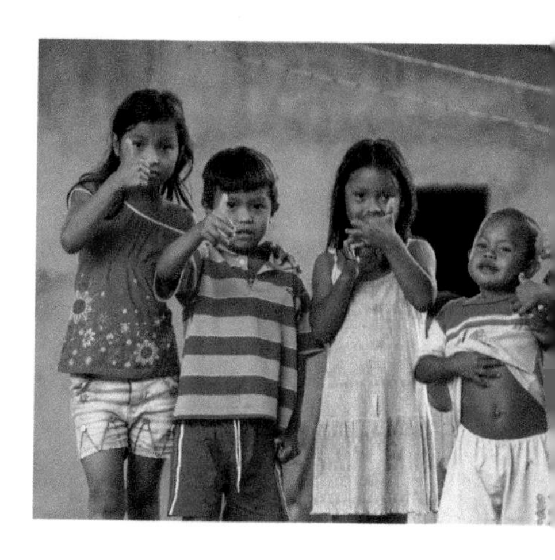

Instrucciones: Definir lo que es la pobreza es algo complejo. Hay muchas definiciones de pobreza y una variedad de métodos para medirla. Vas a explorar tus propias ideas sobre lo que es la pobreza; y en **Paso 2**, con tus compañeros de clase, vas a investigar qué dicen algunas organizaciones expertas en pobreza y cómo se puede aplicar a tus observaciones. Al final, en **Paso 3** vas a participar en una conversación simulada sobre tus ideas y observaciones sobre la pobreza.

En el círculo más interior del organizador gráfico, apunta solamente tus ideas preliminares sobre lo que es la pobreza. Vas a usar los otros círculos más tarde. Tus apuntes deben ser cortos, no más de tres palabras para cada idea u observación. No escribas oraciones completas.

Debes incluir:

- Algunos ejemplos de la pobreza en tu comunidad que has observado. (La comunidad puede ser tan pequeña como una familia o tan grande como el mundo).
- Una descripción de tus ejemplos, señalando las características visibles de la pobreza.
- Tus suposiciones sobre los ejemplos, proponiendo las razones económicas o sociales de la pobreza.

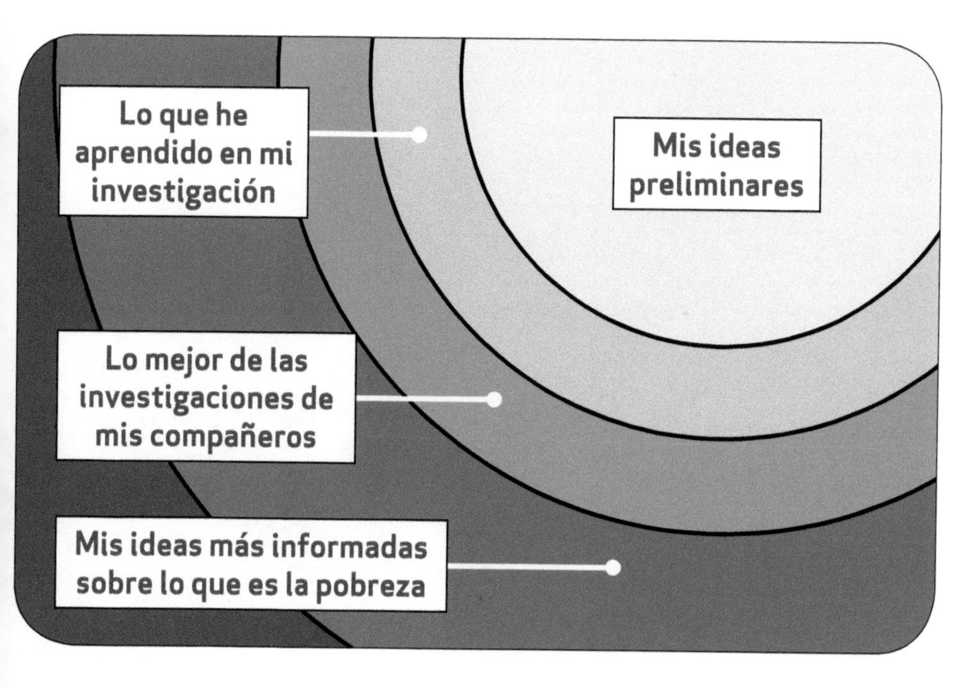

Paso 2

Instrucciones: Ahora vas a reunirte con tu equipo de especialistas para investigar cómo unas organizaciones a nivel internacional definen y miden la pobreza. Vas a escoger una de las siguientes organizaciones como tu punto de partida. En el círculo del organizador gráfico (página anterior) "Lo que he aprendido en mi investigación", vas a apuntar cómo la institución especializada define la pobreza y cómo la mide.

Luego, vas a compartir tus hallazgos con el resto del grupo y cómo esas definiciones se aplican a los ejemplos de pobreza observados por tus compañeros de clase. En el círculo "Lo mejor de las investigaciones de mis compañeros", vas a apuntar algunas ideas de tus compañeros, que consideras las más importantes, interesantes, y/o relevantes para preparar la conversación simulada en la que vas a participar en el próximo paso.

Algunas instituciones especialistas en la medición y el estudio de la pobreza:

-Banco Mundial

-Comisión Económica para América Latina y el Caribe (CEPAL)

-Instituto Nacional de Estadística y Geografía (INEGI)

-Programa de Naciones Unidas para el Desarrollo (PNUD)

-Fondo de las Naciones Unidas para la Infancia (UNICEF)

AP® Paso 3: Aplicación práctica

Instrucciones: Vas a participar en una conversación. Primero, vas a tener un minuto para leer la introducción y el esquema de la conversación. Después, comenzará la conversación, siguiendo el esquema. Cada vez que te corresponda participar en la conversación, vas a tener 20 segundos para grabar tu respuesta.

Debes participar de la manera más completa y apropiada posible.

Introducción: Tu mejor amiga, Caridad, quien vive en otra parte del país, te devuelve una llamada que le hiciste porque quieres conversar con ella sobre tu deseo de participar en algún programa de servicio comunitario para ayudar a aliviar la pobreza de tu pueblo.

Caridad	▶ Te saluda y te hace unas preguntas.
Tú	▶ Salúdala y contesta sus preguntas.
Caridad	▶ Continúa la conversación y te pide más información.
Tú	▶ Contesta dándole detalles.
Caridad	▶ Continúa la conversación y te hace unas preguntas.
Tú	▶ Responde, dándole detalles.
Caridad	▶ Reacciona y te hace más preguntas.
Tú	▶ Contesta lo contrario, dándole detalles.
Caridad	▶ Reacciona y te propone algo.
Tú	▶ Reacciona y despídete.

Infórmate

¿Qué pruebas hay de la brecha entre ricos y pobres?

Paso 1

Instrucciones: Aquí tienes algunas imágenes del video que vas a mirar. Adivina el tema y qué información aporta al tema cada una de estas imágenes. Por el momento, no hay respuestas correctas, solo suposiciones sobre el contenido del video.

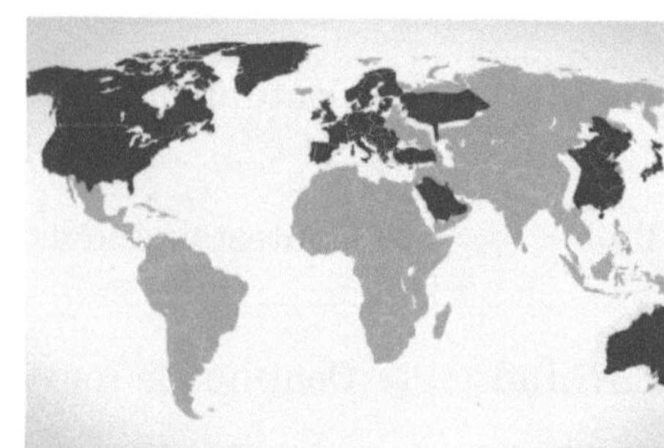

ESTRATEGIAS

Observa y realiza para sacar mejores apuntes

Observa: Es importante aprender a escribir apuntes de forma rápida y precisa. Son necesarios en el caso de escuchar audios. A diferencia de textos impresos, las palabras de los audios desaparecen. Como es imposible apuntar toda la información de un texto grabado, debes enfocarte en la información que vas a necesitar para cumplir alguna tarea específica. Si hay un tema que necesitas desarrollar, enfócate sólo en la información que pertenece a él. Si no hay tema, enfócate en el propósito del audio tal como se revela en el título. Esto es importante para tener éxito en el examen de AP®.

Realiza: En el caso del audio que sigue, no hay un tema sino un título que llama la atención a la diferencia entre dos grupos, los ricos y los pobres. La introducción te ayuda a saber que habrá una serie de estadísticas en el audio. Crea un organizador gráfico que te permita hacer una comparación de números entre los dos grupos. Tus apuntes deben ser concisos; nunca escribas oraciones completas. Apunta todas las cifras apropiadas para explicar la brecha entre ricos y pobres. Recuerda que en el examen de AP®, tendrás la oportunidad de escuchar la grabación dos veces. De esta manera, lograrás agregar lo que no pudiste apuntar al escuchar la primera vez.

Paso 2

Instrucciones: Cualquier discusión informada sobre la pobreza requiere una comprensión básica de las cifras que diferencian a pobres y ricos. Al mirar por lo menos dos veces, toma apuntes sobre la información. Los apuntes deben ser presentados de una manera clara y precisa.

Introducción: Este video, *Brecha entre ricos y pobres: ¿Es inmutable o solucionable?*, trata de las diferencias económicas entre los más ricos del mundo y los demás. Un narrador presenta una serie de estadísticas. El video fue producido por el Frente Liber Seregni de Uruguay.

Paso 3

Instrucciones: Para formar un punto de vista personal sobre lo que explica el video, vas a comentar sobre las estadísticas que presenta el locutor.

¿Qué opinas sobre la fiabilidad del locutor que narra el video? ¿Por qué crees esto?

¿Qué puedes hacer para verificar la veracidad de la información presentada en el video?

¿Qué más necesitas saber sobre la fiabilidad de las estadísticas para poder formar una opinión firme?

¿Cómo te ha afectado emocionalmente la información sobre la brecha entre ricos y pobres?

¿Hay una serie de estadísticas que te haya afectado más que otra? Describe tus reacciones emocionales e intelectuales.

Paso 4

Tema de debate: Los países ricos deben darles a los países pobres una compensación suficiente para nivelar la brecha entre ricos y pobres.

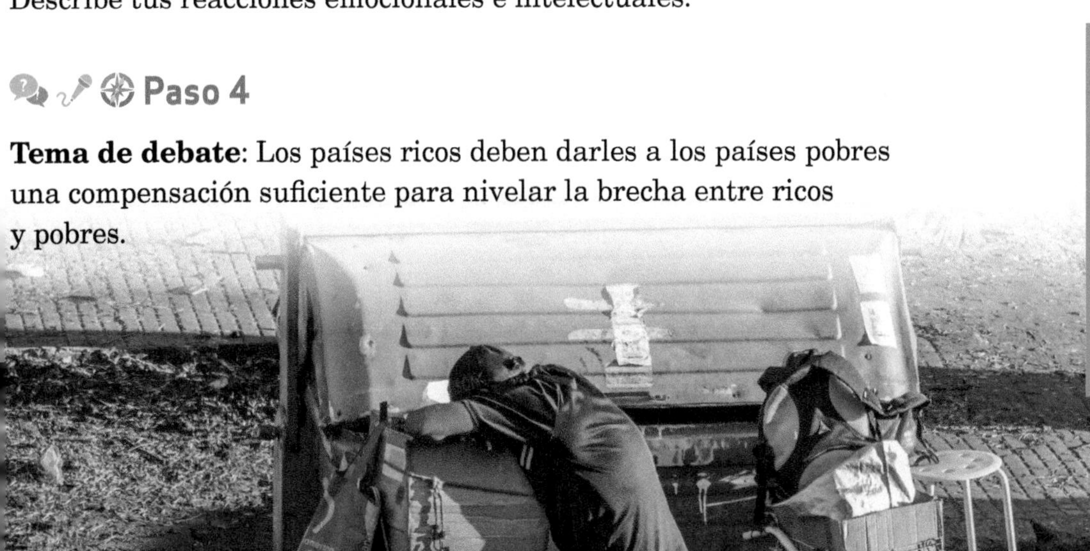

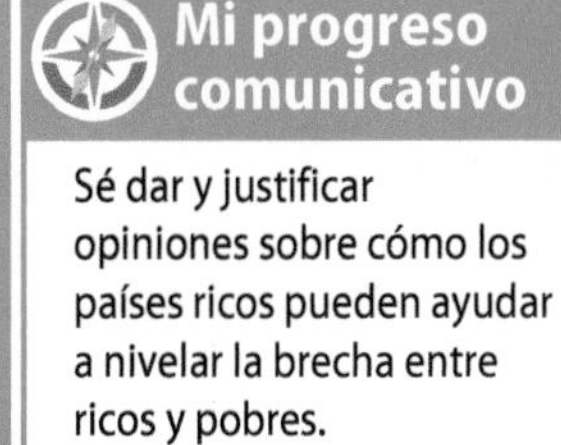

Mi progreso comunicativo

Sé dar y justificar opiniones sobre cómo los países ricos pueden ayudar a nivelar la brecha entre ricos y pobres.

¿Qué más necesitas saber?

Vocabulario para una mejor comprensión

Instrucciones: Para comprender las ideas principales de las dos fuentes en **¿Aprecias la cultura hispanohablante?** de esta conexión, estudia y practica el uso de estas palabras antes de escucharlas y leerlas.

acabar con	terminar; dar fin a algo Un objetivo de la ONU es **acabar con** la pobreza.
alimentarse	comer; tomar alimentos Es imposible para muchos **alimentarse** bien porque no tienen el dinero para comprar comida saludable.
crecer	aumentar de edad; aumentar de tamaño Todos los niños tienen el derecho a **crecer** sanos.
el desarrollo sostenible	el progreso continuo; la realización de un proyecto sin interrupción El plan demanda **un desarrollo sostenible** de recursos vitales durante un tiempo largo.
esforzarse	aplicarse; trabajar diligentemente Los Gobiernos necesitan **esforzarse** con fuerza y vigor para mejorar la vida de todos.
la luz	la energía eléctrica; la electricidad No tener acceso a **la luz** no es justo.
merecer	meritar; ser digno/a de algo Los peruanos **merecen** la protección y ayuda del Gobierno.
la población	los residentes; el conjunto de habitantes de una región política El gráfico compara la pobreza en **la población** de los países de Latinoamérica.
unirse	juntarse; conectar algo o alguien con otra entidad El chico quiere **unirse** al plan para asegurar la igualdad entre todos.
vigilar	supervisar; observar cuidadosamente La gente necesita **vigilar** con ojos atentos que los Gobiernos trabajen para realizar el plan de igualdad.

Oportunidad inicial

Instrucciones: Para empezar a practicar el **Vocabulario para una mejor comprensión**, escoge la palabra o la expresión que completa correctamente las oraciones.

Esta es una transcripción de un mensaje auditivo que vas a grabar y mandarle a Gonzalo, un chico de Guatemala. Eres participante en un programa social que promueve el intercambio de mensajes entre adolescentes de Estados Unidos y América Central. El programa te ha enviado el modelo para tu mensaje; solo necesitas completar el mensaje con las palabras apropiadas.

Hola, Gonzalo. Es un gran placer conocerte y un gusto poder presentarme a ti. Soy tu contacto con los socios de los Estados Unidos que acaban de (1) __________ al programa Vistas Vivas. Nuestro deseo es (2) __________ la pobreza extrema que amenaza (3) __________ vulnerables del mundo. Nadie (4) __________ vivir sin poder (5) __________ con productos saludables ni vivir sin (6) __________ para poder calentarse.

Supongo que tienes los mismos deseos de garantizar (7) __________ que poco a poco va a lograr erradicar la pobreza extrema.

Pues, me gustaría saber algo de ti. Donde vives, ¿es posible que todos los niños (8) __________ sin padecer las privaciones de comida y energía? Espero que tú y tu familia no necesiten (9) __________ para encontrar las necesidades esenciales de la vida. De todas formas, mis compañeros y yo pensamos (10) __________ a un programa como Vistas Vivas para (11) __________ el progreso que el mundo hace para eliminar la pobreza extrema.

Un saludo cordial.

ESTRATEGIAS

Observa y realiza para comprender un audio

Observa: Cada audio tiene una introducción y un título que ofrecen información básica y útil para orientarte sobre su contenido.

Realiza: Al leer las instrucciones y los títulos infiere y apunta el tema central que une las dos fuentes. Fíjate que el autor de la fuente revela su legitimidad y su propósito. El título también revela el propósito y el enfoque central del texto. ¿Hay palabras ambiguas en el título a cuyo significado debes prestar atención al escuchar el audio? En esta introducción sabes que un chico es el locutor. ¿Por qué será un niño el vocero de un tema tan serio?

¿Aprecias la cultura hispanohablante?

Audio con gráfico

AP® **Instrucciones**: Vas a escuchar una o varias grabaciones. Algunas grabaciones van acompañadas de lecturas. Cuando haya una lectura, vas a tener un tiempo determinado para leerla. Para cada grabación, primero vas a tener un tiempo determinado para leer la introducción y prever las preguntas. Vas a escuchar cada grabación dos veces. Mientras escuchas, puedes tomar apuntes. Tus apuntes no van a ser calificados. Después de escuchar cada selección por primera vez, vas a tener 1 minuto para empezar a contestar las preguntas; después de escuchar por segunda vez, vas a tener 15 segundos por pregunta para terminarlas. Para cada pregunta, elige la mejor respuesta según la grabación o el texto.

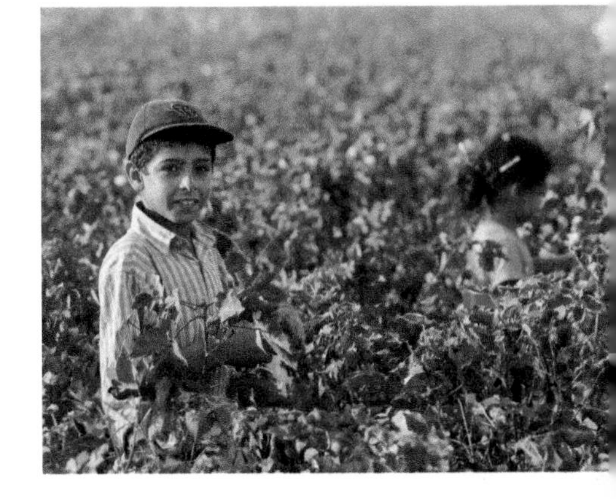

uente número 1

ntroducción: Este gráfico, *Pobreza en América Latina-% sobre el tal de **la población***, muestra la tasa de pobreza en diecisiete aciones de América Latina. Las estadísticas han sido recopiladas de arias fuentes internacionales por Infobae, un diario digital argentino e actualidad y economía. Aquí se define el nivel de pobreza como: Una persona es pobre por carecer de empleo o por obtener un ingreso nsuficiente para cubrir sus necesidades".

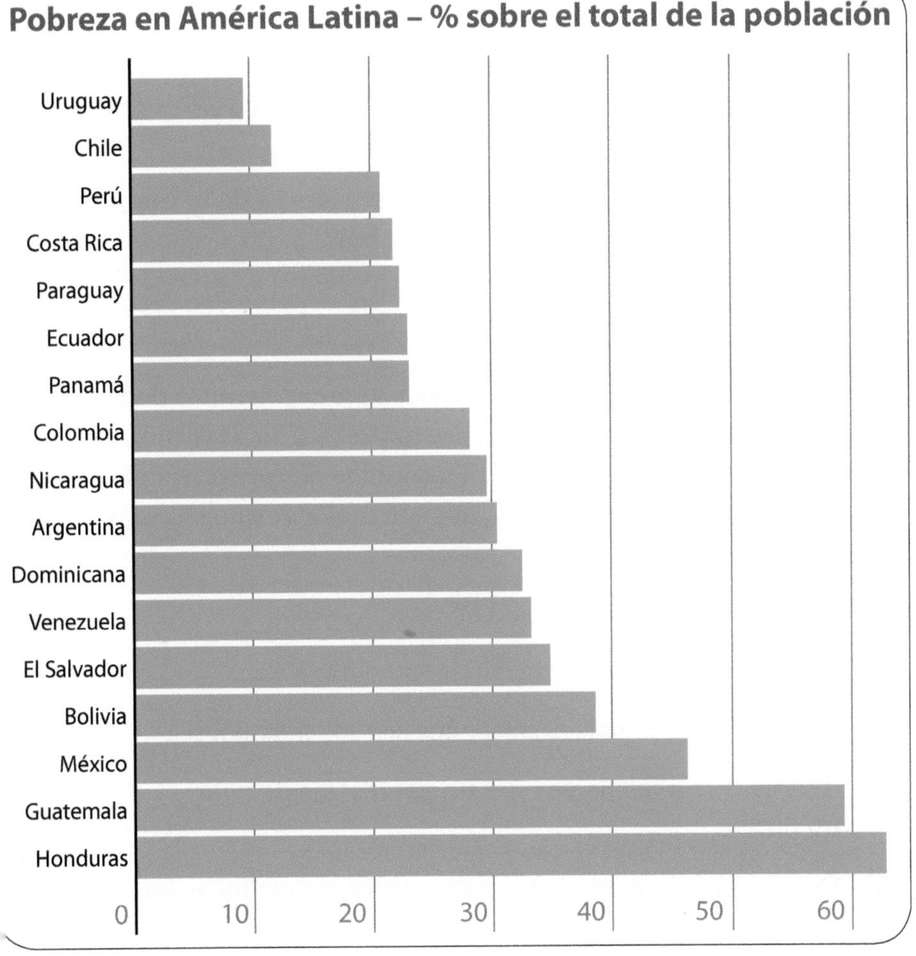

Fuente número 2

Introducción: Este audio, *Conoce los ODS: Objetivo 1 - Fin de la pobreza,* trata de cómo los jóvenes pueden ayudar en la lucha contra la pobreza. El locutor es Gonzalo, un chico peruano. Fue publicado por UNICEF Perú, una entidad de la Organización de las Naciones Unidas (ONU).

¿Qué aprendiste?

Paso 1

Instrucciones: Para mostrar lo que has comprendido del audio y del gráfico, vas a discutir con algunos compañeros de clase, en grupos, las respuestas a estas preguntas basándote en lo que recuerdas. También puedes escribir un párrafo contestando a las preguntas para entregar a tu profesor/a.

1. ¿Qué información del gráfico intensifica la urgencia que expresa Gonzalo en el audio?
2. ¿Cómo coincide lo que dice Gonzalo de la tasa de pobreza en su país con lo que muestra el gráfico?
3. ¿Qué información omiten las dos fuentes acerca de la complicada cuestión de la pobreza en América Latina?

AP® Paso 2

Instrucciones: Para comprender mejor algunos detalles de las fuentes, responde a las siguientes preguntas según el gráfico y el audio. Recuerda que vas a tener 15 segundos por pregunta para terminarlas. Para cada pregunta, elige la mejor respuesta según la grabación o el gráfico.

1. ¿Cuál es el propósito del gráfico?
   a. Promocionar la erradicación de la pobreza
   b. Mostrar que los países caribeños son los más pobres
   c. Avergonzar a los países con un porcentaje de pobreza de más de un 50%
   d. Comparar la tasa de pobreza entre los países latinoamericanos

2. Según el gráfico, ¿qué significa "% sobre el total de la población"?
   a. Que el gráfico señala el porcentaje de gente pobre en toda Latinoamérica
   b. Que el gráfico muestra la porción de gente que vive en la pobreza en cada país
   c. Que el gráfico verifica que hay una crisis de pobreza en América Latina
   d. Que el gráfico compara la porción de gente pobre en cada país con la población de toda América Latina

3. ¿Cuál de las siguientes afirmaciones resume mejor la información del gráfico?
   a. No hay patrones que expliquen en qué zonas se ubica la mayor pobreza en América Latina.
   b. La mayoría de la pobreza latinoamericana se encuentra en los países más pequeños.
   c. Los países de América Central son los más pobres de América Latina.
   d. No debe haber tanta pobreza en América Latina.
4. En el audio, ¿por qué es un chico el locutor?
   a. Porque el audio promociona la importancia de la educación para los niños
   b. Porque el audio espera la ayuda de los niños
   c. Porque el audio anuncia un plan económico para los niños
   d. Porque el audio habla de los dieciséis objetivos para los niños
5. En el audio, ¿cómo define Gonzalo la pobreza?
   a. Como la falta de suficiente dinero para la educación profesional
   b. Como la falta de recursos económicos para realizar el plan de la ONU
   c. Como la falta de suficiente dinero para una vida libre de privaciones
   d. Como la falta de recursos económicos para disfrutar de un bienestar básico
6. En el audio, ¿cómo es la actitud de Gonzalo hacia la erradicación de la pobreza?
   a. Segura
   b. Cautelosa
   c. Optimista
   d. Pesimista
7. ¿En qué concuerdan las dos fuentes con respecto a la pobreza?
   a. En que la ONU necesita la ayuda de los niños para acabar con la pobreza
   b. En que hay una brecha grande entre los países ricos y pobres
   c. En que los niños necesitan vigilar el trabajo gubernamental para erradicar la pobreza
   d. En que en el Perú uno de cada cinco personas vive en la pobreza

Sé comprender la información presentada en un audio y en un gráfico para responder a algunas preguntas sobre la pobreza en América latina.

Sé describir las prácticas de los jóvenes y el impacto que tienen en la erradicación de la pobreza en mi comunidad y en una comunidad hispanohablante.

Paso 3

Instrucciones: Para comprender mejor las prácticas y las perspectivas culturales que se encuentran implícitamente en el gráfico y en el audio y en tu comunidad, usa estas preguntas de discusión en grupos de compañeros de clase para enfocarte en cuestiones de activismo social.

Prácticas culturales

1. ¿Por qué patrocina la ONU un plan que se llama objetivos de desarrollo sostenible?
2. ¿Qué cree Gonzalo que pueden hacer los jóvenes para mejorar la vida de los niños y niñas de Perú?
3. ¿Qué hacen los jóvenes de tu comunidad para eliminar la pobreza?

Perspectivas culturales

1. ¿Qué punto de vista comunica Gonzalo sobre las autoridades gubernamentales de su comunidad?
2. ¿Qué diría Gonzalo en cuanto a la importancia de su rol como vocero para los niños de su país?
3. ¿Qué diría la gente de tu comunidad sobre la definición de Gonzalo de las necesidades básicas de una vida sana y segura?
4. En tu comunidad, ¿qué actitud hay con respecto a la participación de los jóvenes en ayudar a proveer alimentación básica para todos?

Presenta

Para mejorar tu capacidad de hacer una presentación oral, vas a leer sobre varias medidas para combatir la pobreza en el mundo hispanohablante, tomar decisiones personales y grupales y explicar tus hallazgos. La presentación se basará en la pregunta de **El enfoque**.

El enfoque: ¿Cómo se puede erradicar la pobreza y la desigualdad social?

Paso 1: El texto relevante

Introducción: Este artículo, *5 medidas de alto impacto para combatir la pobreza y la desigualdad*, trata de programas propuestos por el Banco Mundial para eliminar la pobreza extrema. El artículo fue publicado en *Revista Dinero*, de Bogotá, Colombia, en 2016.

5 medidas de alto impacto para combatir la pobreza y la desigualdad

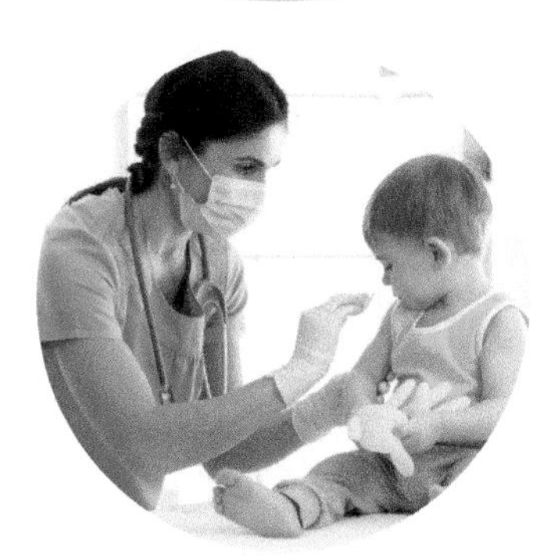

A través de un análisis del comportamiento de la pobreza y la desigualdad a nivel global, un estudio del Banco Mundial plantea estas estrategias de alto impacto en la lucha contra estos factores.

1. Desarrollo y nutrición en la primera infancia

Estas medidas ayudan a los niños durante los primeros 1.000 días de vida, pues las deficiencias nutricionales y la falta de desarrollo cognitivo durante este período puede ocasionar retrasos en el aprendizaje y menor rendimiento escolar en etapas posteriores.

2. Acceso universal a educación de calidad

A pesar de que el acceso a la educación ha mejorado en los últimos años, ahora se necesita enfatizar en garantizar que todos los niños reciban una educación de calidad. "En la educación de todos los niños se debe asignar prioridad al aprendizaje universal, los conocimientos y el desarrollo de aptitudes, así como a la calidad de los docentes".

3. Cobertura universal de salud

Según el Banco Mundial, con la cobertura de servicios asequibles y oportunos de atención de la salud se reduce la desigualdad y al mismo tiempo "aumenta la capacidad de las personas para aprender, trabajar y progresar".

4. Tributación progresiva

Los impuestos progresivos equitativos permiten financiar las políticas y los programas del Gobierno que son necesarios para equiparar las condiciones y transferir recursos a los habitantes más pobres.

5. Infraestructura rural

La construcción de vías rurales reduce costos de transporte, conecta a los agricultores con los mercados, y promueve el acceso a las escuelas y los centros sanitarios.

"Algunas de estas medidas pueden reducir rápidamente la desigualdad de ingresos y otras generan beneficios en forma más gradual, pero ninguna es una solución milagrosa", aclaró el presidente del Grupo Banco Mundial, Jim Yong Kim.

a continuación

Los avances en la disminución de la pobreza extrema se registraron primordialmente en Asia Oriental y el Pacífico, en particular en China, Indonesia e India. En el caso latinoamericano, entre 2000 y 2014, la pobreza extrema en la región se redujo de 25,5% a 10,8%, pero desde 2012 el ritmo de esa reducción ha sido mucho más lento debido a la ralentización económica, puntualiza el Banco.

Dinero.com (2016), "5 medidas de alto impacto para combatir la pobreza y la desigualdad", Adaptado de https://tinyurl.com/ya6kygtl.

Paso 2: La exploración

Instrucciones: Para pensar más a fondo sobre el artículo, *5 medidas de alto impacto para combatir la pobreza y la desigualdad*, vas a consultar con las oficinas de tu cabildo o intendencia locales sobre los programas y políticas sociales que ofrecen para combatir la pobreza. Si hay un empleado del Gobierno local que hable español, sería una oportunidad maravillosa para practicar tu castellano al entrevistar a esa persona, pidiendo información sobre el progreso en tu comunidad con respecto a las cinco medidas propuestas por el Banco Mundial. Usa un organizador gráfico para apuntar los datos del artículo y de tu investigación.

Aquí tenemos una lista parcial de programas potenciales. ¿Qué otros servicios ofrece tu Gobierno local?

Viviendas para personas de bajos recursos como Hábitat para la Humanidad

Comedor comunitario como Bogotá te nutre

Medicina sin cobrar como en el Perú

Programas preescolares como los Centros de Educación Temprana en la Argentina

AP® Paso 3: La presentación

Instrucciones: Vas a dar una presentación oral a tu clase sobre un tema cultural. Vas a tener 4 minutos para leer el tema de la presentación y prepararla. Después vas a tener 2 minutos para grabar tu presentación en la guía digital, el sitio *web* estudiantil donde puedes encontrar práctica y recursos adicionales para este libro.

En tu presentación, compara una región del mundo hispanohablante que te sea familiar con tu propia comunidad. Debes demostrar tu comprensión de aspectos culturales en el mundo hispanohablante y organizar tu presentación de una manera clara.

El tema: ¿Cómo apoya y participa la gente de tu comunidad en los programas y las políticas sociales locales para erradicar la desigualdad y la pobreza?

Mi progreso comunicativo

Sé dar una presentación oral y hacer una comparación cultural sobre cómo la gente de mi comunidad apoya y participa en los programas y las políticas sociales para erradicar la desigualdad y la pobreza.

Atando cabos sueltos

Una conversación simulada

AP® Ahora que has completado esta conexión, tienes la oportunidad de practicar en la guía digital una conversación simulada que sigue el formato de la tarea en el examen de AP®. Fíjate en que esta conversación se basa en el tema de esta conexión.

Tu progreso comunicativo e intercultural

Después de grabar la conversación simulada, evalúa tu progreso durante esta conexión en el Apéndice A y en **Mi portafolio** en la guía digital para indicar lo que has aprendido a hacer.

Resumen de vocabulario

Palabras para apreciar

Vocabulario para una mejor discusión - Conexión 1

amasar - mezclar

conmemorar - recordar con un acto público

la costumbre - la tradición

la creencia - la convicción

empanado/a - recubierto/a

engordar - ganar peso

hornear - cocinar en el horno

la merienda - una comida entre el almuerzo y la cena

la panadería - la tienda de pan

el trigo - un tipo de grano

Vocabulario para una mejor discusión - Conexión 2

añadir - adicionar

consumir - comer

cultivar - plantar

ecológico/a - orgánico/a

la granja - la finca

manipular - cambiar

el pesticida - el producto químico para eliminar insectos

sano/a - saludable

el sello - la marca

transgénico/a - modificado/a

Vocabulario para una mejor comprensión - Conexión 1

agasajar - obsequiar

artesanal - hecho/a a mano

la convivencia - la coexistencia

escondido/a - algo oculto

fortalecer - fortificar

incentivar - estimular

infaltable - imprescindible

resaltar - sobresalir

los sabios - las personas cultas

simbolizar - representar

Vocabulario para una mejor comprensión - Conexión 2

el aditivo - la adición

constatar - verificar

convencional - lo establecido

disuadir - desalentar

los gérmenes - las bacterias

hallar - encontrar

recurrente - repetido/a

la resistencia - la oposición

sintético/a - artificial

surgir - emerger

Vocabulario para una mejor discusión - Conexión 3

aguantar - tolerar

los alimentos básicos - la comida esencial

los barrios bajos - las zonas pobres

los gastos - los pagos

los ingresos - las ganancias económicas

la limosna - una donación por compasión

padecer - sufrir

la política - los programas sociales

el salario promedio - el pago medio

los sintecho - las personas sin casa

Vocabulario para una mejor comprensión - Conexión 3

acabar con - terminar

alimentarse - comer

crecer - aumentar de edad y/o tamaño

el desarrollo sostenible - el progreso continuo

esforzarse - aplicarse

la luz - la energía eléctrica

merecer - meritar

la población - los residentes

unirse - juntarse

vigilar - supervisar

Gramática problemática

Usos fundamentales del subjuntivo con "que

Gonzalo es nuestro amigo que quiere que tengamos una opinión sobre qué tipo de mundo deseamos. Tiene un álbum de recortes de información periodística sobre las celebraciones, la buena comida y la pobreza. Quiere que el álbum guarde ideas que le importan. Este chico serio y compasivo siempre tiene una reacción personal. Vamos a ver lo que le importa y cómo reacciona a la información que encuentra en los periódicos. ¿Es posible que Gonzalo siempre sea optimista y positivo?

Instrucciones: Al leer la información del álbum, observa lo que los recortes comunican a diferencia de los comentarios de Gonzalo. Es necesario que estudies por qué Gonzalo usó irrealidad (el modo subjuntivo) a diferencia de la realidad usada en la información periodística (el modo indicativo). El indicativo comunica acciones reales y ciertas. El subjuntivo comunica acciones imaginadas e inciertas. Importa mucho que hagas caso de cómo las acciones reales y ciertas, por un lado, y las acciones imaginadas e inciertas, por otro, representan mundos diferentes. Comprender esto te va a ayudar a escribir un párrafo sobre el mundo que vive Gonzalo y otro sobre el mundo que desea vivir.

MI ÁLBUM DE IDEAS, LAS QUE ME IMPORTAN

Calculan que un 12.7% vive bajo el nivel de pobreza.[1]

Me sorprende que tantos vivan sin recursos básicos.

Mencionan que la tradición de intercambiar pan sigue costumbres muy antiguas.

En mi opinión, la unidad de la comunidad requiere que las celebraciones sigan normas repetidas todos los años.

Anuncian que la tasa de pobreza baja casi un 2%.[2]

Para mí, el Gobierno debe requerir que sus programas bajen el número de pobres en el país.

Algunos insisten que inyectar las carnes con antibióticos tiene un 33% de mayor posibilidad de requerir antibióticos cada vez más potentes.

Yo insisto en que mi comida no tenga antibióticos.

Algunas investigaciones revelan que la comida orgánica no es siempre más saludable.

Es una lástima que los productos convencionales sean afectados por información errónea.

Dicen que hay un 28% con menos de $5.00 al día.[3]

Espero que haya programas gubernamentales para mejorar la vida en México.

Es cierto que comer pan con amigos refuerza la amistad y la convivencia.

No es cierto que la pobreza extrema refuerce la solidaridad de una comunidad.

Una encuesta muestra que los casos de pobreza suben a casi 82%.[4]

Bueno, el caos político permite que la tasa de pobreza suba tanto.

Informamos que el número de pobres cambia de 19% a 10% entre 2010 y 2015.[5]

Dudo que otro país cambie tanto en el futuro.

1 Oficina del Censo, EE. UU., 2016
2 Encuesta Nacional de Hogares, Costa Rica, 2014-2016
3 CONEVAL, México, 2016
4 Encovi, Venezuela, 2016
5 Dirección General de Encuestas, Estadísticas y Censos, Paraguay, 2010-2015

Gramática problemática

El subjuntivo con "que"

Verbos y expresiones de deseo que activan el uso del subjuntivo

El Gobierno debe ***pedir*** que sus programas bajen el número de pobres en el país.

Quiero que los niños y las niñas crezcan felices y sanos.

VERBO O FRASE ACTIVADORA		SUBJUNTIVO
Es necesario	que	el Gobierno ayude.
Recomendamos	que	los niños participen.
Insistimos en	que	las autoridades tengan responsabilidad.
Prefiero	que	compartamos pan en vez de armas.
Mis padres *prohiben*	que	yo coma maíz transgénico.

Verbos y expresiones de emoción que activan el uso del subjuntivo

Me sorprende que tantos vivan sin recursos básicos.

Ojalá que lo haga, que sea científico.

VERBO O FRASE ACTIVADORA		SUBJUNTIVO
Es una lástima	que	tantos vivan sin educación.
Me gusta	que	el pan ayude a unir a mi comunidad.
¿Esperas	que	haya menos desigualdad?
Mis padres *lamentan*	que	las estadísticas traigan tan malas noticias.
Tengo miedo de	que	nadie preste atención.

Verbos y expresiones de duda que activan el uso del subjuntivo

Dudo que otro país cambie tanto en el futuro.

No creo que conozcas a mi amigo que quiere hacerse científico.

VERBO O FRASE ACTIVADORA		SUBJUNTIVO
Es posible	que	desarrollemos un mundo libre de pobreza.
No me parece	que	festejemos el Día de Acción de Gracias en mi país.
Es improbable	que	las empresas grandes produzcan productos orgánicos.
No es cierto	que	los niños sean demasiado jóvenes para participar.
Niego	que	Perú vaya de mal en peor.

Jn poco más: el subjuntivo en el pasado

Cómo puedes comunicar que una situación recomendada, deseada, en duda o tratada emocionalmente ocurrió en el pasado? Vamos a ver.

Caso nº 1:

en este momento

A. Espero que **haya** programas gubernamentales para mejorar la vida en México.

en este momento

en este momento

B. Espero que **hubiera** programas gubernamentales para mejorar la vida en México.

el año pasado

el año pasado

C. Esperaba que **hubiera** programas gubernamentales para mejorar la vida en México.

el año pasado

Caso nº 2:

en este momento

A. Me sorprende que tantos vivan sin recursos básicos.

en este momento

en este momento

B. Me sorprende que tantos vivieran sin recursos básicos.

el año pasado

el año pasado

C. Me sorprendió que tantos vivieran sin recursos básicos.

el año pasado

En resumen: el IPA

Integrated Performance Assessment

Las fuentes del capítulo

Conexión 1

- Video: *¿De dónde viene la rosca de reyes?*
- Lectura: *¿Cómo refleja la comida tradicional nuestra identidad cultural?*
- Audio: *Guatemaltecos hacen del pan una forma de perpetuar tradiciones*
- Lectura: *El pan de recado, una tradición retalteca*

Conexión 2

- Video: *Los alimentos transgénicos: ¿Buenos o malos?*
- Lectura: *Los beneficios de los productos orgánicos*
- Lectura: *Estudio revela que la comida orgánica no es significativamente más sana*
- Lectura: *Infografía de los beneficios de la comida transgénica y la orgánica*
- Audio: *La insulina es transgénica y nadie se queja*

Conexión 3

- Video: *Brecha entre ricos y pobres: ¿Es inmutable o solucionable?*
- Gráfico: *Pobreza en América Latina-% sobre el total de la población*
- Audio: *Conoce los ODS: Objetivo 1 - Fin de la pobreza*
- Lectura: *5 medidas de alto impacto para combatir la pobreza y la desigualdad*

El pan es un alimento esencial en diferentes culturas, ya sea hecho con maíz o trigo; ha sido el sustento de muchos y parte importante en la integración de diferentes comunidades a través de la historia. El pan no solo nos alimenta sino que nos provee de recuerdos, celebraciones y tradiciones. La elaboración del pan ha evolucionado junto a la importancia de la nutrición y para muchos, en situaciones de pobreza, se ha convertido en un símbolo del bienestar económico y del acceso a la alimentación básica. ¿Qué significa el pan para ti y cuál es el que te gusta más? ¿Qué harías si te faltara el pan?

En tu escuela, un club del que eres socio quiere solicitar una donación de una organización filantrópica.

Antes de planear tu proyecto, ten en cuenta las preguntas esenciales del capítulo para guiar tu presentación.

1. ¿Cómo influye el pan en las tradiciones?
2. ¿Cuál es la relación entre la ciencia y la nutrición en el mundo moderno?
3. ¿Cómo representa el pan el bienestar socioeconómico?

Evaluación de tu comprensión

Tanto en tu comunidad como en las comunidades alrededor del mundo, hay una falta de productos básicos, sobre todo en momentos de celebración, cuando los necesitados son más vulnerables. Lee y escucha las fuentes en la guía digital para conocer una posible solución.

Evaluación de tu comunicación interpersonal

Instrucciones: Vas a crear tu propuesta de un banco de alimentos. Primero, vas a hablar con varios compañeros de tu clase para desarrollar tus ideas. Debes hablar de varios aspectos de tu propuesta.

Evaluación de tu presentación

Instrucciones: Para mejorar tu capacidad oral, vas a dar una presentación en la que vas a convencer al comité de tu propuesta del banco de alimentos.

En tu presentación, vas a incluir lo siguiente:

- Una representación visual que puedes usar para apoyar tu presentación oral.
- Una presentación oral de tu propuesta para el banco de alimentos

Capítulo 4
La diversidad

Metas del capítulo

- Comprender las ideas principales y secundarias presentadas en varias fuentes auténticas con respecto a la diversidad cultural, los desafíos de la integración cultural y el impacto de los extranjeros en una nueva cultura.
- Conversar con otros sobre el desarrollo de la identidad nacional, el proceso de aculturación y las contribuciones de los inmigrantes.
- Explorar, reflexionar y presentar el impacto de la diversidad de la inmigración en el desarrollo de una cultura de fusión.
- Comparar las prácticas inherentes en el proceso de la integración cultural en las comunidades hispanohablantes con las de tu comunidad y cómo las perspectivas sobre la inmigración influyen estas prácticas.

El tema cultural: La diversidad

La diversidad, el tema central de este capítulo, es diferente de los presentados en capítulos anteriores en este libro. Esta vez, el capítulo presenta un tema que incita ideas profundas, como el impacto de la inmigración y la diversidad en la cultura de una comunidad. Vas a hacer una serie de actividades y completar reflexiones que te harán pensar más en la diversidad y su impacto en la cultura.

Conexión 1: La diversidad cultural — 182

Te informarás sobre la diversidad cultural y cómo contribuye al desarrollo de la identidad nacional. Te familiarizarás con algunos ejemplos de esta identidad. Participarás en conversaciones con tus compañeros sobre estas ideas.

Conexión 2: Los factores que influyen en la integración cultural — 196

Explorarás la adaptación a una cultura nueva y el proceso de adaptación a sus normas. Te informarás sobre esta adaptación en comunidades hispanohablantes. Participarás en intercambios con tus compañeros sobre este proceso.

Conexión 3: El impacto que han tenido los extranjeros — 214

Descubrirás las prácticas culturales y aportaciones de los inmigrantes al país de acogida. Participarás en intercambios con tus compañeros sobre estas contribuciones.

Resumen de vocabulario

Palabras para apreciar — 232

Encontrarás una lista del vocabulario importante para cada conexión: Vocabulario para una mejor discusión y Vocabulario para una mejor comprensión. Incorporarás y desarrollarás este vocabulario en las actividades del capítulo además del vocabulario ya presentado en los capítulos anteriores.

Gramática problemática

Usos fundamentales del subjuntivo con "que" y otras expresiones — 234

Estudiarás otros usos del subjuntivo: en cláusulas adverbiales y cuando hay un antecedente desconocido o negativo.

En resumen: el IPA

(Integrated Performance Assessment) — 238

Este capítulo te ha preparado para mostrar y demostrar lo que aprendiste sobre la diversidad. Tendrás la oportunidad de hacer una presentación en la cual profundizarás en las metas y los retos de la inmigración.

Preguntas esenciales

- **¿Qué es la diversidad cultural?**
- **¿Qué factores influyen en la integración cultural a una nueva comunidad?**
- **¿Qué impacto han tenido los extranjeros?**

AP® Temas curriculares	AP® Contextos recomendados
Las identidades personales y públicas Los desafíos mundiales Las familias y las comunidades	La identidad nacional y la identidad étnica La población y la demografía La ciudadanía global La geografía humana
Las identidades personales y públicas Las familias y las comunidades	La identidad nacional y la identidad étnica La enajenación y la asimilación La geografía humana
La belleza y la estética Las familias y las comunidades	El lenguaje y la literatura Las artes visuales y escénicas La geografía humana

 Mi progreso comunicativo

Sé comprender las ideas principales y secundarias de varias fuentes auténticas sobre la diversidad con respeto a la identidad nacional y étnica y la asimilación en una nueva comunidad.

Sé participar en conversaciones, responder a algunas preguntas, pedir información, expresar y defender opiniones sobre los retos de la inmigración.

Sé dar presentaciones orales, hacer comparaciones culturales y escribir un ensayo argumentativo sobre varios aspectos y perspectivas de la diversidad.

 Mi progreso intercultural

Sé explicar las prácticas relacionadas con la diversidad en las comunidades hispanohablantes y cómo las perspectivas culturales de la diversidad influyen en estas comunidades hispanohablantes.

Sé conversar con hispanohablantes sobre el impacto de la diversidad en algunas comunidades.

El tema cultural:
La diversidad

¿Te imaginas entrando a un restaurante de renombre cuya carta tiene solo un plato? ¿O comprando en una tienda de moda que solo tiene un estilo de cada prenda? Probablemente esto te parecería inaguantable, ya que estás acostumbrado a la variedad. Si esto es una realidad cuando se consideran la comida y la ropa, ¿por qué a algunas personas se les hace tan difícil aceptar y apoyar la diversidad social?

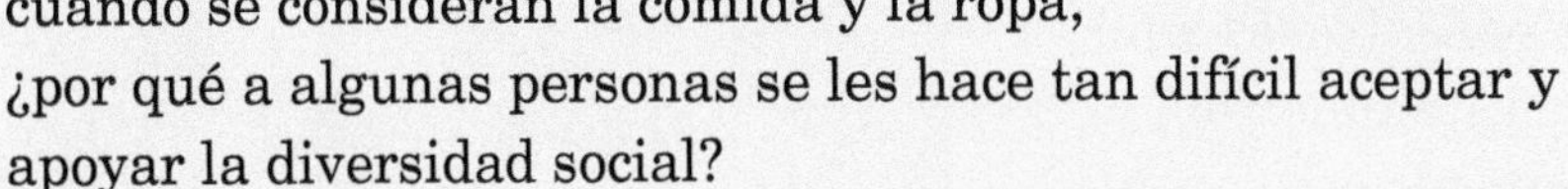

La diversidad es la base de una cultura que quiere prosperar y crecer. Permite el desarrollo de las sociedades en todos los ámbitos y nos hace evolucionar como personas. A través de la integración y el contacto con gente diversa, y al ser testigos de los esfuerzos que algunas personas hacen para asimilarse a una nueva cultura, nuestra comunidad crece y se hace más inclusiva y mejor.

¿Cómo ocurren estos cambios? Normalmente es por la integración de las diferencias de la gente dentro de una comunidad o por las de la gente que se asimila a una nueva comunidad. Es por los obstáculos y éxitos que esta gente confronta que una comunidad prospera y crece para el bienestar de todos. Y claro, la diversidad trae consigo sus ventajas y sus desventajas en los ojos de algunos, pero ten en cuenta que no hay ningún movimiento importante que no tenga su resistencia.

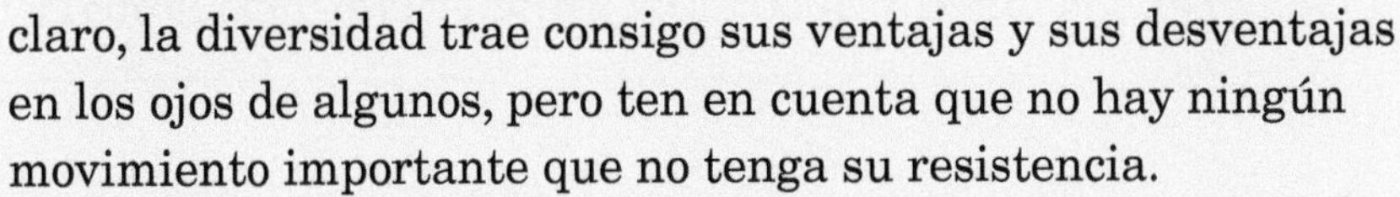

Al estudiar las conexiones de este capítulo, presta especial atención a los diferentes tipos de diversidad que hay en tu cultura, a las contribuciones de los inmigrantes a la sociedad, y al proceso de asimilación que tiene lugar al comenzar a vivir en una nueva cultura.

Conexión 1

La diversidad cultural

El enfoque: ¿Cómo contribuye la diversidad cultural a desarrollar la identidad nacional?

¿Qué sabes?

Fíjate en... cuánta diversidad hay en una cultura.

Vocabulario para una mejor discusión

Para mejorar tu capacidad de participar más ampliamente en las conversaciones de clase, encontrarás aquí vocabulario útil y pertinente para el tema de esta conexión. Además, este vocabulario te va a ayudar a aumentar y desarrollar tu español en general.

adquirir una identidad personal (conseguir)	**distinto/a** de los demás (diferente)
la apariencia revela quién eres (el aspecto)	**empeorar** la situación actual (deteriorar)
asumir una situación diferente (aceptar)	**encajar** en la sociedad (pertenecer)
coincidir con alguien que tiene un punto de vista similar (concordar)	**el rasgo** que identifica a alguien (la característica)
el crisol de culturas que acoge la diversidad (la mezcla de culturas, razas y religiones)	**rechazar** al otro por ser diferente (desaprobar)

Desarrollando tu vocabulario

Antes de participar en las discusiones de clase, accede a tu cuenta en la guía digital. Hay ejercicios para ayudarte a recordar y usar el **Vocabulario para una mejor discusión**.

Exprésate

Vas a usar estas preguntas para profundizar tu comprensión sobre algunos conceptos relevantes para esta conexión. Aparte de responder a las preguntas, debes justificar las respuestas. Considera cómo tus circunstancias personales han influido tus respuestas. Luego, es importante que hables con tus compañeros de las siguientes preguntas. Tu profesor/a te explicará cómo vas a presentar tus pensamientos y recuerdos.

- ¿Cómo se identifica una persona (o un individuo) culturalmente?
- ¿Cómo influye la historia familiar de una persona en su identidad?
- ¿Crees que una persona puede tener más de una identidad cultural?
- ¿Cómo contribuye la identidad personal a la identidad de la comunidad?

¡Para saber más!

¿Cómo nos ayuda la diversidad cultural a crear una identidad como nación?

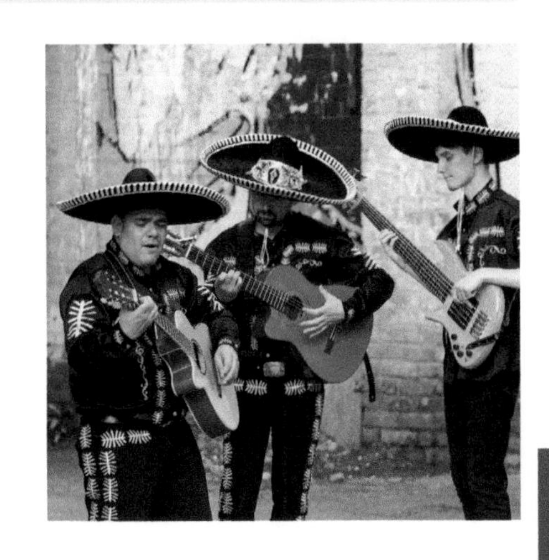

Paso 1

Instrucciones: Todos formamos parte de la diversidad y aportamos algo a la cultura porque todos somos diferentes. ¿Cómo te ayuda a definir tu identidad? ¿Cómo contribuye tu diversidad personal a la comunidad? Da un ejemplo de lo que tú aportas, has aportado o quisieras aportar a la cultura y apúntalo en el organizador gráfico.

Paso 2

Instrucciones: Ahora que has reflexionado sobre la identidad personal y nacional, debes hablar de la diversidad cultural con dos o tres compañeros. Puedes referirte al organizador gráfico para guiar tu conversación. ¡Ojo! Recuerda que una comunidad o cultura puede ser tan pequeña como una familia o tan grande como un continente.

	Yo	Mi compañero/a	Mi otro/a compañero/a
¿Cómo contribuye tu diversidad personal a la comunidad?			
¿Qué aportas, has aportado o quisieras aportar a la cultura?			
¿Qué papel tienen las tradiciones y los valores familiares en la identidad de uno o la de una cultura?			
¿Qué opinas del concepto de muchas identidades, una sola cultura?			

AP® Paso 3: Aplicación práctica

Instrucciones: Vas a escribir una respuesta a un mensaje electrónico. Vas a tener 15 minutos para leer el mensaje y escribir tu respuesta. Tu respuesta debe incluir un saludo y una despedida, y debe responder a todas las preguntas y peticiones del mensaje. Debes responder de una manera formal.

Introducción: Recibes este correo electrónico del director del Centro de Diversidad Intercultural, como respuesta a tu solicitud de trabajo. Responde a su correo contestando a las preguntas y peticiones del correo original.

De: José Luis Montero Cc Bcc

Asunto: Trabajo voluntario

Estimado voluntario/a:

Primero que nada, me gustaría agradecerle su carta de solicitud, y su interés en unirse al equipo de nuestra agencia. Como ya sabrá, nuestra meta es servir a las familias y crear lazos entre personas distintas, con el objetivo de crear una especie de crisol de culturas que les ayude a tener una mejor convivencia y a adquirir herramientas para encajar de mejor forma en nuestra sociedad. Nuestra intención es buscar puntos donde puedan coincidir personas que tienen patrimonios culturales distintos y diversos, sin importar su apariencia ni sus rasgos particulares. Hemos leído su carta y pensamos que Ud. sería un/a buen/a candidato/a para unirse a nuestra organización. Nos gustaría eso sí, que nos respondiera algunas preguntas sobre información que no menciona en su solicitud. Nuestra agencia funciona doce horas al día y el horario es bastante flexible. Nos gustaría que nos diera información sobre su disponibilidad de horario durante la semana y sobre su experiencia en un trabajo similar.

En su carta Ud. menciona que su familia acaba de mudarse a esta comunidad. Nos interesa mucho este detalle, ya que lo vemos como una ventaja a la hora de conectar con nuestros clientes. Después de reflexionar sobre lo que considera Ud. su identidad personal y nacional, por favor responda a esta carta a la brevedad mencionando los siguientes puntos:

- ¿Qué y cómo contribuiría personalmente a este crisol de culturas?
- ¿De qué manera podría Ud. aportar a los objetivos de nuestra organización?

Quedo a la espera de su respuesta. Por favor no dude en contactarnos si tiene cualquier duda o pregunta.

Cordialmente,

José Luis Montero
Director. Centro de Diversidad Intercultural

Responder

Infórmate

Para sentirnos unidos, ¿tenemos que hablar el mismo idioma?

Paso 1

Instrucciones: Aquí tienes unas instantáneas del video que vas a mirar. Piensa en las imágenes, adivina de dónde son y qué clase(s) de diversidad muestran.

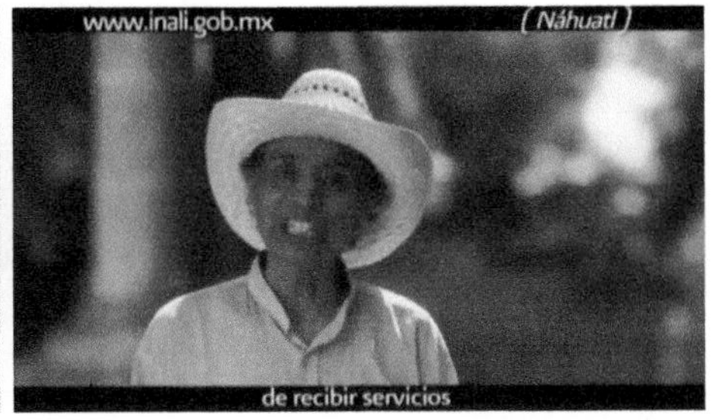

Paso 2

La diversidad está presente en todos los aspectos de la sociedad actual, y contribuye a construir la identidad de cada nación. Presta atención a los esfuerzos de integración, inclusión y ayuda que hace el Gobierno mexicano para integrar a las variadas culturas que conviven en su territorio.

Introducción: Este video, *Spot de la campaña: "Lenguas Indígenas Nacionales de México"*, trata de las iniciativas del Gobierno mexicano para asistir a las poblaciones indígenas y promover su inclusión. El video fue publicado por INALI, el 18 de noviembre del 2011.

Paso 3

Instrucciones: Para mejorar tu capacidad de comunicarte con otros, conversa con un/a compañero/a y responde apropiadamente a las preguntas.

- ¿Qué cambia si ya no hay respeto por los idiomas indígenas?
- ¿Es la identidad lingüística lo mismo que la identidad nacional?
- ¿Por qué es o no es importante que hablemos el mismo idioma?

Paso 4

Tema de debate: Las culturas indígenas deben abandonar sus costumbres e integrarse a la sociedad.

¿Qué más necesitas saber?

Vocabulario para una mejor comprensión

Para comprender las ideas principales de las dos fuentes en **¿Aprecias la cultura hispanohablante?** de esta conexión, estudia y practica el uso de estas palabras antes de leerlas.

apropiarse	apoderarse; hacer algo tuyo Les fue fácil **apropiarse** de diversos elementos para formar su identidad.
el brebaje	la bebida; un líquido medicinal El origen de la palabra "mole" viene de "mulli", palabra náhuatl, que significa **brebaje** en español.
ejercer	imponer; actuar sobre algo o alguien El Gobierno pudo **ejercer** poder sobre la sociedad e imponer su discurso sobre ser mexicano.
impulsar	promover; incitar algo Las élites decidieron **impulsar** la idea de la mexicanidad para crear una nación.
el manjar	la delicia; algo que se considera una exquisitez Los prehispánicos consideraban que el mole era un **manjar** de los dioses.
el metate	el mortero; la piedra para deshacer algo La aparición d**el metate** coincidió con la creación del mole.
milenario/a	antiguo/a; algo que existe desde hace miles de años La cultura mexicana tiene costumbres que son herencia de una tradición **milenaria**.
moler	triturar; deshacer algo Para preparar el mole, es necesario **moler** todos los ingredientes.
rascar	friccionar; frotar algo Solo se necesita **rascar** la superficie para encontrar elementos que nos identifican como personas de una región determinada.
la raíz	el origen; la base de algo La cultura mexicana tiene **raíces** de culturas prehispánicas.

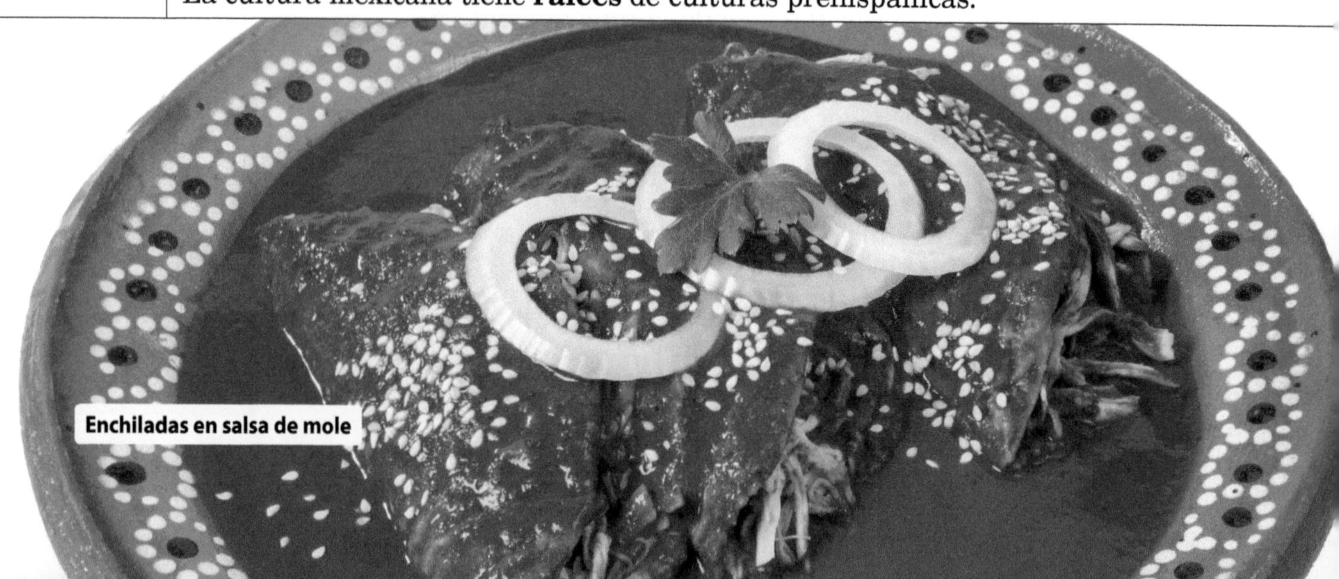
Enchiladas en salsa de mole

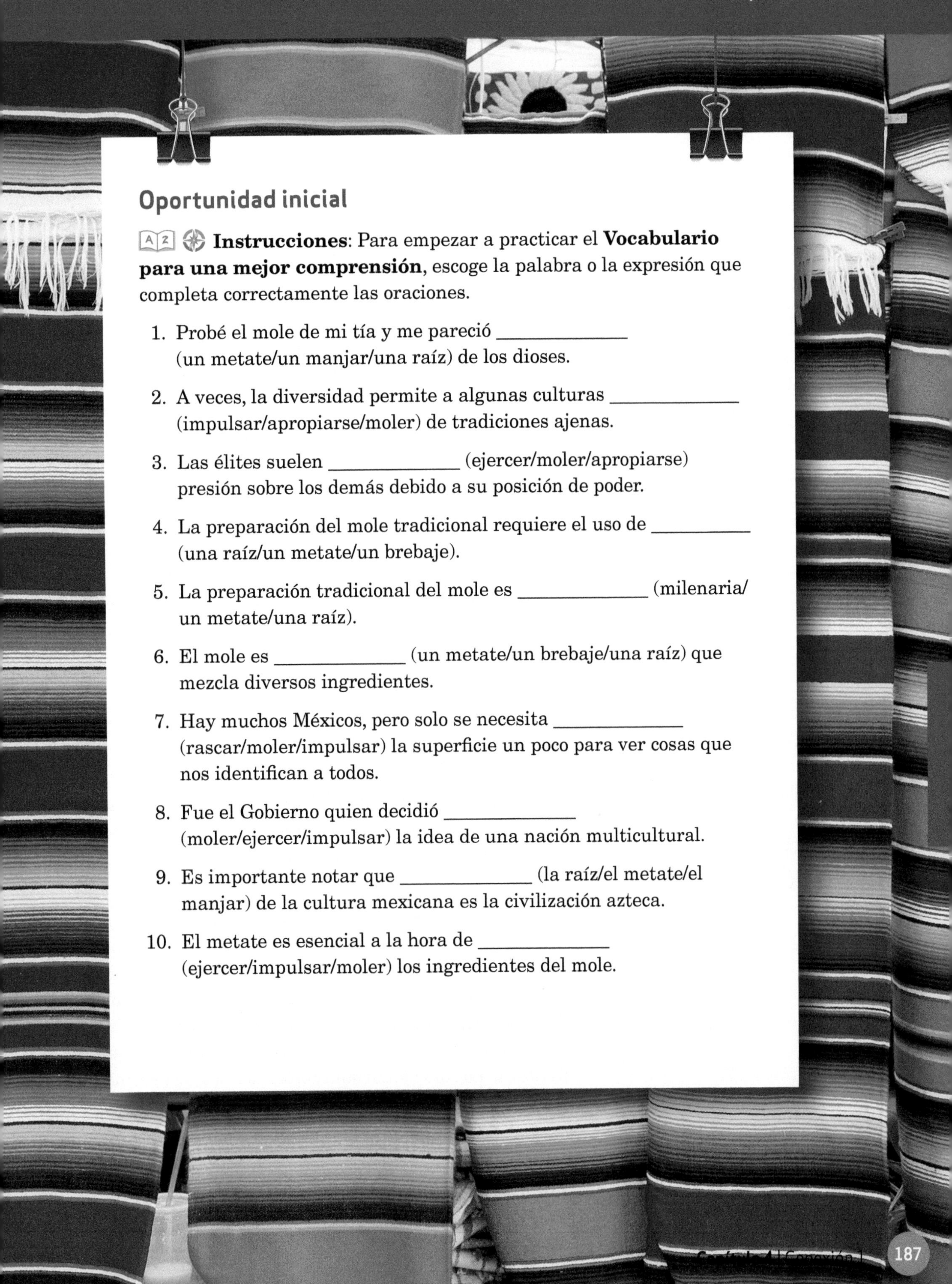

Oportunidad inicial

Instrucciones: Para empezar a practicar el **Vocabulario para una mejor comprensión**, escoge la palabra o la expresión que completa correctamente las oraciones.

1. Probé el mole de mi tía y me pareció _____________ (un metate/un manjar/una raíz) de los dioses.
2. A veces, la diversidad permite a algunas culturas _____________ (impulsar/apropiarse/moler) de tradiciones ajenas.
3. Las élites suelen _____________ (ejercer/moler/apropiarse) presión sobre los demás debido a su posición de poder.
4. La preparación del mole tradicional requiere el uso de __________ (una raíz/un metate/un brebaje).
5. La preparación tradicional del mole es _____________ (milenaria/ un metate/una raíz).
6. El mole es _____________ (un metate/un brebaje/una raíz) que mezcla diversos ingredientes.
7. Hay muchos Méxicos, pero solo se necesita _____________ (rascar/moler/impulsar) la superficie un poco para ver cosas que nos identifican a todos.
8. Fue el Gobierno quien decidió _____________ (moler/ejercer/impulsar) la idea de una nación multicultural.
9. Es importante notar que _____________ (la raíz/el metate/el manjar) de la cultura mexicana es la civilización azteca.
10. El metate es esencial a la hora de _____________ (ejercer/impulsar/moler) los ingredientes del mole.

Exploraciones culturales

En el libro *El laberinto de la soledad*, el filósofo y antropólogo mexicano Octavio Paz, explica que "la mexicanidad es una manera de no ser nosotros mismos, una reiterada manera de ser y vivir otra cosa". Su libro ganó el Premio Nobel de Literatura en 1990.

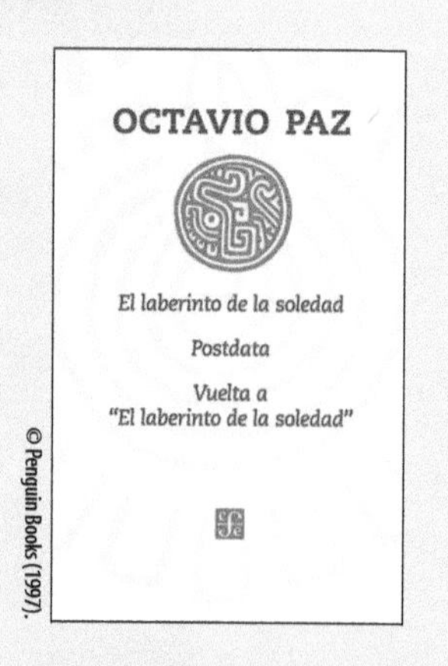

¿Aprecias la cultura hispanohablante?

Lectura con infografía

AP® **Instrucciones**: Vas a leer uno o varios textos. Cada texto va acompañado de varias preguntas. Para cada pregunta, elige la mejor respuesta según el texto.

Fuente número 1

Introducción: Este artículo, *Mexicanidad, producto de elementos prehispánicos y coloniaje: Experto*, trata de los elementos que originan el concepto de mexicanidad y la fundación de una identidad mexicana. El artículo es de Notimex y fue publicado en el periódico digital *La Cronica*, México.

Mexicanidad, producto de elementos prehispánicos y coloniaje: Experto

MÉXICO, D. F. (Agencias) La mexicanidad se funda en el momento de la Independencia, pero retoma elementos del México prehispánico y del largo proceso de coloniaje, afirmó el profesor Francisco García de la UNAM.

5 En el momento de la Independencia hay una invención de lo mexicano y lo mexicano en esos días retoma elementos que estaban en el México, explicó en entrevista.

"En ese momento de independencia se funda una identidad o se impulsa una identidad de los mexicanos, que se alimenta de esos 10 dos grandes momentos de la historia de estas tierras", abundó el académico.

"Creo que efectivamente es ahí donde nace lo mexicano: cuando pensamos en lo mexicano estamos pensando en un discurso que **se ejerce** desde el poder y que también se asume socialmente", 15 estableció. En ese sentido consideró que "lo mexicano" es un discurso **impulsado** por las élites de ese momento, las cuales estaban urgidas por crear una nación y por establecer unas fronteras no solo físicas sino culturales con sus vecinos.

En ese momento, agregó, hay una invención que nos dice que 20 los mexicanos "somos herederos de tradiciones **milenarias**, que tenemos **raíces** fabulosas, increíbles y magníficas, que a su vez tenemos una lengua, el español, y que practicamos una serie de rituales sociales". Que también "tenemos una música, el mariachi, que tenemos una serie de festejos y celebraciones, que somos muy adeptos a la solidaridad y compañerismo, somos muy abiertos y tenemos una cocina fabulosa, que tenemos la tortilla y el maíz", expresó.

"Hay muchos Méxicos y hay muchas formas distintas de ser lo mexicano y de **apropiarse** estos elementos", agregó. "Si uno **rasca**, mal que bien, todos los que nos encontramos en este territorio llamado México nos acabamos identificando con algunos de esos elementos".

Fuente número 2

Introducción: Esta infografía, *Mole mexicano, tradición milenaria*, trata del mole, símbolo de la identidad mexicana y de su origen e historia. Es de Notimex y fue publicada en www.angelopolis.com.

¿Qué aprendiste?

Paso 1

Instrucciones: Para mostrar lo que has comprendido de la lectura y la infografía, comenta con tus compañeros estas preguntas basándote en lo que recuerdas.

1. ¿Qué se sabe del origen de la mexicanidad?
2. ¿Cómo influyó la independencia en la identidad nacional mexicana?
3. ¿Cuáles son algunos de los elementos más importantes de la cultura e identidad mexicana?

AP® Paso 2

Instrucciones: Para comprender mejor algunos detalles de las fuentes, responde a las siguientes preguntas según lo que se dice en el artículo y en la infografía.

1. ¿Cuál es el propósito del artículo?
   a. Explicar que lo mexicano es algo nuevo
   b. Explicar que lo mexicano empieza con la llegada de los españoles
   c. Explicar que lo mexicano se establece con la independencia
   d. Explicar que lo mexicano no existe
2. Según el artículo, ¿de dónde surge la identidad mexicana?
   a. De la globalización moderna
   b. Del deseo de ser diferente de las demás culturas hispanas
   c. De los elementos que estaban en el México prehispánico
   d. De la cultura mexica
3. Según el artículo, ¿quién creó la identidad mexicana?
   a. La élite
   b. Los obreros
   c. Los militares
   d. Los indígenas

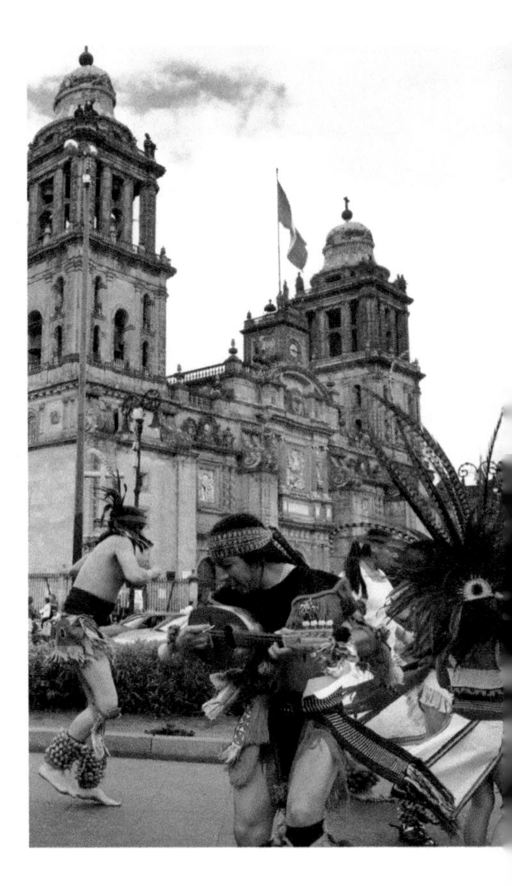

4. Según el artículo, ¿por qué son los mexicanos herederos de tradiciones milenarias?
   a. Porque existen aspectos culturales con orígenes antiguos
   b. Porque se crearon nuevas tradiciones cada milenio
   c. Porque el baile es una tradición hereditaria
   d. Porque el maíz es un ejemplo de la vieja tradición y la mexicanidad
5. En la línea 30, ¿a qué se refiere el autor al decir “mal que bien…”?
   a. Que puedes elegir tu destino
   b. Que la cultura es opcional
   c. Que si naces en algún sitio, eres ciudadano/a
   d. Que te guste o no, la cultura forma parte de ti
6. ¿Cuál es el propósito de la infografía?
   a. Dar la receta del mole poblano
   b. Explicar la historia del mole
   c. Informar sobre la importancia del mole
   d. Enseñar la historia mexicana
7. Según la infografía, ¿qué es el mole poblano?
   a. Un plato poco conocido
   b. Un plato muy sabroso
   c. Un plato moderno
   d. Un plato con orígenes europeos
8. Si tuvieras que elegir qué tienen en común las dos fuentes, ¿qué dirías?
   a. Las tradiciones y la comida crean subculturas en un país.
   b. Las tradiciones y la comida forman parte de la cultura y la identidad.
   c. La historia se construye con las comidas y las tradiciones.
   d. La historia influye a la tradición.

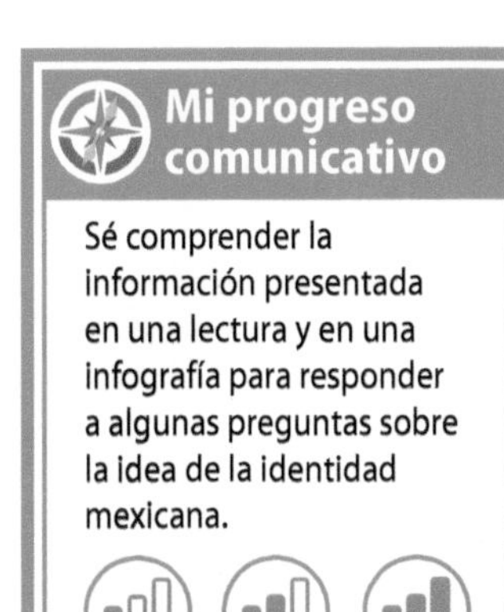

Paso 3

Instrucciones: Para comprender mejor las prácticas y perspectivas culturales que se encuentran en tu comunidad y en las fuentes, usa estas preguntas de discusión para enfocarte en los temas relevantes de esta conexión.

Prácticas culturales

1. ¿Qué expresa el articulo sobre lo que hicieron las élites de la época de la Independencia para impulsar la mexicanidad?
2. Según el artículo, ¿cuáles son algunas actividades que ayudan a definir la identidad mexicana? ¿Conoces otras?
3. ¿Cuáles son algunas prácticas tradicionales de tu comunidad que son similares o diferentes de las que se mencionan en estas fuentes?

Perspectivas culturales

1. ¿Por qué valoran los mexicanos su mexicanidad?
2. ¿Por qué es el mole un reflejo del orgullo cultural que tienen los mexicanos por su mexicanidad?
3. ¿Qué características de su carácter e historia valora tu comunidad?

San Miguel de Allende, México

Presenta

Para mejorar tu capacidad de hacer una presentación oral, vas a leer sobre las múltiples caras de los mexicanos. La presentación se basará en la pregunta de **El enfoque**.

El enfoque: ¿Cómo contribuye la diversidad cultural a desarrollar la identidad nacional?

Paso 1: El texto relevante

Introducción: Este artículo, *Cosmopolita... las mil caras del mexicano*, trata de cómo la mexicanidad se nutre de la diversidad. El artículo fue publicado por la revista Warp Magazine, California.

Cosmopolita... las mil caras del mexicano

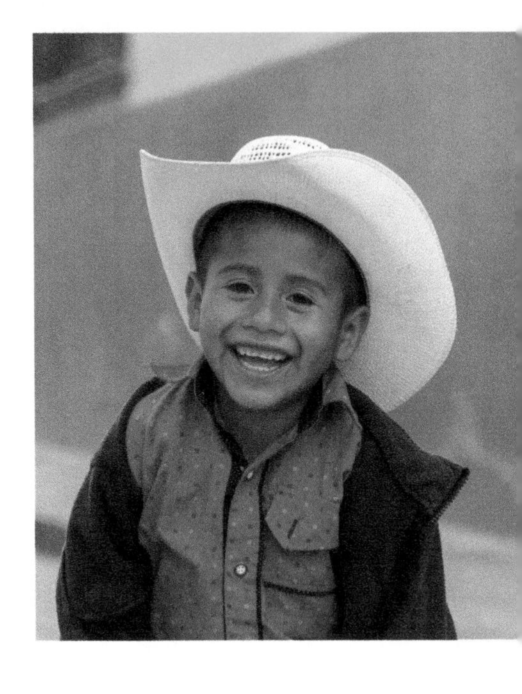

Nuestras categorías para describir a quienes nos rodean y son diferentes a nosotros han evolucionado y se han diversificado de tal manera, que hoy es más que complicado desarrollar un sentido de identidad colectiva que nos permita reconocernos como parte de algo... peor aún, de algo trascendente. Si a eso agregamos nuestro origen genético y nuestra diversidad cultural, la ecuación se vuelve realmente indescifrable.

No solo mexicas y raíces étnicas locales se mezclan en nuestra sangre, sino que españoles, franceses, chinos, negros africanos, italianos, alemanes, argentinos, japoneses y coreanos, árabes y libaneses también navegan en nuestras arterias y en nuestra psique, construyendo una visión del mundo que de tan diversa, se vuelve un mosaico de posibilidades infinitas.

La mexicanidad se va alimentando de la materia prima de la diversidad, somos tantos y con tanto acervo, que nuestra cultura se transforma en un crisol donde además, inmersos en el océano de la internet y las redes sociales, el mundo entero mete su cuchara en nuestro ecléctico guacamole que consolida el México de hoy.

Lo cierto es que ahora, lo que somos de manera social va mucho más allá de nuestras fronteras. México es uno con el mundo: el arte, la gastronomía, la música, el cine, la moda, la cultura y la vida se vuelven una experiencia que solo logra su excelencia cuando llega a toda la comunidad planetaria y se vuelve parte de nuestra genética humana, más allá de banderas y nacionalidades...

Es por ello que cualquier forma de discriminación, ya sea basada en la preferencia sexual, la cantidad y calidad de los tatuajes que portamos, el color de la piel, la condición socioeconómica, el nivel de estudios o la procedencia educativa, se vuelven obsoletos cuando entendemos que el componente clave de nuestra realidad actual es el cambio constante y la diversificación.

Kaeri Tedla, Warp (2017), "Cosmopolita...las mil caras del mexicano... #WARPBeforeAndAfter", Adaptado de https://tinyurl.com/ycalkwr9.

Paso 2: La exploración

Instrucciones: Para conocer más sobre la identidad nacional y la cultura en general, vas a investigar sobre otras identidades nacionales de tu comunidad o de una comunidad que te sea familiar. También puedes hablar directamente con alguien de tu entorno.

AP® Paso 3: La presentación

Instrucciones: Vas a dar una presentación oral a tu clase sobre un tema cultural. Vas a tener 4 minutos para leer el tema de la presentación y prepararla. Después vas a tener 2 minutos para grabar tu presentación en la guía digital, el sitio *web* estudiantil donde puedes encontrar prácticas y recursos adicionales para este libro.

En tu presentación, compara una región del mundo hispanohablante que te sea familiar con tu propia comunidad. Debes demostrar tu comprensión de aspectos culturales del mundo hispanohablante y organizar tu presentación de una manera clara.

El tema: ¿Cuál es la importancia en tu comunidad de conservar la identidad nacional en un mundo cada vez más multicultural?

Atando cabos sueltos

Una conversación simulada

AP® Ahora que has completado esta conexión, tienes la oportunidad de practicar en la guía digital una conversación simulada que sigue el formato de la tarea en el examen de AP®. Fíjate en que esta conversación se basa en el tema de esta conexión.

Tu progreso comunicativo e intercultural

Después de grabar la conversación simulada, evalúa tu progreso durante esta conexión en el Apéndice A y en **Mi portafolio** en la guía digital para indicar lo que has aprendido a hacer.

Palacio de Bellas Artes, Ciudad de México

Conexión 2

Los factores que influyen en la integración cultural

El enfoque: ¿En qué consiste el proceso de aculturación?

¿Qué sabes?

Fíjate en... los desafíos y choques culturales que enfrentan los inmigrantes.

Vocabulario para una mejor discusión

Para mejorar tu capacidad de participar más ampliamente en las conversaciones de clase, encontrarás aquí vocabulario útil y pertinente para el tema de esta conexión. Además, este vocabulario te va a ayudar a aumentar y desarrollar tu español en general.

ajustarse a nuevas situaciones culturales (adaptarse)	**inquieto/a** sobre diferencias culturales que no entiende (nervioso/a)
la asimilación a una nueva cultura requiere la aceptación (la adaptación)	**el país de acogida** recibe a los inmigrantes (el país receptor)
el choque cultural impacta a los extranjeros emocionalmente (el contacto con diferencias culturales)	**prejuicioso/a** contra los inmigrantes (discriminatorio/a)
la enajenación resulta en la separación social (la alienación)	**el prejuicio** sobre un grupo étnico (la intolerancia)
enfrentar obstáculos define la vida de los inmigrantes (confrontar)	**la vivienda** provee seguridad y comodidad para la familia (el domicilio)

ESTRATEGIAS

Observa y realiza para usar listas de vocabulario

Observa: Esta lista ofrece vocabulario útil para esta conexión y para otros temas más universales. Son palabras que puedes usar en muchos contextos.

Realiza: Al estudiar esta lista por primera vez, usa sus componentes para recordar las palabras. Usa el sinónimo para aclarar el significado de la palabra principal. Usa la palabra principal en una oración original que comunique algo sobre tu vida. Por ejemplo: (ajustarse) "Siempre me ajusto a situaciones nuevas sin mucha dificultad porque soy una persona flexible". Es importante conectar el nuevo vocabulario con tu propia experiencia.

Desarrollando tu vocabulario

Antes de participar en las discusiones de clase, accede a tu cuenta en la guía digital, el sitio *web* estudiantil donde puedes encontrar práctica y recursos adicionales para este libro. Hay ejercicios para ayudarte a recordar y usar el **Vocabulario para una mejor discusión.**

Comunica

AP® **Instrucciones**: Vas a escribir una respuesta a un mensaje electrónico. Vas a tener 15 minutos para leer el mensaje y escribir tu respuesta. Tu respuesta debe incluir un saludo y una despedida, y debe responder a todas las preguntas y peticiones del mensaje. En tu respuesta, debes pedir más información sobre algo mencionado en el mensaje. También debes responder de una manera formal.

Introducción: Has recibido este mensaje electrónico porque expresaste interés en unirte al comité, Bienvenida a los recién llegados. El comité planea celebrar el 16 de septiembre con una gala para toda la comunidad.

De: Pedro Pablo Hidalgo   Cc Bcc

Asunto: Celebración 16 de septiembre

Muy estimado/a anfitrión/a:

Gracias por su interés en unirse a nuestro comité. ¡Nuestros planes son estupendos y, diría, hasta espectaculares! ¡Este 16 de septiembre vamos a celebrar, el Día de la Independencia de México de España! ¡Fíjese! Vamos a tener un desfile con músicos y bailarines que va a marchar hasta el zócalo de nuestro querido pueblo. Allá habrá fuegos artificiales, comida tradicional mexicana y decoraciones como flores y banderas mexicanas. ¿Qué le parece a Ud.?

Pero, primero, unas preguntas para ver si de veras quiere ayudarnos a montar esta celebración.

- ¿Cree Ud. que así podemos ayudar a los inmigrantes a ajustarse a nuestra cultura, ya que somos el país de acogida?
- ¿Le parece una buena idea incluir banderas y comida tradicional para facilitar la asimilación de los inmigrantes y ayudarles a enfrentar los prejuicios antiinmigrantes?
- ¿Piensa que con estos planes podemos disminuir el choque cultural que frecuentemente acompaña los sentimientos de enajenación?

Quedo a la espera de su respuesta y comentarios. ¡Ojalá Ud. nos pueda ayudar!

Le saluda cordialmente, Pedro Pablo Hidalgo, Coordinador

Responder

Exprésate

Vas a usar estas preguntas para ayudarte a resumir los temas generales de esta conexión a partir de tus observaciones sobre la vida de los inmigrantes en tu comunidad. Recuerda que una comunidad es cualquier conjunto de personas, ya sea tan pequeña como una familia o tan grande como un continente. Las preguntas se basan en las imágenes presentadas al principio de esta conexión.

- Describe los desafíos que serían más difíciles de superar para los inmigrantes de tu comunidad.
- Con respeto a los choques culturales presentados en las imágenes, ¿por qué algunas ilustran situaciones en las que los inmigrantes no tienen control?
- ¿Qué retos deben enfrentar los inmigrantes para tener éxito y sobrevivir en la cultura de tu país?
- Describe otros obstáculos culturales no mostrados en estas imágenes que los inmigrantes tienen que enfrentar en tu comunidad para evitar la enajenación.
- ¿Cuáles son los servicios sociales que pretenden ayudar a asegurar la asimilación de los inmigrantes de tu comunidad?

¡Para saber más!

¿Cómo te ajustaste cuándo cambiaste de colegio?

Paso 1

Instrucciones: ¿No somos todos inmigrantes/emigrantes/migrantes? Muchas veces lo somos sin traspasar un océano o un continente. Hasta hemos sido extranjeros en nuestra propia tierra. Cuando nos trasladamos de una situación a otra, tenemos que ajustarnos para asimilar y calmar los nervios inquietos. Déjate llevar por tu imaginación y sueña despierto/a con el primer día de clases en un nuevo colegio o en un nuevo nivel del colegio.

Luego, describe "los desafíos que serían más difíciles de superar para los inmigrantes de tu comunidad" en **Exprésate** y sustituye la frase "los recién llegados como yo" por la palabra "los inmigrantes" y la palabra "comunidad" por "colegio". ¡A ver cómo contestas a esa pregunta ya que estás en la piel de otros! Piensa en el choque cultural que enfrentaste, los sentimientos que sentiste y las acciones que tomaste para superar los retos y ajustarte a la nueva cultura. Aquí te ofrecemos un organizador gráfico para apuntar lo que te pasó ese primer día de clases.

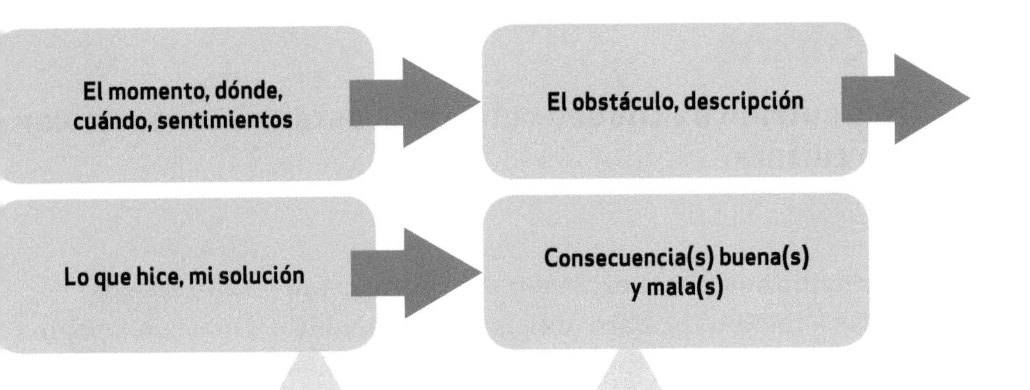

Paso 2

Instrucciones: Ya que te acuerdas de un obstáculo que tuviste que vencer el primer día de clases en un nuevo colegio, reúnete con otros de la clase para compartir tu momento de inmigrante. Con tus compañeros haz una lista de recomendaciones y consejos para que otros estudiantes puedan superar los desafíos que enfrentaste al asimilarte a la nueva cultura de tu cole. ¡OJO! ¡Prepárate bien porque la directiva de tu colegio se va a interesar en tus ideas!

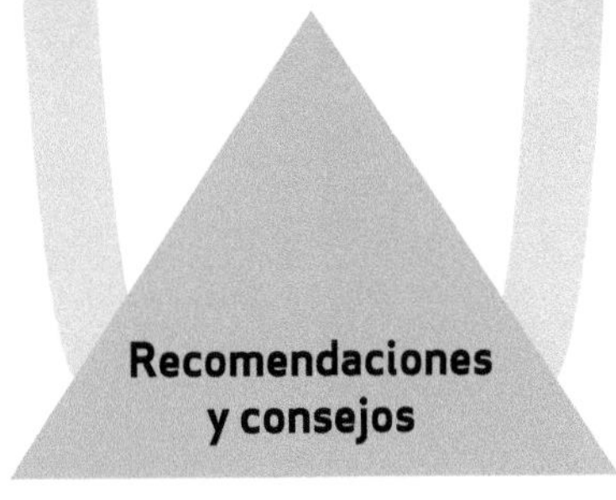

AP® Paso 3: Aplicación práctica

Instrucciones: Vas a dar una presentación oral a la directiva de tu colegio sobre un tema cultural. Vas a tener 4 minutos para leer el tema de la presentación y prepararla. Después vas a tener 2 minutos para grabar tu presentación.

En tu presentación, compara una región del mundo hispanohablante que te sea familiar con tu propia comunidad. Debes demostrar tu comprensión de aspectos culturales en el mundo hispanohablante y organizar tu presentación de una manera clara.

Tema de la presentación: ¿Cómo influyen factores culturales y políticos en la experiencia de asimilarse a una nueva comunidad?

Infórmate

¿Has sufrido de choque cultural al estar en contacto con otra cultura?

Paso 1

Instrucciones: Estos extranjeros se encuentran en situaciones nuevas e incómodas. Para anticipar el contenido del artículo, imagina que estás estudiando Sicología y para tu examen final tienes que diagnosticar los síntomas emocionales que están padeciendo estas personas. Según las imágenes, ¿qué emociones ves en los gestos? Escribe tu diagnóstico y pronóstico en tu cuaderno y pásalo a tu mentor/a para discutir tus hallazgos.

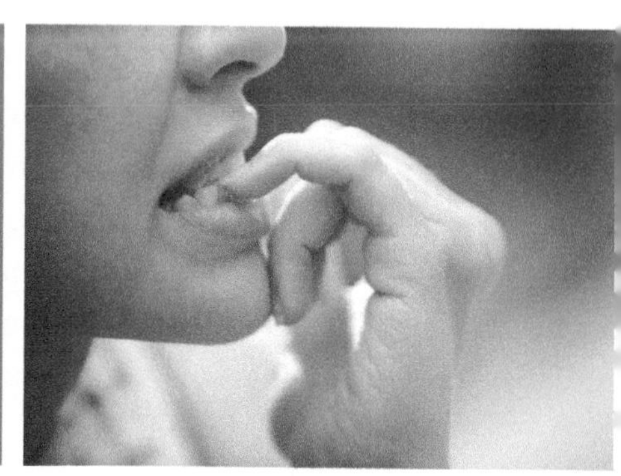

Paso 2

Instrucciones: La investigación es una parte importante de tu formación como sicólogo/a. Tu profesora de Sicología te asigna la lectura de este artículo. Léelo para conectarlo con las emociones presentadas en las imágenes de los inmigrantes recién llegados en **Paso 1**.

Introducción: Este artículo abreviado, *Choque cultural: el gran desafío para los migrantes*, trata de los efectos emocionales al enfrentar los cambios culturales que viven los inmigrantes. El artículo fue escrito por Carlos Rivas, psicoterapeuta radicado en Toronto, Canadá.

CHOQUE CULTURAL: EL GRAN DESAFÍO PARA LOS MIGRANTES

Migrar supone un desgarro. Eso lo sabemos todos los que dejamos nuestro país de origen y nos instalamos en otro. Incluso si todo marcha sobre ruedas, debemos admitir que es un proceso complejo, donde el costo emocional a veces es elevado. ¿Y por qué si lo planeamos, si lo pensamos como un cambio para bien, no es tan fácil?

La respuesta se resume en dos palabras: choque cultural. Cuando nos mudamos de país cambiamos, además de la geografía, esas coordenadas que estructuraron y orientaron nuestra vida hasta el momento de nuestra partida. En cuanto empezamos a instalarnos en otro país comienza un camino de reajuste entre lo que sabemos y damos por sentado y ese modo distinto de hacer las cosas.

En este sentido, el choque cultural ocurre cuando alguien experimenta la pérdida de lo familiar, junto a la presencia abrumadora de un mundo cultural que está, al menos al principio, más allá del entendimiento.

La sensación es, además de todo, frustrante. Nuestra ignorancia sobre las reglas y los modos se hace evidente y es obvio que un niño nativo, bajo las mismas circunstancias, funciona mejor que nosotros. En consecuencia, la autoestima se resquebraja y la confusión y la falta de poder sobre la propia vida genera sensaciones de duda. Por todo este estrés, no es de extrañar que podamos identificar el choque cultural a partir de ciertos indicadores, tales como enfermedades físicas, aislamiento, irritabilidad, desórdenes del sueño y/o la alimentación, miedo generalizado, exceso de emocionalidad o dificultad para expresar los sentimientos, hostilidad e incluso síntomas que en nuestro país de origen son relacionados con la locura.

De hecho, el choque cultural se resuelve cuando emerge una nueva identidad, esa que integra lo que valoras de tu cultura de origen junto a lo que necesitas para funcionar adecuadamente en tu nueva cultura. Es una aventura muy interesante; ya no serás de allá, ni serás completamente de acá; serás, al menos, bicultural; serás una síntesis particular resultado de tus propias vivencias. Hay mucho espacio para que este camino sea además de complejo, gratificante.

Carlos Rivas (2012), "Choque cultural: El gran desafío para los inmigrantes", CC BY-NC 4.0, Adaptado de https://tinyurl.com/y8y98xaj.

Paso 3

Instrucciones: Para ayudarte a entender el impacto emocional del choque cultural, tu profesor/a trata de encontrar las ideas que no entendiste cuando leíste el artículo. Siendo un/a buen/a estudiante de Sicología, sabes que necesitas mostrar tu capacidad de entender y recordar detalles del artículo. Aquí tienes preguntas que te van a guiar en un repaso de las ideas importantes de la lectura.

1. ¿Qué significan las expresiones “todo marcha sobre ruedas” (línea 3), “esas coordenadas que estructuraron y orientaron nuestra vida” (líneas 9–10), “un camino de reajuste” (líneas 11–12), “lo que… damos por sentado” (línea 12), “la autoestima se resquebraja” (línea 21), y “una síntesis” (línea 35)?
2. ¿Cómo ayuda a comunicar el propósito de este artículo el tipo de lenguaje que usa el autor para describir las consecuencias del choque cultural?
3. ¿Cuáles son algunas potenciales consecuencias del estrés de sufrir un choque cultural?
4. ¿Qué actitud ante el choque cultural promueve el autor?
5. ¿Transmite el artículo una actitud negativa o positiva de nuestra capacidad de enfrentar con éxito el choque cultural?

Paso 4

Tema de debate: La mejor manera de evitar los síntomas del choque cultural y sentirse feliz es adoptar las prácticas y perspectivas del país de acogida.

¿Qué más necesitas saber?

Vocabulario para una mejor comprensión

Para comprender las ideas principales de las dos fuentes en **¿Aprecias la cultura hispanohablante?** de esta conexión, estudia y practica el uso de estas palabras antes de leerlas y escucharlas.

agarrar	atrapar; aprisionar con la mano Algunos chilenos dicen que hay que **agarrar** a los inmigrantes delincuentes y echarlos del país.
alzar la voz	expresarse; declarar la opinión de uno Los chilenos no tienen miedo de **alzar la voz** para expresar sus opiniones políticas.
destacar	resaltar; hacer más notable Hay varias costumbres que los inmigrantes **destacan** como las más dignas de comentar.
el hecho	el asunto; algo cierto Al actor no le preocupa **el hecho** de que haya muchos inmigrantes en Chile.
la iniquidad	la injusticia; la maldad que hace daño a otros El mexicano sin trabajo dice que los chilenos necesitan erradicar **la iniquidad** económica.
manifestarse	protestar; salir a la calle con otros para expresar su opinión Los chilenos van a las calles para **manifestarse** cuando no están de acuerdo con el Gobierno.
quitar	tomar; dejar a alguien sin algo que tenía antes Algunos chilenos dicen que los inmigrantes les **quitan** el trabajo.
sacar	separar; poner fuera de donde estaba antes algo o a alguien Algunos dicen que los chilenos deben **sacar** a los inmigrantes del país.
salir adelante	triunfar; tener éxito Algunos inmigrantes admiran la capacidad de los chilenos de **salir adelante** en momentos de crisis.
valorar	apreciar; estimar el valor de algo o de alguien Los inmigrantes **valoran** muchos aspectos de la cultura chilena.

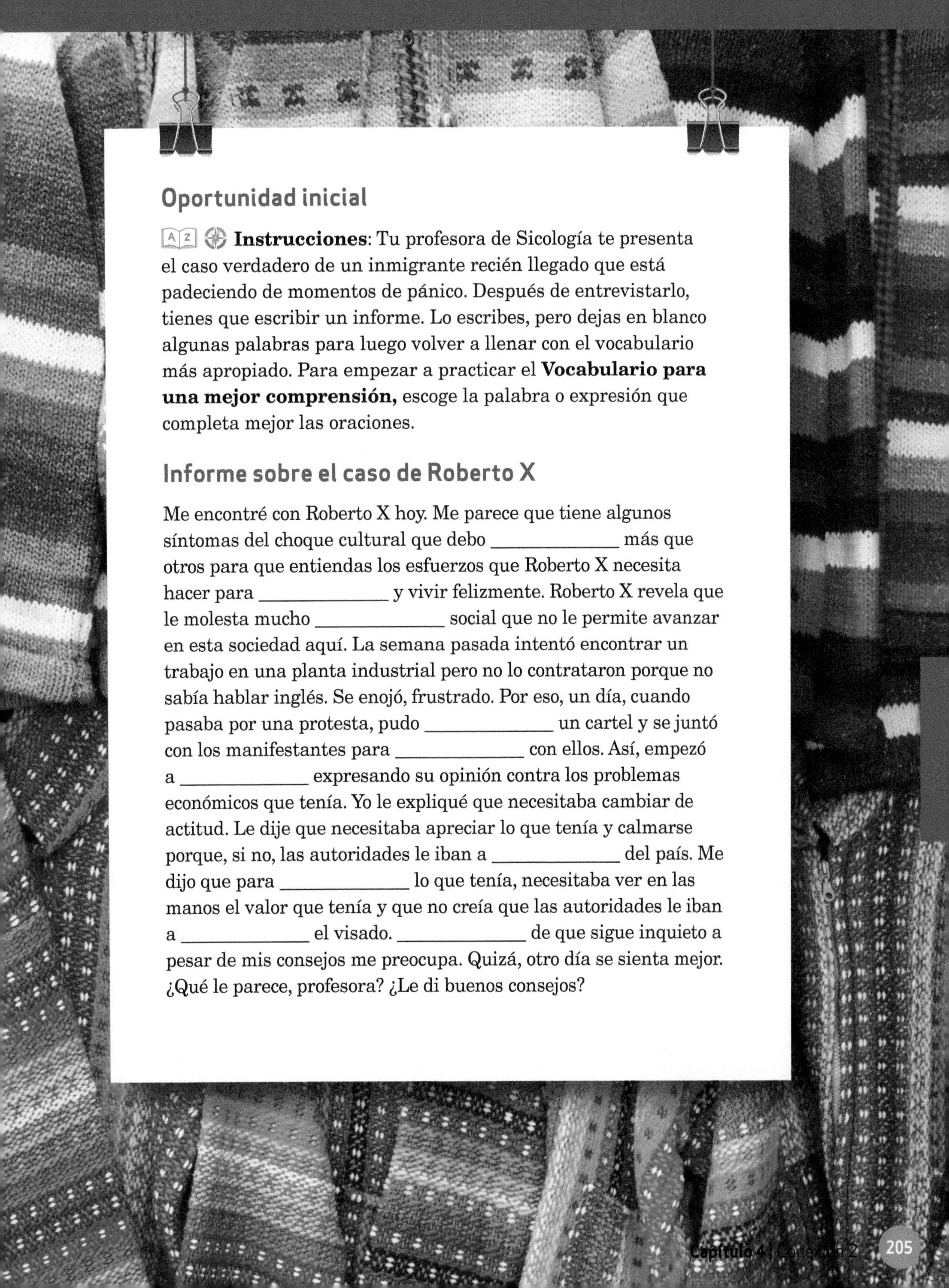

Oportunidad inicial

Instrucciones: Tu profesora de Sicología te presenta el caso verdadero de un inmigrante recién llegado que está padeciendo de momentos de pánico. Después de entrevistarlo, tienes que escribir un informe. Lo escribes, pero dejas en blanco algunas palabras para luego volver a llenar con el vocabulario más apropiado. Para empezar a practicar el **Vocabulario para una mejor comprensión,** escoge la palabra o expresión que completa mejor las oraciones.

Informe sobre el caso de Roberto X

Me encontré con Roberto X hoy. Me parece que tiene algunos síntomas del choque cultural que debo ______________ más que otros para que entiendas los esfuerzos que Roberto X necesita hacer para ______________ y vivir felizmente. Roberto X revela que le molesta mucho ______________ social que no le permite avanzar en esta sociedad aquí. La semana pasada intentó encontrar un trabajo en una planta industrial pero no lo contrataron porque no sabía hablar inglés. Se enojó, frustrado. Por eso, un día, cuando pasaba por una protesta, pudo ______________ un cartel y se juntó con los manifestantes para ______________ con ellos. Así, empezó a ______________ expresando su opinión contra los problemas económicos que tenía. Yo le expliqué que necesitaba cambiar de actitud. Le dije que necesitaba apreciar lo que tenía y calmarse porque, si no, las autoridades le iban a ______________ del país. Me dijo que para ______________ lo que tenía, necesitaba ver en las manos el valor que tenía y que no creía que las autoridades le iban a ______________ el visado. ______________ de que sigue inquieto a pesar de mis consejos me preocupa. Quizá, otro día se sienta mejor. ¿Qué le parece, profesora? ¿Le di buenos consejos?

¿Aprecias la cultura hispanohablante?

Lectura con audio

AP® **Introducción**: Vas a escuchar una o varias grabaciones. Algunas grabaciones van acompañadas de lecturas. Cuando haya una lectura, vas a tener un tiempo determinado para leerla. Para cada grabación, primero vas a tener un tiempo determinado para leer la introducción y prever las preguntas. Vas a escuchar cada grabación dos veces. Mientras escuchas, puedes tomar apuntes. Tus apuntes no van a ser calificados. Después de escuchar cada selección por primera vez, vas a tener 1 minuto para empezar a contestar las preguntas; después de escuchar por segunda vez, vas a tener 15 segundos por pregunta para terminarlas. Para cada pregunta, elige la mejor respuesta según la grabación o el texto.

Fuente número 1

Introducción: Esta lectura abreviada, *8 extranjeros nos cuentan su impresión de las costumbres chilenas*, trata de algunas entrevistas con latinoamericanos que han ido a Chile a vivir. Es un artículo escrito por Macarena Fernández para *El Definido*, un diario electrónico de Chile.

8 extranjeros nos cuentan su impresión de las costumbres chilenas

Chile se ha transformado en un país referente en el continente en estabilidad, desarrollo, turismo, oportunidades y seguridad. Nuestros vecinos, y el mundo en general, nos ven como un país pacífico, poco conflictivo, con una naturaleza privilegiada y con buenas bases para seguir creciendo. (5)

En El Definido conversamos con ocho extranjeros que llevan al menos dos años viviendo en nuestro país, para saber qué costumbres **destacan** de los chilenos y cuáles debiésemos cambiar. Tomemos nota.

(10) ¿Qué has aprendido de nuestra cultura, que podrían imitarse en tu país? ¿Qué cosas **valoras** que existen aquí y sería bueno "exportar"?

Torres del Paine, Chile

Colombiana: "He aprendido que Chile (aunque muchos chilenos no lo sienten así), es un país organizado, estructurado, seguro; un país que va un paso más allá en muchos aspectos si se le compara con otros países de Latinoamérica [...] **Valoro** la visión y **valoro** cómo las personas constantemente **se manifiestan** por sus derechos y los derechos de los demás. **Valoro**, al menos en Santiago, la calidad de vida, el interés del país por la energía renovable y el cómo **salen adelante** como pueblo en medio de la tragedia".

Mexicano: "En general encuentro a los chilenos nobles y buenos amigos".

Boliviana: "La disconformidad es una de sus virtudes. El chileno es una persona que vive en democracia absoluta por lo que no tiene miedo a **alzar la voz**, ser autocrítico, y nunca estar conforme con lo que tiene ni con lo que es, porque siempre se puede ser mejor. Por esto, Chile está constantemente progresando [...]. Otra cosa que rescato es la conciencia ambiental y sin duda, su amor por La Roja".

¿Qué costumbres o actitudes deberíamos mejorar?

Colombiana: "He aprendido de Chile que las personas deberían **valorar** mucho más lo que tienen y aún más, **valorar** sus raíces, pues, éstas se ven opacadas por las ansias de parecerse a los grandes países desarrollados".

Mexicano: "Obviamente hay algunos puntos en que mejorar, por ejemplo, el costo de la educación, la salud, **la iniquidad** monetaria y contaminación de mineras e industrias grandes en reservas y tesoros naturales".

El Definido, Macarena Fernández (2017), "8 Extranjeros nos cuentan sus impresiones sobre costumbres chilenas", Puede encontrar más contenido como este en: www.eldefinido.cl.

Exploraciones culturales

La boliviana que fue entrevistada para el artículo dice que valora el cariño que los chilenos tienen por La Roja. La Roja es el apodo de la selección nacional de fútbol de Chile. Muchos países de Latinoamérica tienen apodos para su equipo nacional basados en el color de sus uniformes. Explora el apodo para las secciones de Argentina, Bolivia, Colombia, Nicaragua, Paraguay, Perú, Uruguay y Venezuela, por ejemplo.

Fuente número 2

Introducción: Este audio, *Inmigrantes en Chile*, trata de la opinión de algunos chilenos hacia la llegada de los inmigrantes. Fue emitido en Chile por José Miguel Valenzuela, autor y dueño del audio. Una locutora entrevista a algunos chilenos en las calles sobre la pregunta "¿Qué opina de la masiva llegada de inmigrantes al país?"

¿Qué aprendiste?

Paso 1

Instrucciones: Para mostrar lo que has entendido de la lectura y del audio, discute en grupos pequeños las respuestas a estas preguntas basándote en lo que recuerdas.

1. ¿Por qué crees que les importan tanto a los inmigrantes los puntos positivos que destacan sobre los valores de la cultura chilena?
2. ¿En qué valores culturales basan los chilenos algunas opiniones negativas que tienen respecto a los inmigrantes?
3. Según lo que puedes inferir de las dos fuentes, ¿por qué quieren quedarse en Chile tantos extranjeros?

AP® Paso 2

Instrucciones: Para comprender mejor algunos detalles de las fuentes, responde a las siguientes preguntas según lo que se dice en el artículo y en el audio.

1. ¿Cuál es el propósito de la lectura?
   a. Entretener al público chileno con las opiniones de algunos inmigrantes sobre su país
   b. Promover entre el público chileno la importancia de los inmigrantes en el país
   c. Sugerir al público chileno costumbres y hábitos que deben cambiar
   d. Informar al público chileno de la opinión de los inmigrantes de su país
2. Según el artículo, ¿cómo se ve universalmente a Chile?
   a. Como un país bien organizado pero con demasiado interés en el materialismo
   b. Como un país estable con mucha posibilidad de progresar
   c. Como un país de oportunidades pero en desarrollo económico
   d. Como un país muy acogedor para los extranjeros
3. Según la colombiana del artículo, ¿qué admira más de Chile?
   a. Que Chile tenga un sentido del orden
   b. Que Chile tenga un sentido de democracia

c. Que Chile tenga un sentido de inclusión

d. Que Chile tenga un sentido de vitalidad

Huaso chileno

4. Según el artículo, ¿qué valoran de los chilenos ambas, la colombiana y la boliviana?

    a. El coraje de luchar por un medio ambiente sostenible

    b. El coraje de luchar por los derechos civiles

    c. El coraje de conformarse a las ideas de los países más desarrollados

    d. El coraje de expresar sus opiniones públicamente

5. Según las ideas expresadas en el audio, ¿cuál de las siguientes afirmaciones implica mejor por qué Chile ha sido el país al que han llegado tantos extranjeros?

    a. Es un país admirado y atractivo.

    b. Es un país acogedor y abierto.

    c. Es un país rico y estable.

    d. Es un país culto e intelectual.

6. Según el audio, ¿en qué se basa la mayoría de las actitudes chilenas sobre los inmigrantes?

    a. En el impacto económico de los inmigrantes

    b. En sus observaciones con respecto a los aportes artísticos de los inmigrantes

    c. En la conducta social de los inmigrantes

    d. En la inaguantable cantidad de inmigrantes

Valparaiso, Chile

San Pedro de Atacama, Chile

7. ¿Qué se puede deducir del audio con respecto a la actitud de los chilenos hacia los inmigrantes?
   a. Que hay un desacuerdo sobre el impacto de los inmigrantes
   b. Que hay mucho prejuicio contra los inmigrantes
   c. Que hay una gran preocupación por la calidad del aporte de lc inmigrantes
   d. Que hay unanimidad de opinión acerca del impacto de los inmigrantes
8. Según la locutora, ¿cuáles son las lecciones que se pueden sacar de las entrevistas?
   a. Es fundamental que haya muchas opiniones distintas sobre lo inmigrantes.
   b. Es imprescindible que los inmigrantes tengan un impacto positivo en Chile.
   c. Es obvio que los entrevistados no aportan mucho al debate sobre la llegada de los inmigrantes.
   d. Es importante que se investigue con más precisión el impacto de los inmigrantes.
9. ¿En qué se diferencian las dos fuentes en cuanto a las relaciones entre los inmigrantes y los chilenos?
   a. El artículo se concentra en la actitud de los inmigrantes y el audio en la de los chilenos.
   b. El artículo pone énfasis en preocupaciones sociales y el audio en preocupaciones económicas.
   c. El artículo habla de lo positivo y el audio de lo negativo de esa relación.
   d. El artículo propone cambios en las relaciones sociales y el audio propone cambios en las políticas públicas.
10. ¿Qué propósito periodístico tienen en común las dos fuentes acerca de los inmigrantes?
    a. Minimizar las opiniones que un grupo tiene del otro
    b. Presentar actitudes acerca del encuentro entre ciudadanos y extranjeros
    c. Moderar el conflicto entre los dos grupos
    d. Sondear el trato entre los chilenos y los inmigrantes

Paso 3

Instrucciones: Para comprender mejor las prácticas y las perspectivas culturales que se encuentran en tu comunidad y en la lectura y el audio, usa estas preguntas de discusión en grupos de compañeros de clase para enfocarte en cuestiones sociales y políticas.

Mi progreso intercultural

Sé conversar con hispanohablantes sobre la diversidad que los inmigrantes aportan a otro país.

Prácticas culturales

1. En las dos fuentes, ¿cómo contribuyen estas entrevistas a darles la bienvenida a los inmigrantes?
2. ¿Qué pueden hacer los chilenos para "conocer de manera más precisa los principales efectos socioeconómicos de la población inmigrante"?
3. ¿Qué hace tu comunidad para impedir o facilitar la llegada de los inmigrantes?

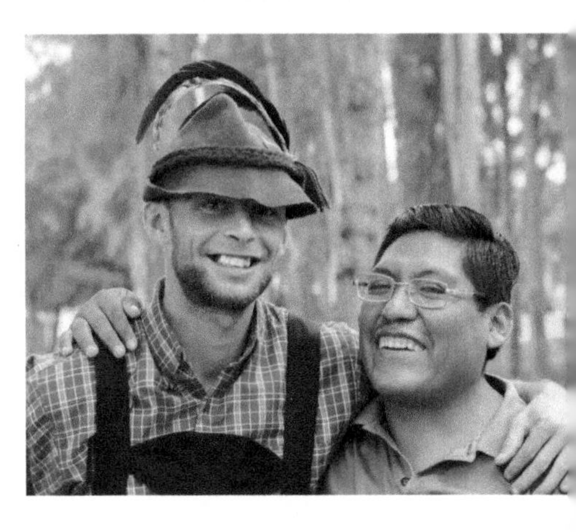

Perspectivas culturales

1. Según las dos fuentes, ¿por qué crees que valoran algunos de los inmigrantes el coraje de los chilenos para alzar la voz?
2. En el audio, ¿qué factores culturales e históricos impulsarían a un chileno a resaltar la importancia de la diversidad que los inmigrantes aportan a su país?
3. Describe qué ha valorado tu comunidad de los inmigrantes recién llegados.

Frutillar, Chile

Exploraciones culturales

La dictadura y Amumra

La narradora del video menciona la ley de la dictadura. Se refiere al período entre 1963 y 1983 en la Argentina cuando varias juntas cívico-militares mantuvieron control del país a través de acciones conocidas como "La guerra sucia". Bajo el Plan Cóndor, la Argentina y otros Gobiernos militares de Sudamérica coordinaron la dictadura en sus países.

La narradora también menciona Amumra (Asociación de Mujeres Unidas, Migrantes y Refugiadas en Argentina). Según su sitio *web* "es una organización civil de derechos humanos que trabaja por la calidad de vida de las mujeres migrantes y refugiadas" y sus familias.

Presenta

Es notable que muchos inmigrantes hayan tenido mucho éxito al arraigarse en un nuevo país. Muchas veces su éxito ha sido producto de su capacidad de contribuir a la comunidad de destino. Vas a ver un video de una inmigrante peruana que llegó a la Argentina. Luego, vas a hacer una investigación sobre la vida de otros inmigrantes exitosos y explicar tus hallazgos. La presentación se basará en la pregunta de **El enfoque**.

El enfoque: ¿En qué consiste el proceso de aculturación?

Paso 1: El texto relevante

Introducción: Este video, *Xenofobia*, trata de la historia de una empresaria peruana que llegó a la Argentina y se estableció con éxito. Natividad Obeso cuenta su propia historia. El video fue producido por Fundación La Nación en la Argentina.

Instrucciones: Mira el video intentando captar las razones por las cuales Natividad Obeso dejó a su país, llegó a la Argentina, tuvo que enfrentar obstáculos y desafíos tantos personales como políticos y encontró su nicho social en un nuevo país.

Paso 2: La exploración

Instrucciones: Como Natividad Obeso, inmigrante del Perú a la Argentina, muchos inmigrantes han superado privaciones y desafíos al establecerse en los Estados Unidos. Muchos de ellos han tenido mucho más éxito del que hubieran soñado. Con un/a compañero/a de clase, vas a investigar la vida de algunos inmigrantes hispanos que han tenido un impacto en la vida de los Estados Unidos.

¿Reconoces a estos personajes? Son solo algunos de los muchos que han venido al país "donde el oro rueda por las calles".

Nombre y fotos del/de la inmigrante exitoso/a en los Estados Unidos		
	Preguntas	**Respuestas**
nº1		
nº2		
nº3		
nº4		
nº5		

Paso 3: La presentación

Instrucciones: Para tu presentación, vas a desempeñar el rol del personaje famoso que investigaste. Serás un/a participante en un programa televisivo y tendrás un máximo de dos minutos para presentar su vida: sus orígenes, sus obstáculos y sus éxitos. No se permite el uso de apuntes. Otros compañeros van a representar otros canales en la tele de tu profesor/a.

Esta noche tu profesor/a está muy preocupado/a y aburrido/a y, por esto, está surfeando los canales en busca de un programa que le interese. Vas a empezar a dar tu presentación cuando tu profesor/a te haga clic en su control y vas a interrumpir tu presentación cuando él/ella haga clic en otro canal. Si él/ella vuelve a poner tu canal, vas a continuar con tu presentación donde habías dejado de hablar. ¡Disfruta la vida de una sensación popular de televisión!

Mi progreso comunicativo

Sé dar una presentación oral sobre los valores de resistencia y persistencia.

Atando cabos sueltos

Una conversación simulada

AP® Ahora que has completado esta conexión, tienes la oportunidad de practicar en la guía digital una conversación simulada que sigue el formato de la tarea en el examen de AP®. Fíjate en que esta conversación se basa en el tema de esta conexión.

Tu progreso comunicativo e intercultural

Después de grabar la conversación simulada, evalúa tu progreso durante esta conexión en el Apéndice A y en **Mi portafolio** en la guía digital para indicar lo que has aprendido a hacer.

Conexión 3

El impacto que han tenido los extranjeros

El enfoque: ¿Qué prácticas culturales han contribuido los inmigrantes a los países de acogida?

La gran diversidad del español

Idiomas en contacto

La migración transforma a las sociedades. Parte de esa transformación ocurre en el lenguaje. Estos son algunos ejemplos de la fusión del inglés y el español que podemos ver en las calles de los Estados Unidos.

¿Qué sabes?

Fíjate en... la influencia de la migración en la cultura.

Vocabulario para una mejor discusión

Para mejorar tu capacidad de participar más ampliamente en las conversaciones de clase, encontrarás aquí vocabulario útil y pertinente para el tema de esta conexión. Además, este vocabulario te va a ayudar a aumentar y desarrollar tu español en general.

aportar mi perspectiva cultural (contribuir)	**integrarse** en una comunidad diferente (unirse)
convivir con personas diversas (coexistir)	**involucrarse** en las actividades de la sociedad a la que emigras (participar)
enriquecer al país de acogida (engrandecer)	**la perseverancia** para adaptarse a una nueva realidad (la persistencia)
extranjero/a que viene de otra región a vivir aquí (forastero/a)	**probar** costumbres diferentes de la nueva cultura (experimentar)
la fusión de diferentes culturas contribuye a la diversidad (la mezcla)	**vencer** los obstáculos culturales (superar)

Desarrollando tu vocabulario

Antes de participar en las discusiones de clase, accede a tu cuenta en la guía digital, el sitio web estudiantil donde puedes encontrar práctica y recursos adicionales para este libro. Hay ejercicios para ayudarte a recordar y usar el **Vocabulario para una mejor discusión**.

Comunica

AP® **Instrucciones**: Vas a escribir una respuesta a un mensaje electrónico. Vas a tener 15 minutos para leer el mensaje y escribir tu respuesta. Tu respuesta debe incluir un saludo y una despedida, y debe responder a todas las preguntas y peticiones del mensaje. Debes responder de una manera formal.

Introducción: Recibes este correo electrónico de la directora de una escuela en Perú, como respuesta a tu solicitud de beca para un programa cultural en la ciudad de Arequipa.

Te pide más detalles sobre tu experiencia previa con culturas diferentes. Responde a su correo contestando a las preguntas y peticiones del correo original.

De: dirección@escuelaarequipa.pe Cc Bcc

Asunto: Su solicitud de beca para programa cultural

Estimado/a estudiante:

Le escribo para agradecerle su interés por nuestro programa de verano. Como sabe, este año el curso estará dedicado a las relaciones interculturales. Hemos revisado su solicitud de beca y tenemos algunas preguntas acerca del contenido de su carta. Usted menciona que siempre ha tenido ganas de visitar nuestro país, pero no nos dice por qué y si ha tenido experiencias con extranjeros o ha convivido con personas de otras culturas. ¿Conoce o ha conocido a personas de culturas diferentes a la suya? ¿Qué sabe de ellos, de sus costumbres y de cómo se han integrado a una nueva comunidad? ¿Piensa que los extranjeros han enriquecido la cultura de acogida?

Finalmente, si usted fuera uno de los beneficiarios de la beca y nos visitara en Arequipa, ¿qué piensa que podría aportar a nuestra comunidad como representante de su propia cultura?

Quedamos a la espera de su respuesta.

Reciba un cordial saludo,

Olga Fernández
Directora, Escuela Arequipa

Responder

Exprésate

Vas a usar las preguntas que siguen para entrevistar a tus compañeros y enterarte de su conciencia y conocimientos sobre el impacto de diferentes fusiones culturales dentro de su comunidad y otras comunidades de su país. Considera cómo la diversidad cultural ha transformado tu comunidad o a ti personalmente.

- ¿Qué culturas diversas representan tú y tu familia?
- ¿Cuál ha sido el aporte de tu familia o tu cultura extranjera a tu comunidad?
- ¿Qué tradiciones o costumbres provenientes de tu cultura se mantienen en tu familia?
- ¿Qué costumbres de una nueva cultura has adoptado o te gustaría adoptar?
- ¿Cuáles son las ventajas de convivir con gente de culturas diferentes?

¡Para saber más!

¿Cómo ha cambiado la migración la cultura de la sociedad donde vives?

Paso 1

Instrucciones: Hoy en día, vemos cada vez más ejemplos de personas que se establecen en otro país por diferentes razones. Al hacerlo, se llevan con ellos su cultura y tradiciones, lo cual enriquece la cultura del país que los acoge. Vas a explorar tus propias ideas sobre las influencias culturales que has visto en tu comunidad como producto de la migración. Compártelas con tus compañeros de clase, y luego en **Paso 2** investiga los efectos de la migración desde el punto de vista de las comunidades hispanohablantes. Recuerda que una comunidad puede ser tan pequeña como una familia o tan grande como un continente.

¿Cómo ha cambiado la migración la cultura donde vives?		
Efectos de la migración en mi comunidad	**En la comunidad según mis compañeros**	**En comunidades hispanohablantes**
1		
2		
3		

Paso 2

Instrucciones: Después de completar el organizador gráfico y de investigar los efectos de la migración en comunidades hispanohablantes, vas a conversar con un compañero/a y comparar tus propias experiencias con la fusión cultural para conectarla con tu investigación. Tu profesor/a te dará algunos temas de discusión para guiarte en la conversación.

·P® Paso 3: Aplicación práctica

nstrucciones: Vas a participar en una conversación. Primero, ·as a tener un minuto para leer la introducción y el esquema de a conversación. Después, comenzará la conversación, siguiendo el squema. Cada vez que te corresponda participar en la conversación, ·as a tener 20 segundos para grabar tu respuesta.

)ebes participar de la manera más completa y apropiada posible.

ntroducción: Tu amiga Marina, quien vive en Perú, te llama para ·edirte ayuda con una presentación cultural de su escuela.

Marina	▶ Te saluda y te hace una pregunta.
Tú	▶ Salúdale y contesta su pregunta.
Marina	▶ Continúa la conversación y te pide más información.
Tú	▶ Responde con detalles.
Marina	▶ Reacciona y te hace más preguntas.
Tú	▶ Responde de forma negativa.
Marina	▶ Te hace una pregunta.
Tú	▶ Responde con detalles.
Marina	▶ Te hace una pregunta.
Tú	▶ Reacciona y despídete.

Mi progreso comunicativo

Sé participar en una conversación, responder, hacer preguntas y dar opiniones sobre las contribuciones que la diversidad de sus miembros aportan a una comunidad.

Palabras imprescindibles para esta fuente

la apertura
la tolerancia; tener la mente abierta

el bagaje
el cúmulo; el conjunto de conocimientos o experiencias que posee una persona

el intercambio
la reciprocidad; darle algo a alguien y recibir algo a cambio

Infórmate

¿Cómo contribuye la migración a la cultura de una comunidad?

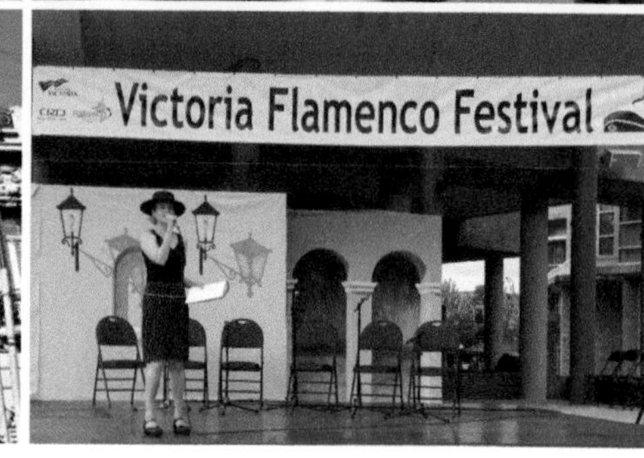

Paso 1

Instrucciones: Antes de leer el artículo, mira las imágenes y piensa en cómo la migración afecta a la cultura de acogida. ¿Crees tú que a la gente le gusta la idea de que su cultura se transforme? ¿Cuál crees que es el resultado de la migración en la cultura?

Paso 2

Instrucciones: Hoy en día, la migración es un fenómeno que afecta a muchas regiones del mundo por igual. Dejar tu país y establecerte en una nueva cultura tiene cosas positivas y negativas. Al leer este artículo, presta atención a las consecuencias principales que tiene la migración en la cultura. Toma apuntes y forma tu propia opinión sobre ellas.

Introducción: Este artículo abreviado, *Las 5 Consecuencias Culturales de la Migración Más Destacadas*, trata de las consecuencias más importantes que ocurren cuando se emigra a otro país. El artículo fue escrito por Joaquín Montano y publicado en Lifeder.com, un medio digital de Sevilla, España, en 2018.

Las 5 Consecuencias Culturales de la Migración Más Destacadas

Las consecuencias culturales de la migración van desde el intercambio de ideas y de conocimientos, hasta posibles choques entre la población local y los recién llegados, muchas veces con costumbres o religiones diferentes. En cualquier caso, estas (5) consecuencias varían si se miran desde un ámbito o desde el otro: desde los países de origen o desde de los países de destino.

Apertura a nuevas ideas

Los migrantes suelen llevar consigo parte de su cultura, de su forma de vivir y de sus tradiciones. Su establecimiento en un (10) nuevo país trae consigo que parte de ese bagaje se asimile entre los locales: desde la gastronomía hasta las fiestas. Esto ayuda a acabar con la lacra del racismo, muchas veces provocado por el miedo a lo desconocido.

Por otra parte, los propios inmigrantes al volver a sus países de (15) origen, aunque sea temporalmente, llevan con ello parte de las ideas aprendidas en su nuevo lugar de residencia, enriqueciendo su cultura.

Intercambio cultural

No cabe duda de que, a lo largo de la historia, se encuentran (20) innumerables ejemplos de cómo los migrantes han influido en las identidades culturales, artísticas y lingüísticas de sus lugares de acogida.

Mezclas musicales que crean nuevos géneros, bailes que saltan el océano o comidas que se convierten en típicas con el tiempo. Por (25) ejemplo, hoy nadie imagina Nueva York sin las pizzas italianas o los restaurantes chinos.

Este intercambio se nota incluso en el lenguaje, ya que se incorporan nuevos vocablos al habla normal de la calle, intercambio que se produce en ambos sentidos.

Joaquin Montano (2018), "Las 5 Consecuencias Culturales de la Migración Más Destacadas" Adaptado de https://tinyurl.com/ycppx65e.

Paso 3

Instrucciones: Para mejorar tu capacidad de comunicarte con otros, conversa con un/a compañero/a y responde apropiadamente a las preguntas.

1. ¿Por qué crees que es una buena idea que el bagaje cultural que traen los migrantes sea asimilado por los locales?
2. ¿Qué pueden hacer los migrantes para mantener su identidad cultural mientras viven en otra cultura?
3. ¿Qué motivos tienen algunas personas para rechazar las nuevas ideas o costumbres de los migrantes?
4. ¿Qué ejemplos de la apertura de ideas mencionadas en el artículo has observado en tu comunidad?
5. ¿Cuáles son otros ejemplos de intercambios culturales que provienen de la migración?

Paso 4

Tema de debate: Las prácticas culturales de los inmigrantes no enriquecen la comunidad de acogida.

Charro Days Fiesta en Texas: Fusión mexicoamericana

¿Qué más necesitas saber?

Vocabulario para una mejor comprensión

Para comprender las ideas principales de las dos fuentes en **¿Aprecias la cultura hispanohablante?** de esta conexión, estudia y practica el uso de estas palabras antes de escucharlas y leerlas.

la aceptación	la aprobación; consentir una cosa La mezcla de sabores de las dos culturas ayudó a **la aceptación** del chifa por parte de los peruanos.
la adecuación	la adaptación; el acondicionamiento de algo Fue necesario una **adecuación** de los ingredientes de las dos culturas para satisfacer el gusto de todos.
calar	penetrar; atravesar algo La comida china pudo **calar** hondo en la gastronomía de Perú.
criollo/a	latinoamericano/a; hijo/a de europeos, pero nacido/a en América La comida china se adaptó al gusto **criollo**.
darse a conocer	hacerse conocido/a; mostrarse al público El artista quiere que sus alumnos puedan **darse a conocer** en el extranjero.
los descendientes	los herederos; los sucesores Los **descendientes** de los chinos en Perú representan una de las colonias chinas más grandes en Latinoamérica.
el grado	el nivel; la categoría **El grado** de convivencia entre chinos y peruanos se puede definir a través del chifa.
incursionar	introducirse; comenzar a realizar algo nuevo El artista empezó a **incursionar** en la pintura de grafitis.
el legado	la herencia; lo que se transmite a otros Los alumnos deben aprovechar **el legado** cultural del profesor.
las paredes	las murallas; los paneles verticales que aseguran el cerrado de un edificio Los grafitis en **las paredes** se convirtieron en obras de arte.

Oportunidad inicial

Instrucciones: Para empezar a practicar el **Vocabulario para una mejor comprensión**, escoge la palabra o la expresión que completa correctamente las oraciones. Debes usar cada palabra solo una vez.

1. El artista pintó ______________ de la ciudad con una mezcla de símbolos de dos culturas.
2. Ese artista inmigrante quiere la aceptación y quiere ______________ en su nueva comunidad para que la gente conozca su arte.
3. Para toda persona diversa, ______________ de sus amigos es un aspecto clave para su integración.
4. Como padre de familia, quiero dejarles ______________ de mi cultura a mis hijos.
5. No pude encontrar los ingredientes de mi plato típico en este país. Fue necesario hacer ______________ de las recetas con productos locales para prepararlas aquí.
6. Mi esposa y yo somos españoles pero nuesta hija nació en México. Nuestra hija es ______________.
7. Desde pequeño le ha gustado ______________ en diferentes estilos musicales.
8. El producto de la unión de las dos culturas logró ______________ en el corazón de la comunidad.
9. Su apellido es Hidalgo. Dicen que los Hidalgos son ______________ directos del Padre de la Patria mexicana.
10. ¡Es increíble ______________ altísimo de diversidad que hay en esta región!

¿Aprecias la cultura hispanohablante?

Lectura con audio

AP® **Instrucciones**: Vas a escuchar una o varias grabaciones. Algunas grabaciones van acompañadas de lecturas. Cuando haya una lectura, vas a tener un tiempo determinado para leerla. Para cada grabación, vas a tener un tiempo determinado para leer la introducción y prever las preguntas. Para cada pregunta, elige la mejor respuesta según la grabación o el texto.

Fuente número 1

Introducción: Este artículo, *Epifanio Monarrez, hijo de inmigrantes duranguenses transforma grafitis en Chicago en obras de arte callejero*, trata de un artista hijo de inmigrantes mexicanos, quien plasma en su arte callejero la unión de sus dos culturas, transformando así, la cultura donde vive. El artículo es de EFE América y fue publicado en el periódico digital *Azteca 21,* México.

Epifanio Monarrez, hijo de inmigrantes duranguenses transforma graffitis en Chicago en obras de arte callejero

Un artista callejero, hijo de inmigrantes, se dedica a repintar los grafitis realizados por los pandilleros en su barrio de Chicago, donde transforma **las paredes** vandalizadas en paisajes naturales, personajes de tiras cómicas y figuras históricas de
5 Estados Unidos y México.

"Nuestra comunidad necesita que haya más arte y que se refleje la cultura del área", dijo Epifanio Monarrez, un diseñador gráfico de 28 años titulado de Columbia College y quien desde hace nueve años dedica parte de su tiempo a La Villita, un vecindario
10 habitado mayoritariamente por inmigrantes mexicanos.

El artista puede convertir un espacio vandalizado en una obra de arte "con sentido", buscando siempre reflejar elementos abstractos o tradicionales de la cultura mexicana o chicana.

El artista también combate los grafitis, pero, en lugar de tratar
15 de borrarlos, los repinta y transforma, y lo hace gratuitamente.

"Cada vez que veo **una pared** con los símbolos de las 'gangas' pienso en una transformación que tenga sentido, según el lugar donde se encuentre".

"Busco ideas en las tiras cómicas y libros para niños, y también en los libros de historia. A la gente no le gustan los grafitis, pero si uno los transforma y les da sentido, entonces lo entienden mejor", señaló.

Curiosamente, sus murales no son destruidos por los pandilleros, tampoco ha recibido amenazas y en general la relación con las diferentes bandas ha sido buena.

A Epifanio Monarrez le interesó el arte desde niño, y luego de estudiar diseño y obtener una licenciatura **incursionó** en la pintura y el grabado.

"Desde chiquito me interesó enfocarme en el mensaje positivo", dijo el artista que ahora trata que los jóvenes que son sus alumnos aprovechen su **legado** cultural para pintar y **darse a conocer** en otros países.

EFE América (2013), "Artista callejero hispano transforma grafitis de pandilleros en obras de arte", Adaptado dehttps://tinyurl.com/y78y6bq8, y https://tinyurl.com/yd6ymjx6.

Palabra imprescindible para esta fuente

el chifa

Es el nombre que se le da a la comida que fusiona ingredientes chinos y peruanos.

Es también el nombre que se le da a un restaurante especializado en comida fusión china-peruana.

Fuente número 2

Introducción: Este audio, *El chifa, muestra de la influencia china en Perú,* trata de cómo la cultura de los inmigrantes chinos en Perú se ha fusionado con la peruana y ha creado un híbrido culinario. Es de *teleSUR noticias*. Fue publicado en YouTube por *teleSUR TV*.

Chifa Peru: arroz chaufa con pollo tausi y salsas peruanas

¿Qué aprendiste?

Paso 1

Instrucciones: Para mostrar lo que has comprendido del audio y del artículo, comenta con tus compañeros estas preguntas basándote en l que recuerdas.

1. ¿Cómo se explica que el chifa haya calado tanto en la sociedad peruana?
2. ¿Qué elementos de la cultura quiere reflejar el artista en su obra?
3. ¿De qué manera han contribuido el chifa y el artista a la sociedad de acogida?

AP® Paso 2

Instrucciones: Para demostrar tu conocimiento, responde a las siguientes preguntas según lo que se dice en las dos fuentes.

1. ¿Cuál es el propósito del artículo?
   a. Destacar el tema de las pandillas callejeras.
   b. Destacar cómo las tiras cómicas y los libros de historia son una inspiración.
   c. Destacar la contribución de un inmigrante a la ciudad de Chicago a través de su arte.
   d. Destacar la contribución artística de las pandillas a la ciudad de Chicago.
2. Según la fuente escrita, ¿cuál es el aporte cultural de los grafitis del artista a la ciudad de Chicago?
   a. Los grafitis tienen símbolos de las pandillas.
   b. Los grafitis tienen elementos de las dos culturas del artista.
   c. Los grafitis se dan a conocer en otros países.
   d. Los grafitis usan dibujos solo de la cultura mexicana.

3. ¿Por qué dice el artículo que los graffitis del artista "son una obra de arte 'con sentido'" (líneas 11–12)?
   a. Porque son la proyección de su identidad como pintor
   b. Porque nos muestran su mundo interior
   c. Porque son un catalizador de las emociones de los ciudadanos
   d. Porque transforman algo con malas connotaciones en algo positivo
4. Según el artículo ¿qué quiere el artista que hagan sus estudiantes?
   a. Quiere que aprendan a pintar grafitis
   b. Quiere que aprovechen su legado y hagan una exposición
   c. Quiere que aprovechen su legado y muestren su arte en otras partes del mundo.
   d. Quiere que aprendan a usar símbolos mexicanos
5. ¿Cuál es el tema principal del audio?
   a. La influencia de Perú en el barrio chino y su gastronomía.
   b. La influencia de China en Perú y su lengua.
   c. La fusión gastronómica como resultado de la inmigración china a Perú.
   d. La fusión lingüística como resultado de la fusión entre las culturas china y peruana.
6. En el audio, ¿qué se puede inferir de la idea de que el chifa define el grado de convivencia entre chinos y peruanos?
   a. Que el chifa, al ser tan popular, representa que los dos se llevan bien
   b. Que el chifa no es muy popular en Perú
   c. Que el chifa representa lo que les gusta a los chinos
   d. Que el chifa muestra las dificultades en las relaciones de ambos países
7. Según el audio, ¿qué idea resume mejor lo que es el chifa?
   a. El chifa es el resultado de los ingredientes chinos.
   b. El chifa es una exportación de China a Perú.
   c. El chifa es una fusión de ingredientes chinos y peruanos.
   d. El chifa es una fusión de elementos indígenas y peruanos.

Sopa de Wonton

Lomo saltado

8. Según el audio, ¿cuál no es una contribución cultural de china a Perú
   a. La acupuntura
   b. El sushi
   c. Las clases de mandarín
   d. La medicina natural
9. ¿Qué tienen en común las dos fuentes?
   a. Información sobre la cultura española
   b. Información sobre dos comunidades influidas por la migración
   c. Información sobre comidas típicas de dos culturas
   d. Información sobre cómo el arte transforma la cultura
10. ¿Qué se puede afirmar sobre la fuente escrita y la fuente auditiva?
    a. Las dos fuentes hablan sobre la contribución de los extranjeros
    b. Las dos fuentes hablan sobre la gastronomía.
    c. Las dos fuentes hablan sobre los obstáculos de la migración.
    d. Las dos fuentes hablan sobre fusión artística.

Paso 3

Instrucciones: Para comprender mejor las prácticas y perspectivas culturales que se encuentran en tu comunidad y en las fuentes, usa estas preguntas de discusión para enfocarte en los temas relevantes de esta conexión.

Prácticas culturales

1. ¿Cómo usa el artista callejero las artes visuales para contribuir a algo positivo?
2. ¿Qué productos culturales fruto de una fusión de culturas se consumen en tu familia o en tu comunidad?

Perspectivas culturales

1. ¿Por qué le importa al artista dejar un arte "con sentido" en lugar de los grafitis de las pandillas?
2. ¿Por qué razones culturales ha tenido tanto éxito el chifa en Perú según el audio?
3. En tu comunidad, ¿qué actitud hay con respecto a la contribución de los extranjeros?

Presenta

Para mejorar tu capacidad de hacer una presentación oral, vas a leer sobre cómo la cultura argentina se fusionó con la de sus inmigrantes italianos. La presentación se basará en la pregunta de **El enfoque**.

Paso de los libres, Argentina

El enfoque: ¿Qué prácticas culturales han contribuido los inmigrantes a los países de acogida?

Paso 1: El texto relevante

Introducción: Este artículo, *Una cultura que se fusionó con las costumbres argentinas*, trata de la fusión cultural en diversos aspectos de la sociedad producto de la inmigración italiana en Argentina. El artículo fue publicado por el periódico *La Nación*, Argentina.

Una cultura que se fusionó con las costumbres argentinas

No se equivocaba aquel que denominó a la Argentina como "la segunda patria de los italianos". Entre 1880 y 1930 más de cuatro millones de italianos emigraron hacia la Argentina. Dante Ruscica, encargado de prensa de la embajada de Italia en la Argentina, dijo que en la actualidad hay alrededor de un millón de italianos en el país.

Cultura italoargentina

La cultura argentina tuvo un paulatino cambio gracias al aporte de la fuerte inmigración, en particular la italiana. Si bien lo normal habría sido que los inmigrantes se adaptaran a la cultura existente, el proceso fue inverso o, más bien, recíproco.

Los *italianismos* se difundieron rápidamente, lo que enriqueció el vocabulario lunfardo. Por ejemplo, la palabra mufa, que se usa para designar a la mala suerte, deriva de *muffa*, que significa moho; pibe proviene de *pive*, que en xeneize (lengua de Génova) significa aprendiz.

Así, muchas palabras de origen italiano fueron adoptadas por los argentinos y hasta incursionaron en el tango. La cumparsita es el caso más relevante: el título deriva como diminutivo del italiano comparsa, que significa actor secundario.

La gastronomía italiana ejerció durante los tiempos de la gran inmigración europea una notable influencia sobre las costumbres culinarias de la Argentina, que se proyectó hasta la actualidad. A ella se debe la popularidad de las pastas, la pizza y la buseca, entre otros alimentos.

Pizza en Argentina

Gnocchi en Argentina

Fueron italianos los propietarios de las mejores confiterías de Buenos Aires, tales como el Café Tortoni, el Café de París y la Confitería del Molino, entre otras. Y también de prestigiosos restaurantes, como La Sonámbula o La Emiliana, que ofrecían
30 las mejores especialidades de la cocina italiana, novedosa por entonces.

La Nación (2001), "Una cultura que se fusionó con las costumbres argentinas", Adaptado de https://tinyurl.com/ybj4lz3n.

Paso 2: La exploración

Instrucciones: Para investigar más a fondo los efectos de la migración en la cultura vistos en el artículo, *Una cultura que se fusionó con las costumbres argentinas*, vas a investigar sobre otras comunidades similares a la Argentina que han tenido una fusión cultural y sobre cómo esta fusión ha enriquecido la cultura de acogida. Es importante que busques una oficina que trabaje con inmigrantes u otras agencias que ofrezcan ayuda a los migrantes. También puedes hablar directamente con extranjeros en tu comunidad o buscar información en línea.

AP® Paso 3: La presentación

Instrucciones: Vas a dar una presentación oral a tu clase sobre un tema cultural. Vas a tener 4 minutos para leer el tema de la presentación y prepararla. Después vas a tener 2 minutos para grabar tu presentación en la guía digital, el sitio *web* estudiantil donde puedes encontrar prácticas y recursos adicionales para este libro.

En tu presentación, compara una región del mundo hispanohablante que te sea familiar con tu propia comunidad. Debes demostrar tu comprensión de aspectos culturales del mundo hispanohablante y organizar tu presentación de una manera clara.

El tema: ¿Cuál ha sido el impacto de la migración en tu comunidad?

Atando cabos sueltos

Una conversación simulada

AP® Ahora que has completado esta conexión, tienes la oportunidad de practicar en la guía digital una conversación simulada que sigue el formato de la tarea en el examen de AP®. Fíjate en que esta conversación se basa en el tema de esta conexión.

Ensayo argumentativo

AP® Ahora que has completado esta conexión, tienes la oportunidad de practicar en la guía digital un ensayo argumentativo que sigue el formato de la tarea en el examen de AP®. Vas a citar tres fuentes que presentan diferentes puntos de vista sobre un tema relacionado con este capítulo. El ensayo será basado en datos de un artículo, un gráfico y una grabación.

Tu progreso comunicativo e intercultural

Después de grabar la conversación simulada y escribir el ensayo argumentativo, evalúa tu progreso durante esta conexión en el Apéndice A y en **Mi portafolio** en la guía digital para indicar lo que has aprendido a hacer.

Chinatown en Lima, Peru

Resumen de vocabulario

Palabras para apreciar

   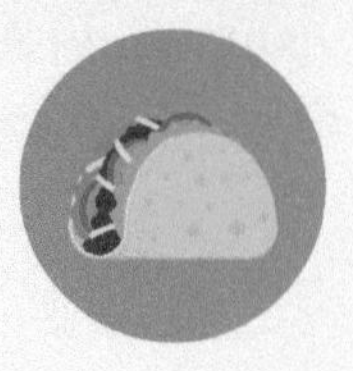  

Vocabulario para una mejor discusión – Conexión 1

adquirir - conseguir

la apariencia - el aspecto

asumir - aceptar

coincidir - concordar

el crisol de culturas - la mezcla de culturas, razas y religiones

distinto/a - diferente

empeorar - deteriorar

encajar - pertenecer

el rasgo - la característica

rechazar - desaprobar

Vocabulario para una mejor comprensión – Conexión 1

apropiarse - apoderarse

el brebaje - la bebida

ejercer - imponer

impulsar - promover

el manjar - la delicia

el metate - el mortero

milenario/a - antiguo/a

moler - triturar

rascar - friccionar

la raíz - el origen

Vocabulario para una mejor discusión – Conexión 2

ajustarse - adaptarse

la asimilación - la adaptación

el choque cultural - el contacto con diferencias culturales

la enajenación - la alienación

enfrentar - confrontar

inquieto/a - nervioso/a

el país de acogida - el país receptor

prejuicioso/a - discriminatorio/a

el prejuicio - la intolerancia

la vivienda - el domicilio

Vocabulario para una mejor comprensión – Conexión 2

agarrar - atrapar

alzar la voz - expresarse

destacar - resaltar

el hecho - el asunto

la iniquidad - la injusticia

manifestarse - protestar

quitar - tomar

sacar - separar

salir adelante - triunfar

valorar - apreciar

Vocabulario para una mejor discusión – Conexión 3

aportar - contribuir

convivir - coexistir

enriquecer - engrandecer

extranjero/a - forastero/a

la fusión - la mezcla

integrarse - unirse

involucrarse - participar

la perseverancia - la persistencia

probar - experimentar

vencer - superar

Vocabulario para una mejor comprensión – Conexión 3

la aceptación - la aprobación

la adecuación - la adaptación

calar - penetrar

criollo/a - latinoamericano/a

darse a conocer - hacerse conocido/a

los descendientes - los herederos

el grado - el nivel

incursionar - introducirse

el legado - la herencia

las paredes - las murallas

Gramática problemática

Usos fundamentales del subjuntivo con "que" y otras expresiones

Llegaron de su país a mi pueblo la familia Demodos y sus mellizas. Son muy diferentes. ¿Sabes? En esta foto, Verónica es la más alta; es una joven franca, sin rodeos. Nunca evita la verdad. "Es un hecho", exclama siempre. Esto no quiere decir que su hermana mienta. Aura, a mi parecer, es la más interesante porque le gusta hablar de posibilidades, del futuro, de lo que todavía no existe. La encuentro un espíritu efímero, ligero, intangible como la neblina. Cuando Verónica escribe, escribe bien, aunque su prosa resulte algo sencilla y literal. Por esto, antes de escribir la copia final, siempre le pide a Aura que le dé sugerencias para que su hermana desarrolle la expresión de sus ideas.

Aquí tengo un ejemplo. Verónica ha escrito un relato sobre las circunstancias de su llegada a nuestro país, a nuestro pueblo. Entre líneas, Aura sugiere otro modo para expresar las mismas ideas. ¿Cuál versión te parece más interesante?

Cuando mi familia y yo llegamos en avión a este país, no sabíamos que íbamos a enfrentar un sin fin de desafíos emocionantes.

Antes de que nuestro avión aterrizara, un sinfín de desafíos emocionantes nos esperaba, aunque no lo sabíamos todavía.

Habíamos salido de nuestro país porque queríamos estar en este país, que es más estable y tiene más oportunidades.

Siempre hemos buscado un país que sea estable y que tenga más oportunidades.

Tan pronto como llegamos a la aduana, empezamos a caminar rápido para ser los primeros en la cola.

Al llegar a la aduana, caminamos rápido para que nos atendieran primero.

Me sentía nerviosa hasta que el aduanero miró mi pasaporte y le dije que soy una persona que está muy orgullosa de ser de nuestro país.

Me sentí mejor cuando el aduanero miró mi pasaporte y pude decirle que no hay nadie que esté más orgulloso de ser de nuestro país que yo.

Ahora estamos en un apartamento, aunque es pequeño y feo. Estoy segura que finalmente vamos a mudarnos a la casa de nuestros sueños.

En caso de que no aguantemos más este apartamento feo y aunque no haya otro mejor, nos mudaremos tan pronto como sea posible. Me pregunto si llegará algún día cuando encontremos la casa de nuestros sueños.

Para nuestros padres ha sido difícil encontrar trabajo. Nadie quiere emplearlos porque no hablan inglés. Mi padre es ingeniero y mi madre es contadora.

Aunque nuestros padres son profesionales, no pueden encontrar ningún trabajo que coincida con sus habilidades hasta que hablen y escriban inglés.

A pesar de todos estos retos, estamos juntos. Esto es lo bello de la historia de mi vida.

Vamos a poder superar todos estos retos a menos que no estemos juntos y no sigamos adelante. Esto es la historia de mi vida.

Gramática problemática

Reglas generales: El subjuntivo con "que" y otras expresiones

Posible, inexistente, dudoso. Estas son algunas palabras que describen el mundo del subjuntivo. Observa, en las explicaciones que siguen, cómo esas palabras describen las correcciones que Aura hizo del trabajo de Verónica. A la vez, has leído cómo Verónica expresa un mundo definido, cierto y verdadero. Esto describe lo que comunica el indicativo. Por ejemplo si Verónica escribe: "Cuando ..." comunica que es cierto que encontramos algo. En cambio, si Aura escribe: "Cuando", comunica que no encontramos nada todavía, que el evento es inexistente, y, por lo tanto, quizá una posibilidad, porque el evento no existe en el mundo de la realidad; solo en el mundo de Aura. Cuando leas las explicaciones gramaticales, vas a ver cómo las mellizas representan los dos mundos.

Reglas generales: El subjuntivo con "que" y otras expresiones

Expresiones adverbiales que siempre activan el subjuntivo

A Aura, sí, le gusta viajar a países extranjeros **a menos que** no la acompañe Verónica.
Las mellizas no viajarían a otro país **a menos que** las acompañaran sus padres.

Aura hace correcciones **antes de que** Verónica entregue sus escritos.
La familia Demodos decidió salir de su país **antes de que** alguien les encontrara una casa en el país de destino.

Como muchos inmigrantes, los padres Demodos aceptan trabajos domésticos **en caso de que** no encuentren empleos mejor remunerados para personas que no hablan inglés.
Verónica y su hermana empezaron a buscar la casa de sus sueños **en caso de que** su familia no pudiera aguantar el feo apartamento.

Todos corrieron rápido **para que** nadie llegara antes de que ellos al principio de la cola.
Las mellizas siempre están juntas **para que** toda la familia se mantenga unida.

Expresiones adverbiales que activan el subjuntivo o el indicativo

Verónica acepta las correcciones de Aura **aunque** sean incorrectas. (Una posibilidad incierta)
Verónica acepta las correcciones de Aura aunque son de su hermana. (Un hecho verdadero)

Cuando las chicas tengan trabajos, van a trabajar juntas. (Una posibilidad incierta)
Cuando las chicas trabajan juntas, están orgullosas de ser de su país. (Un hecho verdadero)

La familia Demodos va a estar en su apartamento feo **hasta que** los padres ganen bastante dinero para mudarse. (Una posibilidad incierta)
La familia Demodos se quedó en su país **hasta que** decidieron buscar un país más estable. (Un hecho verdadero)

Los padres de las mellizas van a encontrar trabajo **tan pronto como** sepan hablar inglés. (Una posibilidad incierta)
Verónica se sintió mejor **tan pronto como** le reveló al aduanero su orgullo de ser de su país. (Un hecho verdadero)

Expresiones adjetivas que siempre activan el subjuntivo y expresiones similares que requieren el indicativo

¿Hay alguien que esté más orgulloso de ser de su país que Verónica? (Alguien posible que no existe o que posiblemente no existe)
Sí, **hay alguien que** está tan orgulloso de ser de su país como Verónica. Es Aura. (Alguien real que existe)
No, no hay **nadie que** tenga más orgullo de ser de su país que Verónica. (Alguien que no existe)

No conozco una ciudadana que esté más orgullosa de ser de su país que Verónica. (Una ciudadana no real que no existe)
Conozco a una ciudadana que está más orgullosa de ser de su país que Verónica. (Una ciudadana real)

Buscan **una casa que** sea la de sus sueños. (Una casa posible y no real en el presente)
Buscaron **una casa que** fuera la de sus sueños. (Una casa posible y no real en el pasado)
Buscaron **la casa que** era la de sus sueños. (Una casa real)

En resumen: el IPA

Integrated Performance Assessment

Las fuentes del capítulo

Conexión 1

Video: *Spot de la campaña: Lenguas Indígenas Nacionales de México*

Lectura: *Mexicanidad, producto de elementos prehispánicos y coloniaje: Experto*

Infografía: *Mole mexicano, tradición milenaria*

Lectura: *Cosmopolita… las mil caras del mexicano*

Conexión 2

Lectura: *Choque cultural: el gran desafío para los migrantes*

Lectura: *8 extranjeros nos cuentan su impresión de las costumbres chilenas*

Audio: *Inmigrantes en Chile*

Video: *Xenofobia*

Conexión 3

Lectura: *Las 5 consecuencias culturales de la migración más destacadas*

Lectura: *Epifanio Monarrez, hijo de inmigrantes duranguenses, transforma graffitis en Chicago en obras de arte callejero*

Audio: *El chifa, muestra de la influencia china en Perú*

Lectura: *Una cultura que se fusionó con las costumbres argentinas*

La diversidad nos rodea y nos cambia. La vemos todos los días cuando vamos al supermercado o a la escuela. Puede que tengas amigos que provienen de otra parte o que haya familias o individuos de diferentes países en tu comunidad. Además de ver la diversidad, formamos parte de ella. Nuestras tradiciones familiares y las anécdotas de nuestros antepasados hacen que seamos diferentes y que contribuyamos a la creación de un crisol de culturas.

La organización de tu comunidad, *Pueblo Unido,* está planeando una celebración de su diversidad y quiere invitar a un individuo a tu comunidad para hablar de sus experiencias de asimilación en otra cultura. La organización ha identificado a dos posibles candidatos y necesita seleccionar solamente uno. Tu clase de español tiene la oportunidad de hacer la selección final. Tu presentación final se basará en una de las dos personas, citando información de las dos fuentes presentadas para apoyar tu selección.

Antes de planear tu proyecto, ten en cuenta las preguntas esenciales del capítulo para guiar tu presentación.

1. ¿Qué es la diversidad cultural?
2. ¿Qué factores influyen en la integración cultural a una nueva comunidad?
3. ¿Qué impacto han tenido los extranjeros?

Evaluación de tu comprensión

La familia y las experiencias familiares nos marcan a todos. Todos llevamos siempre con nosotros nuestras historias y las de nuestros ancestros. Debes hacer referencias a las dos fuentes presentadas en esta evaluación para contestar a las preguntas de comprensión.

Evaluación de tu comunicación interpersonal

Instrucciones: Debes hablar con un/a compañero/a de tu lase para determinar cuál de las dos personas sería la mejor opción ara hablar en la celebración de diversidad. Usa las siguientes strategias para elaborar las entrevistas:

- preparar unas preguntas de antemano
- entrevistar a los otros usando preguntas de seguimiento
- organizar las ideas que has sacado de las entrevistas para incluirlas en tu presentación.

Evaluación de tu presentación

Instrucciones: Para mejorar tu capacidad oral, vas a dar una presentación oral en la cual vas a seleccionar a una de las dos personas para hablar a tu comunidad durante la celebración de la diversidad, patrocinada por Pueblo Unido. Hay que citar información de las dos fuentes para apoyar tu selección.

Para preparar tu presentación, vas a incluir:

- una representación visual para apoyar tu presentación oral
- una presentación sobre una de las dos personas.

Capítulo 5
La vida feliz

Metas del capítulo

- Comprender las ideas principales y secundarias presentadas en varias fuentes auténticas con respecto a los mitos y la realidad de la vida feliz, la idea de devolverl a la sociedad y los consejos para una vida feliz.
- Conversar con otros sobre la realidad y los mitos de la felicidad, la importancia de devolverle a la comunidad y lo consejos para ser feliz en el futuro.
- Explorar, reflexionar y presentar lo que es la felicidad y aconsejar a otros sobre cómo asegurar un futuro feliz.
- Comparar los valores de las comunidades hispanohablante con los de mi comunidad y cómo contribuyen a una vida feli

El tema cultural: La vida feliz

La vida feliz, el tema central de este capítulo, es semejante al capítulo anterior en que otra vez el producto es intangible. Esta vez se desarrollan ideas sobre el tema de la felicidad; lo que es, su búsqueda y consejos para alcanzarla. Vas a hacer una serie de actividades y completar reflexiones que te harán pensar más en la vida feliz.

Conexión 1: Definiciones de una vida feliz 244

Te informarás sobre la felicidad, sus mitos y realidades. Te familiarizarás con el sueño de una vida feliz en algunas culturas hispanohablantes. Participarás en conversaciones con tus compañeros sobre estas ideas.

Conexión 2: Nuestros modelos de felicidad 258

Explorarás la idea de devolverle a la sociedad. Te informarás sobre algunos modelos de felicidad en comunidades hispanohablantes donde creen que es mejor dar que recibir. Participarás en conversaciones con tus compañeros sobre estas ideas de donar.

Conexión 3: Tus planes para ser feliz en el futuro 272

Explorarás los consejos que se dan para lograr la felicidad en comunidades hispanohablantes. Participarás en conversaciones con tus compañeros sobre tus planes para tener una vida feliz.

Resumen de vocabulario

Palabras para apreciar 288

Encontrarás una lista del vocabulario importante para cada conexión: Vocabulario para una mejor discusión y Vocabulario para una mejor comprensión. Incorporarás y desarrollarás este vocabulario en las actividades del capítulo además del vocabulario ya presentado en el capítulo anterior.

Gramática problemática

Usos fundamentales del subjuntivo con "si" y "como si" 290

Estudiarás la estructura de las cláusulas que empiezan con la palabra si. Verás las que requieren subjuntivo y las que toman indicativo. Aprenderás la secuencia clásica de los tiempos en estas estructuras. Estudiarás también expresiones con el subjuntivo y el uso de como si.

En resumen: el *IPA*

(Integrated Performance Assessment) 294

Este capítulo te ha preparado para mostrar y demostrar lo que aprendiste sobre la vida feliz. Tendrás la oportunidad de hacer una presentación en la cual hablarás sobre la felicidad en la vida.

Preguntas esenciales

- ¿Cómo se define la vida feliz?
- ¿Cuáles son nuestros modelos de felicidad?
- ¿Cómo planeas ser feliz en el futuro?

AP® Temas curriculares	AP® Contextos recomendados
Las identidades personales y públicas La vida contemporánea	Los intereses personales Las relaciones personales
Los desafíos mundiales La vida contemporánea Las identidades personales y públicas Las familias y las comunidades La belleza y estética	El bienestar social Los temas económicos El entretenimiento y la diversión El trabajo voluntario Los héroes y los personajes históricos Los intereses personales Las comunidades educativas La ciudadanía global Las artes visuales y escénicas
La vida contemporánea Las identidades personales y públicas Las familias y comunidades	La educación y las carreras profesionales Las tradiciones y los valores sociales La autoestima La estructura de la familia

 Mi progreso comunicativo

Sé comprender las ideas principales y secundarias de varias fuentes auténticas sobre la felicidad con respecto a los mitos y las realidades, la recompensa a la sociedad y los consejos para conseguir la felicidad.

Sé participar en conversaciones, responder a algunas preguntas, pedir información, expresar y defender opiniones sobre varios aspectos de la vida feliz.

Sé dar presentaciones orales, hacer comparaciones culturales sobre varios aspectos y perspectivas de la felicidad.

 Mi progreso intercultural

Sé explicar las prácticas relacionadas con la felicidad en las comunidades hispanohablantes y cómo las perspectivas culturales de la vida feliz influyen en estas comunidades.

Sé conversar con hispanohablantes sobre varios aspectos de la felicidad en algunas comunidades

El tema cultural:
La vida feliz

Si le preguntaras a alguien qué es lo que quiere de la vida, seguro que te contestaría que lo que más anhela es la felicidad. También algunos dirían que sólo quieren tener buena salud o éxito. Creas lo que creas, todas las respuestas forman parte de la esperanza de tener una vida feliz, algo que la gente persigue desde la niñez, el sueño de un futuro lleno de éxito y felicidad en el que podemos cumplir todos nuestros sueños y donde encontraremos la paz interior y la comodidad.

Hay muchos mitos y realidades con respecto a la felicidad. Diferentes personas la buscan en diferentes lugares y tienen diferentes ideas sobre en qué consiste ser feliz. Hay también otros que buscan consejo sobre cómo lograr el éxito y un futuro feliz. Estos consejos vienen generalmente de personas que ya han conseguido el éxito y la prosperidad o quienes son mayores y han vivido más.

Así como hay gente que asocia el concepto de felicidad con ganancias materiales, hay también otros para quienes la felicidad es más que el éxito y la alegría personal. Para ellos conlleva la idea de compartir lo bueno que la vida les ha brindado. Esta idea de devolverle a la comunidad no es sólo una forma de encontrar gratificación en la idea de ayudar a los demás, sino que es también una manera de dar las gracias por lo bueno que la vida les ha regalado. Sea como sea, tener una vida feliz está en el horizonte de todos.

Al contemplar y estudiar las conexiones de este capítulo, ten en cuenta las interpretaciones diferentes de lo que es la felicidad, la recompensa emocional que tiene el devolverle a la comunidad y el consejo que ofrecen algunas personas para alcanzar la felicidad para que, posiblemente, puedas realizar tu meta de encontrarla.

Conexión 1
Definiciones de una vida feliz

El enfoque: ¿Cuáles son las realidades y los mitos de asegurarse una vida feliz?

¿Qué sabes?

Fíjate en... las imágenes que representan una vida feliz.

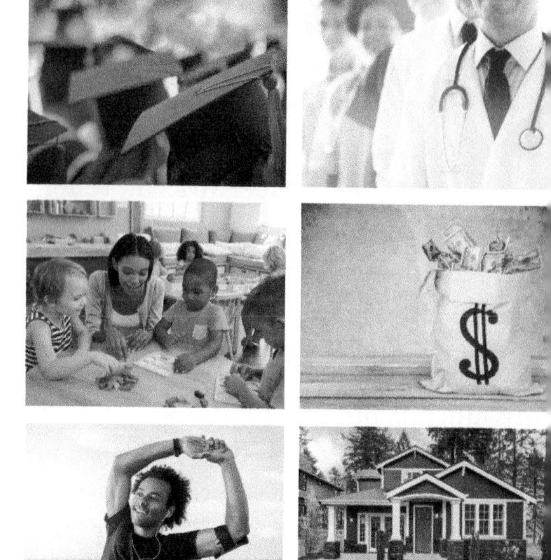

Vocabulario para una mejor discusión

Para mejorar tu capacidad de participar más ampliamente en las conversaciones de clase, encontrarás aquí vocabulario útil y pertinente para el tema de esta conexión. Además, este vocabulario te va a ayudar a aumentar y desarrollar tu español en general.

adinerado/a sin preocupación por el dinero (rico/a)	**fracasar** en la búsqueda de la felicidad (no tener éxito)
asegurarse de que los planes se hagan realidad (confirmar)	**humilde** porque agradeces todo (modesto/a)
contentarse con lo que tienes (conformarse)	**mezquino/a** porque no compartes y no gastas lo que tienes (tacaño/a)
estresarse por cumplir los sueños (preocuparse)	**poderoso/a** con autoridad de mandar (autoritario/a)
exitoso/a porque tienes mucho dinero (triunfante)	**el privilegio** de hacer lo que te da la gana (la prerrogativa)

Desarrollando tu vocabulario

Antes de participar en las discusiones de clase, accede a tu cuenta en la guía digital, el sitio web estudiantil donde puedes encontrar práctica y recursos adicionales para este libro. Hay ejercicios para ayudarte a recordar y usar el **Vocabulario para una mejor discusión**.

Exprésate

Para contar tu propia opinión de una vida feliz y averiguar las opiniones de los demás, responde a las siguientes preguntas. Tu profesor/a te explicará cómo quiere que contestes.

- ¿Por qué crees o no crees que existe una vida feliz?
- ¿Qué tienes que hacer para tener una vida feliz?
- Describe cómo ha cambiado tu perspectiva de una vida feliz desde cuando eras joven.
- ¿Por qué nos interesa tanto la felicidad?

¡Para saber más!

¿Existe una vida feliz?

Paso 1

Instrucciones: Cada quien tiene su opinión sobre la vida y la felicidad. Aquí tienes varias citas famosas sobre la felicidad. Es obvio que estos famosos tienen opiniones distintas sobre la existencia de la felicidad. Debes estudiar las citas y decidir con cuáles te podrías identificar. Tendrás que apuntar tus comentarios en el organizador gráfico del **Paso 2**.

"Una de las ventajas de no ser feliz es que se puede desear la felicidad".
–Miguel de Unamuno, filósofo y escritor español

"La felicidad no existe en la vida. Solo existen momentos felices".
–Pío Baroja, escritor español

"Aprendí que si no puedes ser feliz con pocas cosas no vas a ser feliz con muchas cosas".
–Pepe Mujica, político uruguayo

"Sólo un idiota puede ser totalmente feliz".
–Mario Vargas Llosa, escritor peruano

"La felicidad depende de nosotros mismos".
–Aristóteles, erudito griego

"¿Hasta cuándo vamos a seguir creyendo que la felicidad no es más que uno de los juegos de la ilusión?"
–Julio Cortázar, escritor argentino

"La melancolía es la felicidad de estar triste".
–Víctor Hugo, escritor francés

Paso 2

Instrucciones: Ahora que estudiaste las citas, debes responder a las preguntas. Luego, debes hablar con dos compañeros de las citas en general y tus compañeros deben responder a las preguntas. Apunta todos los comentarios en el organizador gráfico.

	Observaciones en general	La cita que más me ha gustado y por qué	¿Existe una vida feliz? ¿Por qué?	¿Qué circunstancias (de familia, clase social y educación) de la vida nos pueden cambiar la idea de una vida feliz?
Yo				
Compañero/a 1				

AP® Paso 3: Aplicación práctica

Instrucciones: Vas a escribir una respuesta a un mensaje electrónico. Vas a tener 15 minutos para leer el mensaje y escribir tu respuesta. Tu respuesta debe incluir un saludo y una despedida, y debe responder a todas las preguntas y peticiones del mensaje. En tu respuesta, debes pedir más información sobre algo mencionado en el mensaje. También debes responder de una manera formal.

Introducción: Después de escuchar el discurso de un famoso al que admiras mucho en tu escuela en el que habló de la felicidad y una vida feliz, tú le mandaste un correo contándole tu vida y esta es su respuesta.

De: sufamosofavorito@sueñoshechosrealidad.com Cc Bcc

Asunto: Re: ¿Seré feliz?

Saludos:

Gracias por su correo electrónico. Me encanta recibir mensajes como el suyo para saber sobre el impacto que mi humilde discurso tiene en quienes lo oyen. Disfruté mucho del privilegio de dar un discurso en su escuela, y me alegro de que Ud. me haya escrito y haya compartido sus pensamientos conmigo. Ya sabe por mi discurso, que mi meta es ayudar a las personas que quieren, pero sienten que no tienen felicidad en su vida.

En su correo Ud. habla de su vida y de la búsqueda de la felicidad que Ud. quisiera experimentar. También menciona que se estresa por no sentirse feliz. Si Ud. recuerda lo que dije en mi presentación, la felicidad es diferente para cada persona. Para mí, por ejemplo, la felicidad es poder mantener a mi familia y hacer el trabajo que me gusta. Debe saber que tuve que trabajar muchísimo para tener la vida exitosa que tengo ahora.

Es posible que la felicidad a la que se refiere en su correo no exista. Quizás deba ir más allá de los sentimientos y reflexionar sobre cuál es la felicidad verdadera. Para poder ayudarle a encontrar el verdadero significado de la felicidad, por favor mándeme un correo en el cual responda a las siguientes preguntas:

¿Cuáles son las cosas que le hacen feliz? ¿Con quién o quiénes está cuando está más feliz? ¿Cuáles son sus sueños para el futuro? Y, ¿cómo los va a hacer realidad? ¿Qué cambiaría en su vida para hacerle verdaderamente feliz?

Le agradezco una vez más que se haya comunicado conmigo. Espero con mucho interés sus respuestas porque quiero que Ud. pueda asegurarse de encontrar la felicidad en su vida.

Un saludo cordial,

Su famoso favorito

Responder

nfórmate

ara ti, ¿qué es la felicidad?

Paso 1

nstrucciones: Examina las siguientes imágenes para poder
nticipar el contenido del video, *Para usted, ¿Qué es la felicidad?*
ercepción #somosfelices Encuesta, antes de mirarlo, examina estas
nágenes. ¿Cómo se relacionan con el título del video?

Paso 2

nstrucciones: Para comprender bien lo que dice el video, *Para usted,*
Qué es la felicidad? Percepción #somosfelices Encuesta, míralo por lo
nenos dos veces.

Paso 3

Instrucciones: Después de mirar el video, debes conversar con un/a
ompañero/a para responder a las preguntas.

1. Piensa en cinco personas del video. ¿Cómo definen la felicidad estas personas?
2. ¿Qué aspectos de una vida feliz cambiarías después de escuchar las opiniones de los entrevistados?
3. Según el video, ¿crees que la clave de una vida feliz es tangible? ¿Por qué?

Paso 4

Tema de debate: La meta de la vida debe ser la felicidad duradera.

¿Qué más necesitas saber?

Vocabulario para una mejor comprensión

Para comprender las ideas principales de las dos fuentes en **¿Aprecias la cultura hispanohablante?** de esta conexión, estudia y practica el uso de estas palabras antes de leerlas.

el aprendizaje	la lección; el momento de comprender algo Los enfermos se sienten felices porque pueden conseguir importantes **aprendizajes** del proceso de enfrentar sus enfermedades.
asimismo	también; añadir algo más La inteligencia emocional incluye la comprensión de emociones. **Asimismo**, incluye el talento de regularlas.
la aspiración	el deseo; el querer hacer algo en el futuro Obtener la felicidad es una **aspiración** universal.
clave	crucial; importante para entender algo Tener relaciones personales buenas es un aspecto **clave** para ser feliz.
denominar	nombrar; llamar algo Pensar que hay que tener dinero para ser feliz se debe a lo que **denominamos** procesos de placer.
disponer de	tener; contar con algo Para muchos la felicidad **dispone de** los deseos básicos.
el escepticismo	la duda; la desconfianza de algo La afirmación de que para ser feliz se necesita mucho dinero y poder va a ser leída con **escepticismo**.
gestionar	administrar; tramitar una cosa La inteligencia emocional implica que uno sabe **gestionar** bien sus emociones.
intentar	esforzarse; tratar de hacer algo Busca tu propia felicidad, no la que otros **intentan** venderte.
temporal	transitorio/a; que dura por un corto tiempo Las ventajas y las desventajas materiales y físicas de la felicidad son **temporales**.

Oportunidad inicial

Para empezar a practicar el **Vocabulario para una mejor comprensión**, escoge la palabra o la expresión que completa correctamente las oraciones.

1. Mucha gente prefiere ______________ (disponer de/denominar/intentar) poco tiempo libre con la familia que mucho tiempo con los amigos.
2. La alegría es una emoción ______________ (clave/temporal) porque no dura mucho tiempo.
3. Para mucha gente su ______________ (aspiración/escepticismo) es tener trabajo todos los días.
4. ______________ (Una aspiración temporal/Una actitud clave) para una vida feliz es valorar lo que tienes.
5. La manera en que decides ______________ (denominar/gestionar/intentar) tu tiempo es una gran prioridad en tu vida.
6. Varios estudios informan que es importante ______________ (intentar/disponer/denominar) ser feliz.
7. Si no confías en nadie, vas a ver todo con ______________ (aspiración/escepticismo/aprendizaje).
8. Conseguir una vida feliz es posible. ______________ (Asimismo/Clave/Escepticismo), es saludable.
9. Para celebrar la importancia de la felicidad, la ONU decidió ______________ (intentar, denominar, gestionar) el 20 de marzo el día internacional de la felicidad.
10. Dice la ONU que ______________ (una aspiración/un aprendizaje/un escepticismo) importante para una vida feliz es buscar la paz interior.

¿Aprecias la cultura hispanohablante?

Lectura con infografía

AP® **Instrucciones**: Vas a leer uno o varios textos. Cada texto va acompañado de varias preguntas. Para cada pregunta, elige la mejor respuesta según el texto.

Fuente número 1

Introducción: Esta lectura abreviada, *¿Existe la felicidad? Mitos y verdades*, trata de algunas reflexiones sobre la vida con respecto a la felicidad. Es un artículo escrito por Patricia Sánchez Rubio en *Psicología y conducta*, un diario electrónico.

Palabras imprescindibles para esta fuente

hedónico/a
un adjetivo que se refiere a algo que consigue placer o se relaciona con el placer.

¿Existe la felicidad? Mitos y verdades

La felicidad es uno de los conceptos más explotados de nuestro siglo. Según la RAE, felicidad se define como: *"Estado de grata satisfacción espiritual y física"*. El objetivo vital de muchas personas consiste en *ser feliz*. Pero ¿podemos ser realmente
5 felices? ¿Existe la felicidad?

Mitos sobre la felicidad

La felicidad consiste en ***disponer de*** *los placeres primarios* (comida, bebida, descanso, ...). Una persona puede tener cubiertas estas necesidades y no sentirse feliz.

10 *La salud es imprescindible para ser feliz. Todo lo demás viene después*. Hay numerosas personas que pasan por enfermedades crónicas (diabetes, cáncer...) y les sacan valiosos **aprendizajes** a esos procesos, sintiéndose felices.

Para ser feliz, ayuda mucho tener dinero y poder. Seguro que
15 muchos lectores leerán con **escepticismo** este mito. Esto se debe en gran medida a lo que **denominamos** procesos de adaptación hedónica. Estos procesos se dedican a devolver nuestros niveles de "felicidad" a nuestra línea de base original. Las ganancias (como que te toque la lotería) o pérdidas (como puede ser el
20 diagnóstico de una enfermedad) de felicidad son, por tanto, **temporales**.

La gente con fe y creencias religiosas es más feliz. Como todos los anteriores, es también relativo.

La gente feliz está siempre contenta.

25

Realidades sobre la felicidad

Rasgos de personalidad. Existen determinadas características que nos hacen más "propensos" a ser felices. Por ejemplo, la extraversión o el optimismo.

El entorno influye en nuestra felicidad. Un contexto cálido, con
30 relaciones afectivas sanas y condiciones ambientales saludables propiciará que seamos personas más felices.

Inteligencia emocional. La inteligencia emocional engloba la percepción y comprensión de emociones. **Asimismo**, implica la capacidad para regular estas emociones y para **gestionar**las
35 adecuadamente.

Relaciones sociales. La presencia de relaciones sociales sanas, así como la percepción de apoyo por parte de las mismas, es un factor **clave** para que seamos felices.

¿Existe entonces la felicidad?

40 Lo cierto es que sí existe. Podemos llamarlo felicidad o bienestar psicológico. En resumen, que busquéis vuestra felicidad, no la que nos **intentan** colocar a todos, sino la real.

Psicología y Conducta, Patricia Sánchez Rubio (2017), "¿Existe la felicidad? Mitos y Verdades", Adaptado de http://www.psicologiayconducta.com/felicidad-existe-mitos-verdades.

Fuente número 2

Introducción: Esta infografía, *La felicidad en América del Sur*, trata de las posiciones de los países de América del Sur en el estudio mundial de la felicidad. Es un gráfico hecho por RPP Noticias de Perú.

¿Qué aprendiste?

Paso 1

nstrucciones: Para mostrar lo que has comprendido de la lectura de la infografía, discute en grupos pequeños las respuestas a estas reguntas basándote en lo que recuerdas.

1. ¿Existe una manera concreta de conseguir la felicidad?
2. ¿Qué es necesario hacer para obtener una vida feliz?
3. Según lo que puedes inferir de las fuentes, ¿podemos ser felices todos?

AP® Paso 2

nstrucciones: Para comprender mejor algunos detalles de la lectura de la infografía, responde a las siguientes preguntas según lo que dicen las fuentes.

1. ¿Cuál es el propósito del artículo?
   a. Detallar aspectos de la felicidad
   b. Exponer que la felicidad no existe
   c. Enseñar a ser feliz
   d. Dar ideas sobre cómo conseguir una vida feliz
2. ¿Qué técnica usa la autora para comunicarse en el artículo?
   a. Redacta los beneficios de la felicidad
   b. Destaca aspectos verdaderos y falsos sobre la felicidad
   c. Explica la inexistencia de la felicidad
   d. Presenta aspectos positivos y negativos de la felicidad
3. ¿Qué significa "… procesos de adaptación hedónica." (líneas 16-17)?
   a. Que los seres humanos no llegan a ser felices nunca
   b. Que los seres humanos son más felices según el dinero que tienen
   c. Que los seres humanos mantienen un nivel continuo de felicidad
   d. Que los seres humanos están tristes sin materialismo

4. Según el artículo, ¿qué papel juegan las relaciones sociales en la felicidad?
   a. Las relaciones sociales son relativas.
   b. Las relaciones sociales son imprescindibles.
   c. Las relaciones sociales son obligatorias.
   d. Las relaciones sociales son reemplazables.
5. ¿Cuál de las siguientes afirmaciones resume mejor el artículo?
   a. La felicidad es algo tangible.
   b. La felicidad es inexistente.
   c. La felicidad es igual para todos.
   d. La felicidad es relativa.
6. ¿Cuál es el propósito de la infografía?
   a. Analizar los países sudamericanos
   b. Explicar lo que hace feliz a un país
   c. Explicar las posiciones del estudio mundial de los países sudamericanos
   d. Analizar el Informe Mundial de la Felicidad

7. Según la infografía, ¿qué es la paz interior?
   a. El idealismo
   b. El realismo
   c. El materialismo
   d. El optimismo
8. Según la infografía, ¿qué relación hay entre la felicidad y la alegría?
   a. Son distintas
   b. Son temporales
   c. Son antónimas
   d. Son emociones

9. Según la infografía, ¿cuál es el país más feliz de Sudamérica?
   a. Perú
   b. Argentina
   c. Chile
   d. Brasil
10. ¿Qué tienen en común las dos fuentes?
    a. Explican cómo obtener la felicidad
    b. Presentan una explicación de la felicidad
    c. Explican que no es imposible obtener una vida feliz
    d. Presentan la felicidad como objeto adquirible

Paso 3

Instrucciones: Para comprender mejor las prácticas y las perspectivas culturales que se encuentran en tu comunidad y en las dos fuentes, usa estas preguntas de discusión en grupos de compañeros de clase para enfocarte en cuestiones de la felicidad.

Prácticas culturales

1. Según la primera fuente, ¿de qué prácticas se abusa para conseguir la felicidad?
2. ¿Por qué dice el artículo que los mitos son modos falsos de conseguir la felicidad?
3. ¿Creen tus amigos que la felicidad es algo que se puede crear de acciones propias?

Perspectivas culturales

1. ¿Por qué pone la infografía énfasis en la importancia de distinguir entre un estado mental y una emoción breve?
2. ¿Por qué promueve la infografía la idea de que es necesario vivir la felicidad como un estado mental y no una emoción?
3. ¿Qué beneficios sociales tendría una celebración del Día Internacional de la Felicidad en tu comunidad?

Presenta

Para mejorar tu capacidad de hacer una presentación oral, vas a escuchar un informe sobre la importancia de la felicidad, tomar decisiones personales y grupales y explicar tus hallazgos. La presentación se basará en la pregunta de **El enfoque**.

El enfoque: ¿Cuáles son las realidades o los mitos de asegurarse una vida feliz?

Paso 1: El texto relevante

Introducción: Esta grabación, *¿Es más importante ser rico o ser feliz?*, trata de la importancia de la riqueza y la felicidad. Presenta una perspectiva del papel de las necesidades básicas y la importancia que se le da al materialismo. La grabación es una publicación de MercoFinanzas.com.

Paso 2: La exploración

Instrucciones: Para descubrir más sobre los distintos aspectos de una vida feliz y los elementos que hacen que una vida sea feliz, debes hablar con algunos compañeros sobre sus opiniones de la relación entre la felicidad y el estado relativo de bienestar. Si es posible, puedes hablar con tus familiares sobre qué les hace felices o investigar en internet sobre las opiniones de las diferentes comunidades hispanohablantes. Tu profesor/a te dará más detalles. Puedes usar los siguientes puntos para guiar tu conversación.

- ¿Es la felicidad tener dinero?
- ¿Es la felicidad tener tiempo libre?
- ¿Es la felicidad tener las necesidades básicas?
- ¿Es la felicidad tener __________?

AP® Paso 3: La presentación

Instrucciones: Vas a dar una presentación oral a tu clase sobre un tema cultural. Vas a tener 4 minutos para leer el tema de la presentación y prepararla. Después vas a tener 2 minutos para grabar tu presentación en la guía digital, el sitio web estudiantil donde puedes encontrar prácticas y recursos adicionales para este libro.

En tu presentación, compara una región del mundo hispanohablante que te sea familiar con tu propia comunidad. Debes demostrar tu comprensión de aspectos culturales del mundo hispanohablante y organizar tu presentación de una manera clara.

El tema: ¿Qué impacto tiene el dinero en asegurar una vida feliz?

Atando cabos sueltos

Una conversación simulada

AP® Ahora que has completado esta conexión, tienes la oportunidad de practicar en la guía digital una conversación simulada que sigue el formato de la tarea en el examen de AP®. Fíjate en que esta conversación se basa en el tema de esta conexión.

Tu progreso comunicativo e intercultural

Después de grabar la conversación simulada, evalúa tu progreso durante esta conexión en el Apéndice A y en **Mi portafolio** en la guía digital para indicar lo que has aprendido a hacer.

Conexión 2
Nuestros modelos de felicidad
El enfoque: ¿Qué recompensa hay en devolverle a la sociedad?

¿Qué sabes?

Fíjate en... cómo se puede difundir la generosidad.

Vocabulario para una mejor discusión

Para mejorar tu capacidad de participar más ampliamente en las conversaciones de clase, encontrarás aquí vocabulario útil y pertinente para el tema de esta conexión. Además, este vocabulario te va a ayudar a aumentar y desarrollar tu español en general.

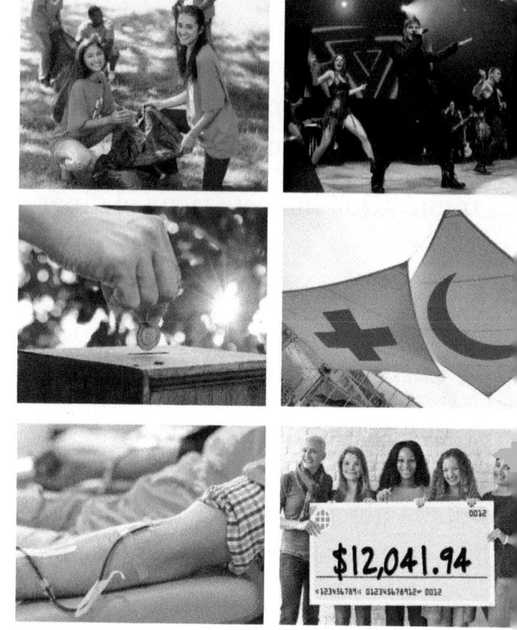

benéfico/a para la sociedad en general (beneficioso/a)	**la filantropía** ayuda tanto a las artes como a las causas sociales (la generosidad)
la caridad ayuda a los de pocos recursos (la compasión)	**la fundación** que ayuda a los necesitados contribuye al bienestar humano (la institución)
compasivo/a con las necesidades de otros (sensible)	**recaudar** dinero para ayudar a llevar a cabo las metas de otros (colectar)
donar tiempo, talento y plata gratuitamente a los demás (regalar)	**recompensado/a** por haber ayudado a otros (gratificado/a)
las estrellas de la música dan dinero para mejorar el mundo (los famosos)	**respaldar** las actividades sociales y artísticas de la comunidad (apoyar)

Desarrollando tu vocabulario

Antes de participar en las discusiones de clase, accede a tu cuenta en la guía digital, el sitio *web* estudiantil donde puedes encontrar práctica y recursos adicionales para este libro. Hay ejercicios para ayudarte a recordar y usar el **Vocabulario para una mejor discusión**.

Exprésate

Vas a usar las preguntas que siguen para ayudarte a resumir los temas generales de esta conexión desde el lente de tu propia experiencia con la generosidad en tu ambiente. Considera cómo tus actos de generosidad han ayudado a otros y cómo te has sentido como consecuencia. Tu profesor/a te explicará cómo vas a presentar tus pensamientos y recuerdos.

- Describe cómo algunas de las imágenes no representan tu realidad.
- ¿Por qué se dice que la felicidad es hija de la generosidad?
- ¿Por qué hay ciertos eventos de generosidad que tu comunidad ha convertido en celebraciones públicas?
- Describe un acto de generosidad tuya que haya afectado a otro/a.
- Explica tus emociones al dar algo a otro/a o al recibir algo de alguien.

¡Para saber más!

¿Cuáles son los actos de generosidad que han impactado a tus compañeros de clase?

Paso 1

Instrucciones: Vamos a imaginar que eres periodista del periódico virtual de tu cole, *Los chismones*. Como es el Mes de los Actos Benéficos (MAB), tu tarea es escribir un artículo sobre actos de generosidad. Vas a encuestar a algunos compañeros de clase sobre actos de generosidad que los han impactado. Como punto de partida, vas a utilizar un organizador gráfico para planear las entrevistas que vas a hacer. Primero, debes apuntar los detalles de un acto de generosidad del que has sido beneficiario/a. El gráfico sugiere algunas preguntas pero necesitas agregar unas cuantas más, según lo que quieras saber de la experiencia de tus compañeros. Has de planear preguntas de clarificación. Es decir, es importante hacerles algunas preguntas más para capturar más a fondo los detalles del acto de generosidad que experimentaron ellos.

ACTOS DE GENEROSIDAD – ASIGNATURA PARA *LOS CHISMONES*

Descripción del acto de generosidad del que fui beneficiario/a		
Preguntas para mis compañeros	**Compañero/a 1**	**Compañero/a 2**
¿Qué? Clarificación: ¿Dónde, quiénes, cuándo?		
¿Por qué? Clarificación:		
¿Lección aprendida? Clarificación:		

Paso 2

Instrucciones: Imagina que eres un/a periodista inteligente y meticuloso/a, y entrevista al menos a dos compañeros de clase, basándote en tus preguntas especiales y las sugeridas en el organizador gráfico. Luego, únete a un grupo de compañeros que no entrevistaste y que no te entrevistaron a ti para discutir los actos de generosidad sobre los que aprendiste. Tu grupo de periodistas debe elegir el acto más impactante y presentarlo a la clase.

AP® Paso 3: Aplicación práctica

Instrucciones: Vas a escribir una respuesta a un mensaje electrónico. Vas a tener 15 minutos para leer el mensaje y escribir tu respuesta. Tu respuesta debe incluir un saludo y una despedida, y debe responder a todas las preguntas y peticiones del mensaje. En tu respuesta, debes pedir más información sobre algo mencionado en el mensaje. También debes responder de una manera formal.

Introducción: Recibes este mail de una universidad local. La Facultad de Sicología se ha enterado de tu encuesta sobre actos de generosidad.

De: dsalvatierra@uivloc.ed — Cc Bcc

Asunto: La filantropía

Estimado/a estudiante:

Primero que nada nos gustaría felicitarle por el esfuerzo que Ud. y sus compañeros han hecho para investigar actos de generosidad. Nuestra Facultad de Sicología ha iniciado un estudio de la filantropía en nuestro condado; y, es por esto que le mando este correo electrónico.

Estudiamos todo tipo de filantropía—persona a persona, instituciones públicas y privadas y fundaciones internacionales. Como es un trabajo que requiere mucha información desde puntos de vista y experiencias diversas, esperamos poder contar con su apoyo y cooperación.

Por favor, mándenos información sobre los hallazgos de su encuesta. Nos interesa su opinión sobre lo que caracteriza a la mayoría de los actos de generosidad experimentados por los miembros de su clase de español. Nos gustaría un informe preliminar sobre los hallazgos de su investigación.

Debe incluir:

- la mejor anécdota de generosidad
- las consecuencias emocionales de los actos de generosidad investigados
- las lecciones vitales aprendidas de los actos de generosidad investigados.

Estaríamos muy agradecidos si nos contestara a la brevedad.

Quedamos a la espera de su informe.
Dante Salvatierra, director

Responder

Infórmate

¿Das para recibir?

Paso 1

Instrucciones: Estas imágenes cuentan una historia incompleta. Estúdialas, cuenta la historia que entiendes y luego vas a crear un diálogo entre el personaje A y el personaje B sobre lo que está pasando. Vas a incluir un final para completar el diálogo de esta historia incompleta.

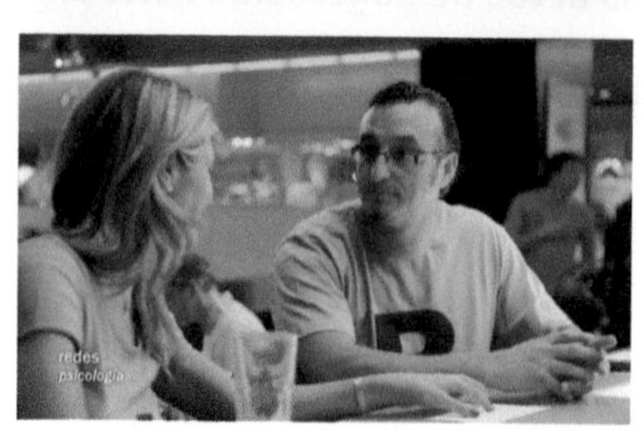

Paso 2

nstrucciones: Para prepararte para el debate al final de esta ınidad, mira el video más de una vez para entender los papeles de los ›ersonajes centrales. Presta atención a su estado de ánimo en cada nomento del video. También, la narradora tiene un papel importante. Toma apuntes para recordar la acción, el propósito de este video y la ección que cuenta.

ntroducción: Este video, *Altruismo y felicidad: Psicología positiva,* rata de un experimento sicológico. Dos actores y una narradora ›xplican los resultados. El video fue producido por Raúl Espert, y es ortesía de RTVE.

Mi progreso comunicativo

Sé interpretar y conversar sobre la información en un video sobre el altruismo y la felicidad.

Paso 3

Instrucciones: Ya que has visto el video, reúnete con tu(s) compañero(s) de **Paso 1** y revisa tu diálogo inicial para coincidir con la realidad del video hasta la última escena representada por la última imagen. Ahora van a presentar un intercambio de ideas en tu diálogo reinventado sobre la pregunta ¿Das para recibir? tal como el video la expone. Finalmente, vas a presentar tu diálogo a la clase e informar sobre esta pregunta que ha guiado esta unidad hasta este punto.

Paso 4

Tema de debate: Siempre es mejor dar que recibir.

Mi progreso comunicativo

Sé dar una presentación oral sobre el tema "Siempre es mejor dar que recibir".

¿Qué más necesitas saber?

Vocabulario para una mejor comprensión

Para comprender las ideas principales de la fuente en **¿Aprecias la cultura hispanohablante?** de esta conexión, estudia y practica el uso de estas palabras antes de leerlas.

desalentador/a	deprimente; lo que quita el entusiasmo Es **desalentador** observar el nivel de filantropía latinoamericana cuando se compara con el de Estados Unidos.
la donación	un regalo de ayuda; lo que se contribuye a otros Warren Buffet ha prometido **una donación** muy grande de su fortuna.
empresarial	comercial; relativo a empresas El mundo **empresarial** presta atención a la filantropía de Buffett.
la índole	el tipo; las cualidades de algo Hay toda **índole** de explicaciones sobre la relativa falta de filantropía en América Latina.
el premio	la recompensa; algo dado gratuitamente Los países desarrollados donan mucho dinero, lo cual es **un premio** justificado socialmente.
proveniente de	originario/a de; que viene de El dinero **proveniente de** los sectores privados supera lo que puede contribuir el Gobierno.
sensato/a	sabio/a; práctico e inteligente Debe haber una política **sensata** que anime la filantropía privada.
si bien	aunque; a pesar de que El caso es que **si bien** muchos latinos donan, no hay comparación con los estadounidenses.
sostener	afirmar; defender una opinión o idea Unos análisis **sostienen** que una fuerte ética protestante favorece la participación comunitaria.
tributario/a	contributivo/a; relativo a los impuestos pagados al Gobierno Es importante que haya leyes **tributarias** que faciliten la filantropía.

Oportunidad inicial

Instrucciones: Para empezar a practicar el **Vocabulario para una mejor comprensión,** escoge del recuadro de vocabulario la palabra o la expresión que completa correctamente las oraciones.

Natalia Ca, genio empresarial

Al buscar nombres de sus compatriotas en las listas de innovadores mundiales, los latinos no deben considerarlo como algo _____________ sino todo lo contrario. En estas listas, es sorprendente descubrir que la juventud actual _____________ América Latina ha podido _____________ la producción de invenciones de toda _____________.

Entre los jóvenes está Natalia Ca de Argentina. En 2013 fundó el portal inclúyeme.com dedicado a encontrar trabajo para personas con discapacidad. Puso en marcha este proyecto emprendedor práctico y _____________ después de ganar _____________ número uno del concurso argentino de emprendimiento social, Impatec. Un año más tarde, el portal comenzó operaciones en Argentina, Chile, Perú y México. Se sabe que _____________ tuvo que salir de su país a buscar financiación en Chile, Natalia ahora trabaja con el Ministerio de Producción de Argentina para mejorar el clima _____________ de su país para todos.

Se sabe que los jóvenes como Natalia Ca se dan cuenta del impacto benéfico de su _____________ de tiempo y talento. Es otro ejemplo alentador para todo latinoamericano de la aportación que puede dar su país a causas sociales.

Palabras imprescindibles para esta fuente

Gringo es una palabra que todos hemos oído. ¿Cuál es su historia? Quizá sea de origen romano cuando se decía que palabras ininteligibles eran palabras griegas. La palabra se encuentra escrita por primera vez en el siglo XVIII en un diccionario español y se refería a personas que hablaban un idioma ininteligible. Hoy en día se dice: "parece que me estás hablando en chino" si uno no entiende lo que está diciendo otro. ¿Qué significa la palabra gringo? Originalmente se refería a cualquier extranjero que hablaba un idioma ininteligible, luego a los que hablaban inglés o español con un acento incomprensible. Sin embargo, hoy, suele referirse a un estadounidense. Principalmente es un término despectivo pero no siempre. Muchas veces depende de la entonación y contexto que usa el que la dice. De todas formas, ¡no hables español con acento gringo!

¿Aprecias la cultura hispanohablante?

Lectura

AP® **Instrucciones**: Vas a leer uno o varios textos. Cada texto va acompañado de varias preguntas. Para cada pregunta, elige la mejor respuesta según el texto.

Introducción: Esta lectura, *La filantropía en América Latina*, trata de cómo se puede facilitar la participación en la filantropía en Latinoamérica. Es un artículo escrito por Bruce Mac Master en la *Revista Dinero* de Colombia.

La filantropía en América Latina

¿Puede la reforma **tributaria** servir de detonante para **incentivar** la Responsabilidad Social?

La donación por parte de Warren Buffett del 85% de su fortuna con seguridad ha causado innumerables reflexiones individuales y colectivas en la comunidad **empresarial** mundial. (5)

Latinoamérica no se ha destacado por la creación de mayores legados o donaciones con destino social. **Si bien** es numerosa la participación de personas y familias en el desarrollo de programas fundacionales, también es cierto que las comparaciones con este mismo tipo de actividades en países desarrollados, especialmente (10) en Estados Unidos, son bastante **desalentadoras**.

Por lo menos cuatro razones se esgrimen para explicar o justificar la baja frecuencia de actos filantrópicos en la región. La más simplista de ellas aduce que las fortunas latinoamericanas nunca se compararán con las fortunas gringas. (15) Argumentación muy débil, no solo porque una buena cantidad de latinoamericanos aparecen en las listas de las personas o empresas más ricas del mundo, sino porque se trata de comparaciones en términos relativos.

(20) Otra explicación argumenta que, a diferencia de Estados Unidos, en los países latinoamericanos el Estado ha sido tradicionalmente más intervencionista y que, por tanto, la carga de las soluciones sociales no se encuentra en cabeza del sector privado sino del gobierno. La muestra de que las cosas no (25) funcionan así está en que los conflictos y necesidades sociales son infinitamente mayores en nuestros países.

Las explicaciones intelectualmente más interesantes se relacionan con razones sociológicas e incluso de **índole** religiosa. Estos análisis sostendrían que las fuertes raíces protestantes de
30 una buena parte de la población favorecen una fuerte ética de solidaridad, de participación y actividad comunitaria.

Por último, desde el punto de vista más práctico, e incluso económico, hay razones para pensar que simplemente hay países que "premian" en forma más generosa la filantropía que otros, en
35 especial desde el punto de vista **tributario**.

En la mayoría de las ocasiones, estos **premios** son totalmente justificados, ya que tienen por objetivo buscar qué recursos **provenientes del** sector privado sirvan para atender necesidades sociales que el Estado no ha sido capaz de
40 solucionar.

El Estado es incapaz de suplir todas las necesidades sociales y si quiere que el sector privado lo acompañe, debe sacrificar gasto en burocracia por incentivos **tributarios sensatos** y orientados a atender las prioridades de nuestra sociedad.

Best Efforts Made: Bruce Mac Master, Revista Dinero (2006), "La filantropía en América Latina", Adaptado de https://tinyurl.com/yd4c9562.

ESTRATEGIAS

Observa y realiza para comprender una lectura

Observa: Cada autor/a quiere que entiendas sus ideas. Por esto, el texto tiene una estructura, o sea, una organización bien pensada. Para seguir las ideas expresadas debes estar pendiente de la estructura.

Realiza: ¿Hay una introducción para captar tu atención? ¿Hay una conclusión que resume el propósito del/a autor/a? En el caso de esta lectura, hay una introducción. ¿Qué recurso usa el autor para engancharnos? ¿La mención de Warren Buffett? ¡Claro que sí! ¿Nos presenta su idea principal en la conclusión? ¿Cómo organiza el cuerpo del texto? ¿Qué recursos usa? ¿Estadísticas, citaciones, referencias a otros expertos, ejemplos? Acá, no. ¿Comparaciones? ¡Claro que sí!

¿Qué aprendiste?

Paso 1

Instrucciones: Para mostrar lo que has entendido de la lectura, conversa en grupos pequeños sobre las respuestas a estas preguntas basándote en lo que recuerdas.

1. ¿Por qué motivo el autor rechaza las explicaciones que se ofrecen para justificar la baja frecuencia de la filantropía en América Latina?
2. ¿Qué tienen que ver los impuestos con la frecuencia de donar, según el autor?
3. ¿Por qué dice el autor que el Gobierno no ha podido proveer las necesidades sociales?
4. ¿Qué rol desempeña Warren Buffett en la escritura del mensaje de esta lectura?

AP® Paso 2

Instrucciones: Para comprender mejor algunos detalles de la lectura, responde a las siguientes preguntas según lo que dice el artículo.

1. ¿Qué género de texto se usa en esta lectura?
   a. Epistolario
   b. Narrativo
   c. Satírico
   d. Editorial
2. ¿Qué tono tiene esta lectura?
   a. Severo
   b. Demandante
   c. Humorístico
   d. Lacónico

3. ¿Cómo desmiente el autor la idea que el Gobierno debe encargarse de problemas sociales y el sector privado no?

   a. Dice que las fundaciones privadas tienen más ganas que el Gobierno.

   b. Dice que el Gobierno solo no puede por la enormidad de los problemas sociales.

   c. Dice que el Gobierno se preocupa más de problemas políticos que sociales.

   d. Dice que el sector privado tiene más donantes que el Gobierno.

4. ¿Qué quiere decir el autor cuando escribe, "...hay países que 'premian' en forma más generosa la filantropía que otros...", (líneas 33-34)?

   a. Que algunos Gobiernos dan incentivos para donar a causas sociales

   b. Que las donaciones sociales son una forma de caridad

   c. Que algunos países permiten más donaciones sociales que otros

   d. Que las fundaciones sociales reciben premios nacionales por su generosidad

5. ¿Cuál es la tesis central del autor?

   a. Que el sector privado tiene más sentido social y debe aumentar sus donativos.

   b. Que el Gobierno no es una fundación benéfica, el sector privado debe proteger a los necesitados.

   c. Que el Gobierno no lo puede todo, debe incentivar al sector privado a ayudar con los problemas sociales.

   d. Que como hay tantos ricos en el sector privado, son ellos los que deben ayudar a resolver los conflictos sociales.

Paso 3

Instrucciones: Para entender mejor las prácticas y las perspectivas culturales que se encuentran en la lectura y en tu comunidad, usa estas preguntas de discusión en grupos de compañeros de clase para enfocarte en cuestiones de la felicidad y el bienestar social.

Prácticas culturales

1. Según el artículo, ¿por qué han sido los Gobiernos latinoamericanos la entidad pública que mayormente interviene en soluciones sociales?
2. ¿A qué prácticas religiosas se refiere el autor en la lectura?
3. En tu comunidad, ¿qué tipos de programas sociales reciben ayuda privada de tiempo, talento y dinero?

Perspectivas culturales

1. ¿Qué sensibilidad nacional se revela en el hecho de que este autor hace comparaciones con los Estados Unidos?
2. ¿Por qué le importa al autor la intervención filantrópica en el área social?
3. En tu comunidad, ¿qué prestigio tiene la filantropía local?

Presenta

Instrucciones: Para mejorar tu capacidad de hacer una presentación oral, vas a mirar un video sobre algunas estrellas populares en el mundo hispanohablante, tomar decisiones personales y grupales y explicar tus hallazgos. La presentación se basará en la pregunta de **El enfoque**.

El enfoque: ¿Qué recompensa hay en devolverle a la sociedad?

Paso 1: El texto relevante

Introducción: Este video, *Filántropos y latinos: Así son estos famosos que le dan ejemplo al mundo,* trata de la contribución de algunos célebres a la sociedad. Una locutora presenta a algunos latinos que, a pesar de su fama, sienten la responsabilidad de devolverle a la comunidad. El video fue montado por No Lo Sabías.

Paso 2: La exploración

nstrucciones: Para hacer seguimiento del video, debes investigar as fundaciones y los individuos de tu comunidad que donan su tiempo /o su dinero a programas locales. Considera tanto programas sociales omo programas educativos y artísticos. Si es posible, entrevista a las ersonas encargadas de estos programas con fines sociales sobre lo ue hacen y por qué lo hacen. Una cuestión principal sería cómo se ienten al darse cuenta de los frutos de su generosidad.

P® Paso 3: La presentación

nstrucciones: Vas a dar una presentación oral a tu clase sobre n tema cultural. Vas a tener 4 minutos para leer el tema de la resentación y prepararla. Después vas a tener 2 minutos para grabar u presentación.

n tu presentación, compara una región del mundo hispanohablante ue te sea familiar con tu propia comunidad. Debes demostrar tu omprensión de aspectos culturales en el mundo hispanohablante y rganizar tu presentación de una manera clara.

l tema: ¿Qué impacto han tenido los famosos en devolverle a la omunidad para asegurar una vida feliz para otros?

Sé dar una presentación oral y hacer una comparación cultural sobre el impacto que los famosos tienen al devolverle a la comunidad para asegurar una vida feliz para todos.

Atando cabos sueltos

Una conversación simulada

AP® Ahora que has completado esta conexión, tienes la oportunidad de practicar en la guía digital una conversación simulada que sigue el formato de la tarea en el examen de AP®. Fíjate en que esta conversación se basa en el tema de esta conexión.

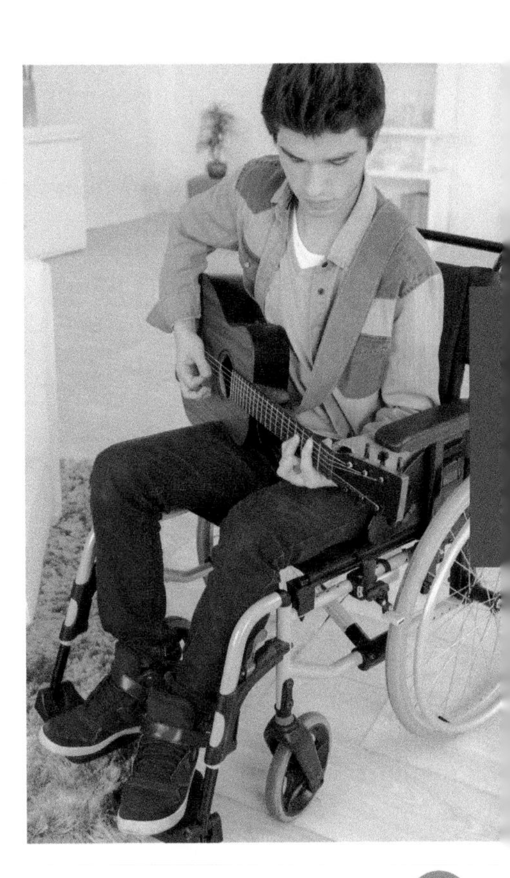

Tu progreso comunicativo e intercultural

Después de grabar la conversación simulada, evalúa tu progreso durante esta conexión en el Apéndice A y en **Mi portafolio** en la guía digital para indicar lo que has aprendido a hacer.

Conexión 3

Tus planes para ser feliz en el futuro

El enfoque: ¿Cuáles son los mejores consejos para conseguir la felicidad?

¿Qué sabes?

Fíjate en... las imágenes que para algunas personas definen o reflejan lo que es la felicidad.

Vocabulario para una mejor discusión

Para mejorar tu capacidad de participar más ampliamente en las conversaciones de clase, encontrarás aquí vocabulario útil y pertinente para el tema de esta conexión. Además, este vocabulario te va a ayudar a aumentar y desarrollar tu español en general.

aconsejar sobre la mejor manera de lograr el éxito (sugerir)	**complacer** a alguien (agradar)
alcanzar la meta de ser feliz (lograr)	**la dicha** y la satisfacción de tener éxito (la felicidad)
el azar de una persona nunca se sabe (el destino)	**el equilibrio** que se necesita para sentirse bien (el balance)
la búsqueda de la felicidad no es fácil (la exploración)	**el lujo** en que vive la gente con dinero (la opulencia)
la comodidad que sienten las personas exitosas (el bienestar)	**provechoso/a** para alguien que planea su futuro (útil)

Desarrollando tu vocabulario

Antes de participar en las discusiones de clase, accede a tu cuenta en la guía digital, el sitio *web* estudiantil donde puedes encontrar práctica y recursos adicionales para este libro. Hay ejercicios para ayudarte a recordar y usar el **Vocabulario para una mejor discusión**.

Comunica

AP® **Instrucciones**: Vas a escribir una respuesta a un mensaje electrónico. Vas a tener 15 minutos para leer el mensaje y escribir tu respuesta. Tu respuesta debe incluir un saludo y una despedida, y debe responder a todas las preguntas y peticiones del mensaje. Debes responder de una manera formal.

Introducción: Recibes este correo electrónico del director general del programa Encuentra tu felicidad. Has sido uno de los seleccionados para su programa de verano. Te pide más información para completar tu solicitud. Responde a su correo contestando a las preguntas y peticiones del correo original.

De: info@encuentratufelicidad.feliz Cc Bcc

Asunto: Su solicitud para programa de verano

Estimado/a estudiante:

El programa *Encuentra tu felicidad* le agradece su carta y solicitud. Me complace anunciarle que ha sido seleccionado entre los finalistas de nuestro programa de verano.

Debe saber que la elección de su solicitud no ha sido producto del azar. Hemos revisado detalladamente miles de solicitudes con el fin de encontrar un equilibrio entre postulantes de diferentes puntos del país. Nos alegra informarle que nuestra búsqueda ha sido exitosa y que Ud. está entre los seleccionados.

Como Ud. ya sabe, nuestra organización les ofrece a algunos estudiantes la oportunidad de viajar a cualquier país hispanohablante con el propósito de ayudar a los jóvenes a encontrar el camino hacia la felicidad y la paz interior.

En este viaje, Ud. tendrá la oportunidad de convivir con gente en un ambiente hispanohablante donde podrá apoyar y aconsejar a jóvenes como Ud., quienes planean un futuro con una vida feliz. El viaje es completamente gratis y, además, los estudiantes recibirán dinero para pagar otros gastos.

Para finalizar su solicitud para este programa, es necesario que Ud. nos envíe una carta en la que responda a las siguientes preguntas:

- ¿Cuáles son los elementos que a su juicio le proporcionarán una vida feliz?
- ¿Cuáles son sus planes para encontrar la felicidad?
- ¿Qué pasos está dispuesto/a a seguir para alcanzar su objetivo?

También en su carta, por favor díganos por qué piensa que deberíamos seleccionarlo/a para esta experiencia y cuál país escogería para encontrar su felicidad y por qué.

Quedo a la espera de su pronta respuesta. No dude en contactarme si tiene alguna duda o pregunta.

Atentamente,

Javier Castillo Vásquez, Director general de *Encuentra Tu Felicidad*

Responder

Exprésate

Vas a usar las preguntas que siguen para entrevistar a tus compañeros sobre su punto de vista con respecto a lo que significa planear una vida feliz para el futuro.

Considera cómo las decisiones que tomes con respecto a tu futuro pueden impactar a tu comunidad o a ti personalmente.

- ¿Qué decisiones importantes has tomado hasta este punto de tu vida con el objetivo de planear tu futuro feliz?
- De estas decisiones, ¿cuáles han tenido un impacto o podrían tener un impacto en tu comunidad? Explica cómo.
- ¿Cuáles son algunas decisiones importantes que tendrás que tomar pronto que afectarán tus planes de alcanzar tu futuro de felicidad?
- ¿Qué consecuencias tendrán tus decisiones para tu familia y tu comunidad?
- ¿Qué rol tiene el azar en estas decisiones? ¿Qué harás si el azar no te trata bien?

¡Para saber más!

¿Qué planes tienes para un futuro feliz y exitoso?

Paso 1

Uno de los objetivos de toda sociedad e individuo es alcanzar el éxito y la felicidad. Vas a explorar tus propias ideas y las de tus compañeros sobre cómo planear un futuro feliz.

Instrucciones: Imagina que tienes que dar una presentación a los estudiantes que van a asistir a tu colegio el próximo año. La consejera educacional les ha pedido a ti y a tus compañeros que den una presentación sobre la búsqueda de la felicidad y las decisiones importantes que tendrán que tomar en los próximos años, y sobre cómo pueden impactar su vida y la vida de la comunidad.

Encuesta sobre la búsqueda de la felicidad y cómo tomar decisiones importantes

Preguntas	Mi opinión	La opinión de mi compañero/a	La opinión de mi otro/a compañero/a
¿Qué pasos has tomado para alcanzar la felicidad?			
¿Cómo sabes que estos pasos te pueden llevar al éxito?			
¿Qué decisiones que has tomado usarías para aconsejar a un/a estudiante que va a estudiar en tu colegio?			

Paso 2

nstrucciones: Ahora que has reflexionado sobre la búsqueda de la elicidad y sobre los mejores consejos para alcanzarla, conversa con us compañeros y compara las respuestas del organizador gráfico que e permitirán organizar tu presentación.

AP® Paso 3: Aplicación práctica

Instrucciones: Vas a participar en una conversación. Primero, vas a tener un minuto para leer la introducción y el esquema de a conversación. Después, comenzará la conversación, siguiendo el esquema. Cada vez que te corresponda participar en la conversación, vas a tener 20 segundos para grabar tu respuesta.

Debes participar de la manera más completa y apropiada posible.

Introducción: Tu amigo Daniel, te llama para hablar sobre el futuro y sus planes después de graduarse.

Daniel	▶ Te saluda y te hace una pregunta.
Tú	▶ Salúdale y contesta su pregunta.
Daniel	▶ Continúa la conversación y te pide más información.
Tú	▶ Responde con detalles.
Daniel	▶ Reacciona y te hace más preguntas.
Tú	▶ Responde de forma negativa.
Daniel	▶ Te hace una pregunta.
Tú	▶ Responde con detalles.
Daniel	▶ Te hace una pregunta.
Tú	▶ Reacciona y despídete.

Infórmate

¿Cómo planear un futuro feliz?

Paso 1

Instrucciones: Antes de mirar el video, mira las imágenes y piensa en los pasos que uno debería seguir para planear un futuro exitoso y feliz. ¿Crees que hay una receta para alcanzar la felicidad? ¿Qué rol tiene el azar en conseguir el éxito?

Paso 2

Instrucciones: A todos nos preocupa el futuro de alguna manera, dependiendo de la etapa de la vida en que nos encontremos, y tenemos diferentes puntos de vista con respecto al tema de alcanzar la felicidad. Al escuchar la siguiente grabación, presta atención al rol que tienen el esfuerzo y el trabajo a la hora de planear una vida feliz. Toma apuntes y forma tu propia opinión sobre la fuente.

Introducción: Este video, *Lo más sencillo es complicarse,* trata de las decisiones importantes que debemos tomar si pensamos en un futuro feliz y exitoso. Fue publicado por Alex Puértolas en YouTube.

Palabras imprescindibles para esta fuente

currarse algo - trabajar para que algo suceda; poner tu tiempo y trabajo en algún objetivo

el sudor de tu frente - el esfuerzo; trabajar arduamente por algo

Paso 3

Instrucciones: Para mejorar tu capacidad de comunicarte con otros, conversa con un/a compañero/a y responde apropiadamente a las preguntas.

1. Según lo mencionado en la fuente; ¿qué pueden hacer tú y tus compañeros para alcanzar el éxito?
2. ¿Qué piensas de la idea del fracaso mencionada en la fuente? ¿Qué ejemplos de esto has visto en tu comunidad?
3. ¿Qué ideas mencionadas en esta fuente se pueden aplicar a ti y a tu familia? ¿Por qué?
4. ¿Qué ejemplos de éxito basados en el trabajo y el esfuerzo has visto en tu comunidad?
5. ¿Qué conexión puedes establecer entre el azar y la felicidad? Explica con ejemplos.

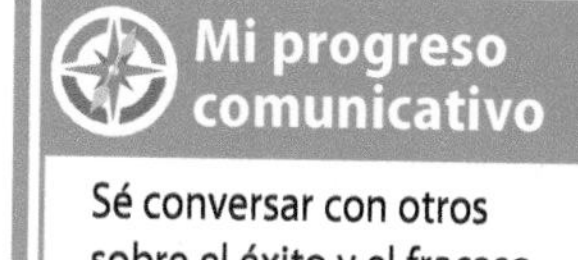

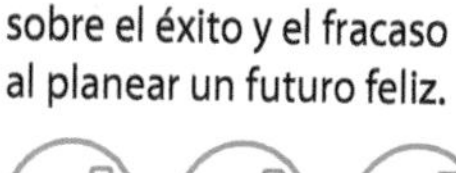

Sé dar y justificar opiniones sobre la idea de que no se puede planear un futuro feliz.

Paso 4

Tema de debate: No se puede planear un futuro feliz.

¿Qué más necesitas saber?

Vocabulario para una mejor comprensión

Para comprender las ideas principales de las dos fuentes en **¿Aprecias la cultura hispanohablante?** de esta conexión, estudia y practica el uso de estas palabras antes de escucharlas y leerlas.

la actitud	la disposición; la forma de comportarse Hay muchas cosas que podemos hacer para mejorar nuestra **actitud** ante la vida.
arrepentirse	lamentarse; sentirse mal por haber hecho algo La abuela de Sara habla de **arrepentirse** de no haber vivido más intensamente cada momento de su vida.
atesorar	acumular; guardar cosas de gran valor material o emocional El consejo de la abuela es **atesorar** cada momento de la vida actual.
complejo/a	complicado/a; difícil de explicar o definir La felicidad es una idea **compleja** porque todos la definimos de forma diferente.
convencido/a	persuadido/a; que tiene la certeza de una opinión o idea La abuela estaba **convencida** de que cada deseo que cumplía era un paso más para ser feliz.
el hábito	la costumbre; una práctica que se repite Es importante tener **el hábito** diario de poner en práctica acciones que en el futuro nos ayudarán a ser más felices.
jubilarse	retirarse; dejar la vida laboral La abuela quería posponer su felicidad hasta después de **jubilarse**.
proponerse	decidir; hacerse el propósito de conseguir algo Para ser feliz la autora aconseja que **te propongas** y planees tus metas.
el resultado	el producto; el fin o el desenlace de una situación Es bueno pensar en la felicidad no sólo como **el resultado** de tu vida, sino también como un camino.
las tonterías	lo estúpido; las cosas sin importancia o relevancia La abuela dice que no vivió cada momento de forma intensa porque se preocupaba y se ponía triste por **tonterías**.

Oportunidad inicial

Para empezar a practicar el **Vocabulario para una mejor comprensión,** escoge la palabra o la expresión en paréntesis que completa correctamente las oraciones.

1. Lo importante a veces, no es ______________ (el hábito/la tontería/el resultado) de la búsqueda, sino la experiencia de disfrutar del camino a la felicidad.
2. Una persona no debe ______________ (arrepentirse/atesorar/jubilarse) solamente lo material y olvidarse de gozar de la vida.
3. La idea de conseguir la felicidad muchas veces es difícil porque la felicidad es un concepto ______________ (complejo/convencido/resultado).
4. Tener ______________ (el hábito correcto/la actitud correcta/el resultado correcto) ante la vida nos asegura que viviremos más felices y satisfechos.
5. Un colega mayor le dijo a su amigo que no esperara una vida feliz hasta después de ______________ (arrepentirse/atesorar/jubilarse).
6. Una persona no va a ______________ (arrepentirse de/atesorar/jubilarse de) nada de lo que ha hecho si alcanza su meta de ser feliz.
7. Mi abuela estaba ______________ (convencida/compleja) de que su felicidad se debía a su amor por el prójimo.
8. Ahora me doy cuenta de que me preocupé por ______________ (una tontería/una actitud/un hábito) y no por algo realmente importante.
9. Me gusta seguir un plan de acción y tener ______________ (el resultado diario/la actitud diaria/el hábito diario) de hacer ejercicio y meditar.
10. Aunque a veces una circunstancia no sea favorable, hay que ______________ (arrepentirse/proponerse/jubilarse) y seguir adelante para lograr ser feliz.

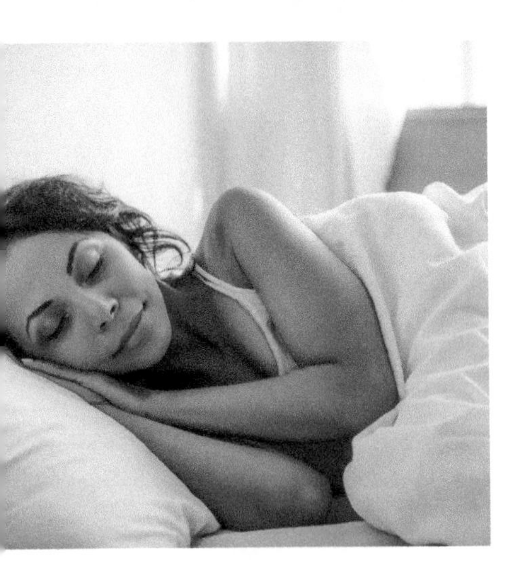

¿Aprecias la cultura hispanohablante?

Lectura con audio

AP® **Instrucciones**: Vas a escuchar una o varias grabaciones. Algunas grabaciones van acompañadas de lecturas. Cuando haya una lectura, vas a tener un tiempo determinado para leerla. Para cada grabación, primero vas a tener un tiempo determinado para leer la introducción y prever las preguntas. Vas a escuchar cada grabación dos veces. Mientras escuchas, puedes tomar apuntes. Tus apuntes no van a ser calificados. Después de escuchar cada selección por primera vez, vas a tener 1 minuto para empezar a contestar las preguntas; después de escuchar por segunda vez, vas a tener 15 segundos por pregunta para terminarlas. Para cada pregunta, elige la mejor respuesta según la grabación o el texto.

Fuente número 1

Introducción: Este artículo abreviado, *10 formas de ser más feliz y sentirte bien*, trata de la felicidad y de las diferentes ideas de cómo alcanzarla. El artículo fue escrito por Tania Sanz y publicado en el blog habitualmente.com.

10 formas de ser más feliz y sentirte bien

Ser feliz es una meta a la que todos queremos llegar, pero, todos tenemos diferentes ideas sobre lo que es y cómo conseguirla. Es fácil pensar en la felicidad como un **resultado**, pero ser feliz y sentirnos bien también debe ser un camino. Es verdad que a
5 veces, las circunstancias pueden no ser las más favorables para sentirte bien, sin embargo, hay ciertas acciones que sí podemos poner en práctica para mejorar nuestra **actitud** ante la vida.

Además podemos convertir estas acciones en **hábitos** diarios, así casi sin darnos cuenta nos convertimos en una persona alegre y
10 dichosa de forma natural.

¿Qué es la felicidad?

La felicidad es una palabra **compleja** y difícil de definir, sobre todo porque el camino a la felicidad es diferente para cada uno de nosotros.

Es verdad que algunos de los factores que afectan la felicidad pueden estar fuera de nuestro control. La felicidad es la decisión de elegir actitudes y comportamientos que hacen sentirnos mejor todos los días

¿Qué puedo hacer para decidir ser feliz ?

Las personas felices se dan cuenta de que la felicidad se convierte en un hábito. No son víctimas de las circunstancias. Tampoco persiguen esa "felicidad" en alguna persona o un bien material.

Tú puedes tomar el control para sonreír más veces al día y estar más satisfecho con la vida.

Estas pequeñas acciones se dividen en dos partes:

- Las que mejoran nuestra percepción y relación con el mundo exterior
- Las que provienen dentro de nosotros y dependen de nuestra actitud ante la vida

1. Ponte en contacto con la naturaleza
2. Cuida tu cuerpo haciendo ejercicio
3. Haz algo bueno por alguien
4. Aprende o prueba algo nuevo
5. Conversa más y cultiva relaciones
6. Duerme mejor
7. Proponte y planea tus metas
8. Agradece las pequeñas cosas
9. Recuerda algo y sonríe
10. Aprende a controlar tus pensamientos

Tania Sanz (2017), "10 Formas de ser más feliz y sentirte bien", Adaptado de https://habitualmente.com/ser-feliz.

Palabras imprescindibles para esta fuente

entristecerse - estar apenado; sentirse triste

Fuente número 2

Introducción: Este audio, *Las esperas*, trata de una abuela que le da consejos a su nieta sobre la felicidad y lo que importa en la vida. Viene de un cortometraje por Ismael Curbelo, producido por Carlos Garcia.

¿Qué aprendiste?

Paso 1

Instrucciones: Para mostrar lo que has comprendido del artículo y del audio, comenta con tus compañeros estas preguntas basándote en lo que recuerdas.

1. Según lo que puedes inferir de las dos fuentes, ¿qué podemos hacer para conseguir la felicidad?
2. Según el audio, ¿qué ha aprendido la abuela a través de los años sobre ser feliz?
3. ¿Cuál de las acciones propuestas en el artículo son hábitos con los que te identificas?

Mi progreso comunicativo

Sé comprender la información presentada en una lectura y un audio para responder a algunas preguntas sobre los consejos para conseguir la felicidad.

AP® Paso 2

Instrucciones: Para demostrar tu conocimiento, responde a las siguientes preguntas según lo que se dice en las dos fuentes.

1. ¿Cuál es el propósito de la lectura?
   a. Definir lo que es la felicidad para los jóvenes.
   b. Buscar el mejor camino para tener un futuro feliz.
   c. Establecer diversas acciones que nos pueden ayudar a alcanzar la felicidad.
   d. Establecer que la felicidad es una idea inalcanzable.
2. ¿Qué dice el artículo sobre las personas felices?
   a. Las personas convierten la felicidad en un hábito.
   b. Las personas son víctimas de las circunstancias.
   c. Las personas persiguen bienes materiales.
   d. Las personas no están satisfechas con su vida.
3. Según el artículo, ¿qué es la felicidad?
   a. Es un factor fuera de nuestro control que nos lleva a ser feliz.
   b. Es una idea compleja y diferente para cada persona.
   c. Es lo que podemos alcanzar si trabajamos duro en la vida.
   d. Es algo simple y accesible para todos.

¿Qué quiere decir la autora cuando escribe, "... algunos de los factores que afectan la felicidad pueden estar fuera de nuestro control.", (líneas 15-16)?

a. Que la felicidad debe ser una idea controlada

b. Que algunos aspectos para obtener la felicidad no se pueden controlar

c. Que la felicidad depende de controlar los aspectos externos

d. Que para ser feliz no hay que estar en control de las cosas

¿Qué dice la lectura con respecto a convertir la felicidad en un hábito?

a. Que podemos sentirnos mejor al hacer ejercicio

b. Que podemos alcanzar la felicidad sonriendo todos los días

c. Que podemos sentirnos felices cuando estamos tristes

d. Que podemos tomar el control de algunas acciones para ser felices

6. ¿Cuál es el tema principal del audio?

a. La idea de que la felicidad se alcanza al jubilarse.

b. La idea de que la felicidad es una cosa pasajera.

c. La idea de que la felicidad hay que vivirla en el presente.

d. La idea de que la felicidad está relacionada con la espera.

7. Según el audio, ¿qué dice la abuela que ha aprendido a través de los años?

a. Que la felicidad llega cuando nos casamos

b. Que la felicidad no llega hasta que alcanzamos nuestras metas

c. Que la felicidad llega cuando atesoramos tonterías

d. Que la felicidad llega cuando sabemos disfrutar de lo que tenemos

8. ¿Por qué cree la abuela que Sara está triste?

a. Piensa que Sara no ha sacado buenas notas en sus clases.

b. Piensa que Sara se ha peleado con su novio.

c. Piensa que Sara está preocupada por la felicidad.

d. Piensa que Sara se preocupa por tonterías.

9. En el audio, ¿de qué dice que se arrepiente la abuela?
   a. De haberse casado muy joven
   b. De no haber vivido intensamente cada momento
   c. De haberse puesto feliz por tonterías
   d. De haber vivido atesorando bienes materiales
10. ¿Qué idea tienen en común las dos fuentes?
   a. Las dos hablan sobre cómo planear el futuro.
   b. Las dos hablan sobre cómo vivir intensamente.
   c. Las dos hablan sobre cómo alcanzar la felicidad.
   d. Las dos hablan sobre cómo ser feliz después de jubilarse.

Mi progreso intercultural

Sé explicar cómo los valores de una comunidad hispanohablante y los de mi comunidad contribuyen a la felicidad.

Paso 3

Instrucciones: Para comprender mejor las prácticas y perspectivas culturales que se encuentran en tu comunidad y en las fuentes sobre la felicidad, usa estas preguntas de discusión para enfocarte en los temas relevantes de esta conexión.

Prácticas culturales

1. Según la lectura, ¿por qué es difícil decidir lo que uno debe hacer para ser feliz?
2. ¿Qué acciones que provienen de nuestro interior recomienda el artículo para encontrar la felicidad ?
3. ¿Qué hacen tus amigos para encontrar la felicidad?

Perspectivas culturales

1. ¿Por qué dice el audio que es mejor disfrutar de hoy que soñar con el mañana?
2. ¿Por qué te enseña tu comunidad la importancia de tener una vida feliz?

Presenta

Para mejorar tu capacidad de hacer una presentación oral, vas a leer sobre cómo alcanzar el éxito y la felicidad en la vida. La presentación se basará en la pregunta de **El enfoque**.

El enfoque: ¿Cuáles son los mejores consejos para conseguir la felicidad?

Paso 1: El texto relevante

Introducción: Este artículo abreviado, *El secreto del éxito y la felicidad*, trata de los diversos tipos de opiniones sobre estos conceptos. El artículo fue publicado en el blog lasleyesdelexito.com por Alex Arroyo Carbonell.

El secreto del éxito y la felicidad

Respecto a los conceptos del éxito y la felicidad, puedes encontrar todo tipo de opiniones. Son sólo dos palabras que despiertan los más variados sentimientos dependiendo de quién las escucha.

Existen personas que incluso dicen que la felicidad no existe, 5 o cuando menos que sólo puede disfrutarse de ella en muy contadas ocasiones. En cuanto al éxito, desde la cultura latina tenemos numerosos prejuicios, ya que muchos perciben este vocablo como algo muy yankee, y lo asocian de forma exclusiva al "american way of life".

10 Existe la opinión generalizada de que la felicidad nos llegará cuando consigamos el éxito, pero pensando así, te garantizo que tienes muchos números para esperar eternamente.

¿Cuál es el secreto del éxito y la felicidad?

Si tuviera que resumirte en una escueta frase te diría que la 15 felicidad es la que lleva implícita el éxito, porque el verdadero éxito es ser feliz.

A todos nos gustaría que el éxito nos llegara de forma rápida, fácil y sin esfuerzo. Pero como alcanzar el triunfo suele venir acompañado de un lento desarrollo interior y de una actuación 20 externa prolongada, en este camino son muchos los que teniendo en mente únicamente el destino al cual se dirigen, se pierden todas las maravillas que existen en el trayecto.

Para lograr el éxito, debes ser feliz ahora. Tienes la oportunidad de ser feliz en este preciso instante y cuando entiendes y pones
25 en práctica esto, el éxito ya está de camino.

Aunque tengas tus objetivos y metas, vive con intensidad el día de hoy porque esa es la mejor forma de ser feliz, apreciando y agradeciendo todo aquello que la vida te brinda.

Haz todo lo que esté en tu mano para ser feliz ahora. Encuentra
30 todo lo que a día de hoy tienes para agradecer en tu vida y estarás acercándote a la felicidad, porque esta no se encuentra en la posesión de nada externo a ti.

Alex Arroyo Carbonell (2015), "El secreto del éxito y la felicidad", Adaptado de http://blog.lasleyesdelexito.com/secreto-del-exito-felicidad/.

Paso 2: La exploración

Instrucciones: Para investigar más a fondo los conceptos descritos en el artículo abreviado, *El secreto del éxito y la felicidad*, vas a investigar otras opiniones entre diferentes miembros de tu familia y gente de la comunidad, concentrándote en gente de diferentes edades y orígenes, pidiéndoles consejos para alcanzar la felicidad. También puedes buscar otras opiniones e información en línea.

AP® Paso 3: La presentación

Instrucciones: Vas a dar una presentación oral a tu clase sobre un tema cultural. Vas a tener 4 minutos para leer el tema de la presentación y prepararla. Después vas a tener 2 minutos para grabar tu presentación en la guía digital, el sitio *web* estudiantil donde puedes encontrar prácticas y recursos adicionales para este libro.

En tu presentación, compara una región del mundo hispanohablante que te sea familiar con tu propia comunidad. Debes demostrar tu comprensión de aspectos culturales del mundo de habla hispana y organizar tu presentación de una manera clara.

El tema: ¿Cómo influye la vieja generación en cómo la generación joven planea un futuro feliz?

Mi progreso comunicativo

Sé dar una presentación oral y hacer una comparación cultural sobre la influencia de la vieja generación en planear un futuro feliz en mi comunidad y en una comunidad hispanohablante.

Atando cabos sueltos

Una conversación simulada

AP® Ahora que has completado esta conexión, tienes la oportunidad de practicar en la guía digital una conversación simulada que sigue el formato de la tarea en el examen de AP®. Fíjate en que esta conversación se basa en el tema de esta conexión.

Ensayo argumentativo

AP® Ahora que has completado esta conexión, tienes la oportunidad de practicar en la guía digital un ensayo argumentativo que sigue el formato de la tarea en el examen de AP®. Vas a citar tres fuentes que presentan diferentes puntos de vista sobre un tema relacionado con este capítulo. El ensayo será basado en datos de un artículo, un gráfico y un audio.

Tu progreso comunicativo e intercultural

Después de grabar la conversación simulada y escribir el ensayo argumentativo, evalúa tu progreso durante esta conexión en el Apéndice A y en **Mi portafolio** en la guía digital para indicar lo que has aprendido a hacer.

Resumen de vocabulario

Palabras para apreciar

Vocabulario para una mejor discusión – Conexión 1

adinerado/a - rico/a

asegurarse - confirmar

contentarse - conformarse

estresarse - preocuparse

exitoso/a - triunfante

fracasar - no tener éxito

humilde - modesto/a

mezquino/a - tacaño/a

poderoso/a - autoritario/a

el privilegio - la prerrogativa

Vocabulario para una mejor comprensión – Conexión 1

el aprendizaje - la lección

asimismo - también

la aspiración - el deseo

clave - crucial

denominar - nombrar

disponer de - tener

el escepticismo - la duda

gestionar - administrar

intentar - esforzarse

temporal - transitorio/a

Vocabulario para una mejor discusión – Conexión 2

benéfico/a - beneficioso/a

la caridad - la compasión

compasivo/a - sensible

donar - regalar

las estrellas - los famosos

la filantropía - la generosidad

la fundación - la institución

recaudar - colectar

recompensado/a - gratificado/a

respaldar - apoyar

Vocabulario para una mejor comprensión – Conexión 2

desalentador/a - deprimente

la donación - un regalo

empresarial - comercial

incentivar - animar

la índole - el tipo

el premio - la recompensa

proveniente de - originario/a de

sensato/a - sabio/a

si bien - aunque

tributario/a - contributivo/a

Vocabulario para una mejor discusión – Conexión 3

aconsejar - sugerir

alcanzar -lograr

el azar - el destino

la búsqueda - la exploración

la comodidad - el bienestar

complacer - agradar

la dicha - la felicidad

el equilibrio - el balance

el lujo - la opulencia

provechoso/a - útil

Vocabulario para una mejor comprensión – Conexión 3

la actitud - la disposición

arrepentirse - lamentarse

atesorar - acumular

complejo/a - complicado/a

convencido/a - persuadido/a

el hábito - la costumbre

jubilarse - retirarse

proponerse - decidir

el resultado - el producto

las tonterías - lo estúpido

Gramática problemática

Usos fundamentales del subjuntivo con "si" y "como si"

Introducción: En mi ciudad hay tres fundaciones filantrópicas de importancia—la Fundación Gachas, la Fundación Torpelino, y la Fundación Ubicante. Me gustaría saber más de ellas pero solo tengo información incompleta. Me gustaría saber qué fundación contribuye sus esfuerzos a las artes, a programas que promocionan la paz y la justicia o a programas para la prevención del abuso doméstico y qué fundación dona 3 millones de dólares, 5 millones de dólares o 10 millones de dólares. Solo tengo las siguientes pistas. ¿Me ayudarías? Estoy confundido y así estaré si no me ayudas. Para mí es un rompecabezas.

1. Si una fundación diera su dinero a las artes, sería la Fundación Gachas o la Fundación Torpelino.
2. La Fundación Ubicante no donaría sus fondos a las artes, si a la Fundación Torpelino le interesaran los programas para la prevención del abuso doméstico.
3. Si la Fundación Gachas hubiera apoyado a programas sociales y políticos, la Fundación Torpelino y la Fundación Ubicante no habrían protestado tanto.
4. La Fundación luce su importancia como si pudiera donar más de 5 millones de dólares, pero no es verdad.
5. La Fundación Gachas y la Fundación Torpelino dijeron que contribuyeron más de 9 millones de dólares entre las dos como si hubieran recaudado más que la Fundación Ubicante, y es verdad.
6. La Fundación Gachas intentó recaudar más de 5 millones de dólares como si sus donantes hubieran tenido el dinero y el talento, pero no pudo.
7. La Fundación Torpelino da su dinero a programas para prevenir el abuso doméstico como si fuera su única misión filantrópica.

Instrucciones: Ya que has visto el uso del "si" y "como si" en contexto, lee las explicaciones de cómo se usan. Presta mucha atención a la secuencia de tiempos. Por ejemplo, si la cláusula principal usa el condicional, ¿qué tiempo verbal se usa en la cláusula con si? Esta concordancia de tiempos establece un modelo. Debes ser un/a buen/a observador/a del "si". ¡Sí, señor!

Expresiones con el subjuntivo

O sea=en otras palabras

Shakira es otra celebridad que ha donado mucho a su país natal, **o sea**, Colombia ha disfrutado de su generosidad.

Hay muchos célebres latinoamericanos muy generosos que han donado los frutos de su celebridad a causas sociales en sus países, **o sea**, no han sido solo los Gobiernos que han ayudado a los menos afortunados.

Sea lo que sea=no importa, de cualquier modo

Carlos Slim es uno de los hombres más ricos y famosos del mundo. **Sea lo que sea**, su vida es normal y gratificante al mismo tiempo.

El Centro Mexicano para la Filantropía es una organización fundada en 1988. **Sea lo que sea**, ha tenido mucho impacto promoviendo la participación en programas socialmente responsables.

Fuera lo que fuera o **fuera lo que fuese**=no importaba, de cualquier modo

Chamel Gaspard, un empresario venezolano, perdió la mitad de su fortuna a finales de la década de los 90. **Fuera lo que fuera**, siguió donando fondos a programas benéficos.

De niña, Rigoberta Menchú Tum sufrió de discriminación y extrema pobreza. **Fuera lo que fuese**, ganó El Premio Nobel de la Paz y fundó una organización que trabaja para mejorar la vida de poblaciones indígenas.

Gramática problemática

Usos fundamentales del subjuntivo con "si" y "como si"

Reglas generales: El subjuntivo con "si" y "como si"

Las cláusulas con "si" siguen una fórmula clásica porque requieren una secuencia específica de tiempos verbales.

Probabilidad

Si *presente de indicativo* , *futuro de indicativo* . = *Futuro de indicativo* si *presente de indicativo* .

Si no me ayudas, estaré muy confundido.

Si *presente de indicativo* , *futuro de indicativo*

Improbabilidad

Si *imperfecto del subjuntivo* , *condicional de indicativo* o *condicional de indicativo* **si** *imperfecto del subjuntivo* .

La Fundación Ubicante no donaría sus fondos a las artes **si** a la Fundación Torpelino le interesaran los programas para la prevención del abuso doméstico.

condicional de indicativo **si** *imperfecto del subjuntivo*

Imposibilidad

condicional perfecto de indicativo **si** *pluscuamperfecto de subjuntivo* o **si** *pluscuamperfecto de subjuntivo*, *condicional perfecto de indicativo*.

Si *pluscuamperfecto de subjuntivo*

Si la Fundación Gachas **hubiera** apoyado a programas sociales y políticos, la Fundación Torpelino y la Fundación Ubicante no **habrían** protestado tanto.

condicional perfecto de indicativo

presente de indicativo **como si** *imperfecto de subjuntivo*

La Fundación presume su importancia **como si** **pudiera** donar más de $5 millones.

La Fundación Gachas y la Fundación Torpelino dijeron que contribuyeron más de 9 millones

pasado de indicativo

de dólares entre las dos **como si** **hubieran** recaudado más que la Fundación Ubicante.

como si *pluscuamperfecto de subjuntivo*

En resumen: el IPA

Integrated Performance Assessment

Las fuentes del capítulo

Conexión 1

Video: *Para usted, ¿Qué es la felicidad? Percepción #somosfelices Encuesta*

Lectura: *¿Existe la felicidad? Mitos y verdades*

Infografía: *La felicidad en América del Sur*

Audio: *¿Es más importante ser rico o ser feliz?*

Conexión 2

Video: *Altruismo y felicidad: Psicología positiva*

Lectura: *La filantropía en América Latina*

Video: *Filántropos y latinos: Así son estos famosos que le dan ejemplo al mundo*

Conexión 3

Audio: *Lo más sencillo es complicarse*

Lectura: *10 formas de ser más feliz y sentirte bien*

Audio: *Las esperas*

Lectura: *El secreto del éxito y la felicidad*

Introducción: La búsqueda de la felicidad es uno de los objetivos qu persigue el ser humano a lo largo de la vida. Para unos, la felicidad es sinónimo de desarrollo profesional, de tener dinero y amor. Para otros significa compartir lo que tienen. Hay momentos en que también queremos compartir nuestra sabiduría y aconsejar a los demás sobre cómo lograr la felicidad.

Estás por terminar el instituto y te acaban de avisar que vas a dar el discurso de graduación este año. Debes mirar la fuente para ayudarte a desarrollar las ideas. Sabes que esta oportunidad es un momento clave.

Antes de planear tu proyecto, ten en cuenta las preguntas esenciales del capítulo para guiar tu presentación.

1. ¿Cómo se define una vida feliz?
2. ¿Cuáles son nuestros modelos de felicidad?
3. ¿Cómo planeas ser feliz en el futuro?

Evaluación de tu comunicación interpersonal

Vas a explorar algunos temas específicos en tu conversación de
onsulta con tus compañeros de clase.

Evaluación de tu comprensión

Hay muchas sugerencias y consejos para ser feliz, y es
nportante tomarlas en cuenta cuando planeamos nuestra vida feliz.
)ebes leer la fuente un par de veces. Vas a tener que hacer referencia
. ella en tu presentación.

Evaluación de tu presentación

Para mejorar tu capacidad oral, vas a dar una presentación en
a cual vas a dar un discurso a tus compañeros.

'ara preparar tu presentación, vas a incluir:

- una representación visual
- información sobre la felicidad.

Can-Do Statements

Capítulo 1

CONEXIÓN 1

❑ Sé compartir información sobre las *apps* para convencer a un/a amigo/a de los beneficios de usarlas. p. 8

❑ Sé dar y justificar opiniones sobre si las aplicaciones del smartphone sirven para satisfacer una necesidad. p. 9

❑ Sé comprender la información presentada en una infografía para determinar las motivaciones personales sobre el uso de *apps* en España. p. 14

❑ Sé conversar con hispanohablantes sobre el uso de sus *apps* preferidas. p. 15

❑ Sé justificar mi opinión en una presentación oral sobre los usos beneficiosos de algunas *apps* del mundo hispanohablante. p. 17

❑ Sé participar en conversaciones para responder a preguntas, pedir información y hacer recomendaciones. p. 17

CONEXIÓN 2

❑ Sé comprender las ideas principales y secundarias en un video sobre un juego virtual. p. 20

❑ Sé dar y justificar opiniones sobre cómo la tecnología nos aleja de nuestra realidad cotidiana. p. 21

❑ Sé comprender las ideas principales y secundarias en un artículo sobre los peligros de confundir la vida virtual con la real. p. 26

❑ Sé comparar las prácticas y perspectivas culturales sobre la confusión entre la vida virtual y la real en Argentina y en mi comunidad. p. 27

❑ Sé escribir una carta expresando mis opiniones sobre el uso del smartphone incluyendo detalles para apoyar mi punto de vista. p. 31

❑ Sé participar en conversaciones para responder a preguntas, pedir información y hacer recomendaciones. p. 31

CONEXIÓN 3

❑ Sé responder a las preguntas y peticiones en un mensaje electrónico formal y pedir más información sobre un puesto en el periódico de la escuela. p. 35

❑ Sé dar y justificar opiniones a través de una encuesta informal sobre las declaraciones en una gráfica. p. 37

❑ Sé comprender información auditiva, responder a preguntas y justificar mis respuestas sobre el debate de regular las redes sociales. p. 43

❑ Sé comparar las perspectivas sobre el conflicto de regular las redes sociales en las culturas hispanohablantes y en mi comunidad. p. 44

❑ Sé presentar información investigada sobre las normas actuales del uso de aparatos electrónicos en una escuela o instituto. p. 45

❑ Sé participar en conversaciones para responder a preguntas, pedir información y hacer recomendaciones. p. 45

Capítulo 1

CONEXIÓN 1

❏ I can share information to convince a friend about the benefits of using apps. p. 8

❏ I can give and justify opinions about how and if smartphone applications satisfy a need. p. 9

❏ I can understand information from an infographic to determine what motivates people to use apps in Spain. p. 14

❏ I can converse with Spanish-speakers about the use of their preferred apps. p. 15

❏ I can justify my opinion in an oral presentation about the benefits of using some apps from the Spanish-speaking world. p. 17

❏ I can participate in conversations to answer questions, request information, and make recommendations. p. 17

CONEXIÓN 2

❏ I can understand the main ideas and supporting details from a video about a virtual game. p. 20

❏ I can give and justify opinions on how technology distances us from our daily reality. p. 21

❏ I can understand the main ideas and supporting details from a reading about the dangers of confusing virtual life with real life. p. 26

❏ I can compare practices and cultural perspectives about the confusion between virtual and real life in Argentina and in my community. p. 27

❏ I can write a letter expressing my opinions, including details to support my point of view, about the use of the smartphone. p. 31

❏ I can participate in conversations to answer questions, request information, and make recommendations. p. 31

CONEXIÓN 3

❏ I can respond to questions and requests in a formal email, and ask for more information about a job with the school newspaper. p. 35

❏ I can give and justify opinions in an informal poll about information from a graph. p. 37

❏ I can understand information presented in an audio, respond to questions and justify my answers about the regulation of social media. p. 43

❏ I can compare perspectives about the conflict of regulating social media in Spanish-speaking cultures and in my community. p. 44

❏ I can present researched information about the policies regarding the use of electronic devices in school. p. 45

❏ I can participate in conversations to answer questions, request information, and make recommendations. p. 45

Capítulo 2

CONEXIÓN 1

❏ Sé participar en una conversación, responder, hacer preguntas y dar opiniones sobre los gustos y diseños de las mochilas. p. 57

❏ Sé conversar con otros sobre los adornos de las mochilas. p. 58

❏ Sé responder con detalle a algunas preguntas y peticiones en un mensaje electrónico y pedir más información. p. 59

❏ Sé dar y justificar opiniones sobre si la mochila es una expresión de la vida de una persona. p. 61

❏ Sé comprender la información presentada en un audio para contestar a algunas preguntas sobre el uso de la mochila entre la gente hispanohablante. p. 67

❏ Sé describir cómo las mochilas de la cultura arhuaca y las de mi cultura reflejan la identidad de la comunidad. p. 68

❏ Sé dar una presentación oral sobre las semejanzas y diferencias entre los diseños de mochilas en mi comunidad y los de algunas comunidades hispanohablantes. p. 71

CONEXIÓN 2

❏ Sé responder con detalle a algunas preguntas y peticiones en un mensaje electrónico y pedir más información. p. 73

❏ Sé comprender las ideas principales y secundarias de la campaña sobre los peligros potenciales de las mochilas abandonadas. p. 75

❏ Sé conversar con otros sobre los peligros potenciales de las mochilas abandonadas. p. 76

❏ Sé dar una presentación oral comparando cómo reacciona la gente de mi comunidad y la gente de una comunidad hispanohablante al presenciar algo sospechoso. p. 77

❏ Sé comprender las ideas principales y secundarias en una lectura y un audio sobre algunas invenciones para el uso de la mochila. p. 85

❏ Sé describir influencias culturales indicando cómo las personas adaptan su mochila a las circunstancias de su comunidad. p. 87

❏ Sé escribir un ensayo argumentativo citando evidencia de un artículo y un gráfico. p. 92

CONEXIÓN 3

❏ Sé conversar con otros sobre las experiencias personales para desconectarme de mi vida diaria. p. 96

❏ Sé dar una presentación oral para comparar el impacto de un viaje que he hecho con lo que otros han experimentado en sus viajes. p. 97

❏ Sé conversar con otros dando ejemplos de los desafíos que enfrentaron algunos mochileros argentinos. p. 99

❏ Sé dar y justificar opiniones sobre los beneficios de viajar solo, con otra persona o con un grupo para desconectarme. p. 99

❏ Sé comprender las ideas principales y secundarias presentadas en una lectura y en un gráfico sobre el número de visitantes a los parques nacionales en Chile. p. 105

❏ Sé mostrar respeto y explicar cómo los chilenos se relacionan con lo que ofrece la naturaleza en los parques nacionales. p.106

❏ Sé dar una presentación oral sobre un viaje que hice con mi mochila sin acceso a tecnología para desconectarme. p.108

Capítulo 2

CONEXIÓN 1

- ❑ I can participate in a conversation, ask and respond to questions, and give opinions about people's taste and designs of backpacks. p. 57
- ❑ I can converse with others about backpack decorations. p. 58
- ❑ I can respond in detail to questions and requests in an email, and ask for more information. p. 59
- ❑ I can give and justify opinions on whether the backpack is an expression of the lifestyle of a person. p. 61
- ❑ I can understand information presented in an audio in order to respond to questions about the use of backpacks among Spanish-speaking people. p. 67
- ❑ I can describe how backpacks from the Arhuacan culture and from my culture reflect the identity of the community. p. 68
- ❑ I can give an oral presentation about the similarities and differences among the designs of backpacks in my community and those of Spanish-speaking communities. p. 71

CONEXIÓN 2

- ❑ I can respond in detail to questions and requests in an email, and ask for more information. p. 73
- ❑ I can understand the main ideas and supporting details from a campaign about the potential dangers of abandoned backpacks. p. 75
- ❑ I can converse with others about the potential dangers of abandoned backpacks. p. 76
- ❑ I can give an oral presentation comparing how people in my community and those of a Spanish-speaking community react when noticing something suspicious. p. 77
- ❑ I can understand the main ideas and supporting details from a reading and an audio about inventions for the use of a backpack. p. 85
- ❑ I can describe cultural influences indicating how people adapt their backpacks to the circumstances of their community. p. 87
- ❑ I can write an argumentative essay citing evidence from an article and an image. p. 92

CONEXIÓN 3

- ❑ I can converse with others about personal experiences to disconnect from my daily life. p. 96
- ❑ I can give an oral presentation to compare the impact of a trip I have taken with what others have experienced on their travels. p. 97
- ❑ I can converse with others giving examples of the challenges faced by some Argentine backpackers. p. 99
- ❑ I can give and justify opinions about the benefits of disconnecting by traveling alone, with another person, or with a group. p. 99
- ❑ I can understand the main ideas and supporting details from a reading and a graph about the number of visitors to the national parks in Chile. p. 105
- ❑ I can show respect and explain how Chileans interact with what nature has to offer in national parks. p.106
- ❑ I can give an oral presentation about a trip that I took with my backpack, with no access to technology, in order to disconnect. p.108

Capítulo 3

CONEXIÓN 1

- ❏ Sé responder con detalle a algunas preguntas y peticiones en un mensaje electrónico y pedir más información. p. 121
- ❏ Sé investigar, colaborar y participar en conversaciones sobre el rol de la comida tradicional en diferentes celebraciones de comunidades hispanohablantes. p. 122
- ❏ Sé participar en una conversación, responder, hacer preguntas y dar opiniones sobre una celebración cultural y la comida que se come durante la misma. p. 123
- ❏ Sé dar y justificar opiniones sobre la importancia de perpetuar celebraciones tradicionales para fortalecer la convivencia de una comunidad. p. 125
- ❏ Sé comprender la información presentada en una lectura y un audio para responder a algunas preguntas sobre la comida en celebraciones culturales. p. 130
- ❏ Sé describir influencias culturales en tradiciones culinarias que fortalecen la convivencia en mi comunidad y en una comunidad hispanohablante. p. 132
- ❏ Sé dar una presentación oral y hacer una comparación cultural sobre la idea de que somos lo que comemos. p. 134

CONEXIÓN 2

- ❏ Sé participar en conversaciones sobre la elección de la comida en mi casa y en la casa de mis compañeros de clase. p. 137
- ❏ Sé responder con detalle a algunas preguntas y peticiones en un mensaje electrónico y pedir más información. p. 138
- ❏ Sé dar y justificar opiniones sobre confiar en la ciencia en materia de nutrición. p. 139
- ❏ Sé comprender la información presentada en una lectura para responder a algunas preguntas sobre productos convencionales y orgánicos. p. 144
- ❏ Sé conversar con hispanohablantes sobre la producción de comida orgánica y sus beneficios con respecto a la comida convencional. p. 146
- ❏ Sé escribir un ensayo argumentativo citando datos de un artículo, una infografía y un audio. p. 149

CONEXIÓN 3

- ❏ Sé responder con detalle a algunas preguntas y peticiones en un mensaje electrónico y pedir más información. p. 153
- ❏ Sé investigar y compartir las definiciones de pobreza ofrecidas por varias organizaciones. p. 156
- ❏ Sé participar en una conversación, responder, hacer preguntas y dar opiniones sobre mi deseo de participar en algún programa de servicio comunitario. p. 157
- ❏ Sé dar y justificar opiniones sobre cómo los países ricos pueden ayudar a nivelar la brecha entre ricos y pobres. p. 159
- ❏ Sé comprender la información presentada en un audio y en un gráfico para responder a algunas preguntas sobre la pobreza en América latina. p. 165
- ❏ Sé describir las prácticas de los jóvenes y el impacto que tienen en la erradicación de la pobreza en mi comunidad y en una comunidad hispanohablante. p. 166
- ❏ Sé dar una presentación oral y hacer una comparación cultural sobre cómo la gente de mi comunidad apoya y participa en los programas y las políticas sociales para erradicar la desigualdad y la pobreza. p. 169

apítulo 3

ONEXIÓN 1

- I can respond in detail
) questions and requests in
n email, and ask for more
ıformation. p. 121
- I can research, collaborate
nd participate in conversations
bout the role of traditional
ɔod in the celebrations of
ifferent Spanish-speaking
ommunities. p. 122
- I can participate in a
onversation, respond to and ask
uestions, and give opinions about
cultural celebration and the food
aten there. p. 123
- I can give and
ustify opinions about the
mportance of perpetuating
raditional celebrations to
trengthen cultural ties in a
ommunity. p. 125
- I can understand
nformation presented in a
eading and an audio to respond
o questions about food at
ultural celebrations. p. 130
- I can describe cultural
nfluences in culinary traditions
hat strengthen cultural ties in
ny community and in a Spanish-
speaking community. p. 132
- I can give an oral
presentation and make a cultural
comparison about the idea that
we are what we eat. p. 134

CONEXIÓN 2

- ❑ I can participate in conversations about food choices in my home and in the homes of my classmates. p. 137
- ❑ I can respond in detail to questions and requests in an email, and ask for more information. p. 138
- ❑ I can give and justify opinions about whether to trust science in matters of nutrition. p. 139
- ❑ I can understand information from a reading in order to respond to questions about conventional and organic products. p. 144
- ❑ I can converse with Spanish-speakers about organic food production and its benefits in relation to conventional food. p. 146
- ❑ I can write an argumentative essay citing information from an article, an infographic and an audio. p. 149

CONEXIÓN 3

- ❑ I can respond in detail to questions and requests in an email, and ask for more information. p. 153
- ❑ I can research and share definitions of poverty offered by various organizations. p. 156
- ❑ I can participate in a conversation, reply, ask questions and give opinions about wanting to participate in a community service program. p. 157
- ❑ I can give and justify opinions about how rich countries can help diminish the gap between rich and poor. p. 159
- ❑ I can understand information from an audio and an image in order to respond to questions about poverty in Latin America. p. 165
- ❑ I can describe the practices of young people and their impact on the eradication of poverty in my community and in a Spanish-speaking community. p. 166
- ❑ I can give an oral presentation and make cultural comparisons about how people in my community support and participate in social programs and policies to eradicate inequality and poverty. p. 169

Capítulo 4

CONEXIÓN 1

❑ Sé responder con detalle a algunas preguntas y peticiones en un mensaje electrónico y pedir más información. p. 184

❑ Sé investigar, colaborar y participar en conversaciones sobre la importancia de los idiomas indígenas en la identidad nacional. p. 185

❑ Sé dar y justificar opiniones sobre si las culturas indígenas deben abandonar sus costumbres e integrarse a la sociedad. p. 185

❑ Sé conversar con otros sobre la idea de la mexicanidad. p. 190

❑ Sé comprender la información presentada en una lectura y en una infografía para responder a algunas preguntas sobre la idea de la identidad mexicana. p. 191

❑ Sé comparar la identidad y los valores en mi comunidad y en una comunidad hispanohablante. p. 192

❑ Sé dar una presentación oral y hacer una comparación cultural sobre la idea de cómo se puede conservar la identidad nacional en un mundo multicultural. p. 194

CONEXIÓN 2

❑ Sé responder con detalle a algunas preguntas y peticiones en un mensaje electrónico y pedir más información. p. 197

❑ Sé conversar con otros sobre las experiencias de un/a inmigrante y los desafíos que tiene que superar. p. 199

❑ Sé dar una presentación oral y hacer una comparación cultural sobre los factores culturales y políticos que influyen en la experiencia de asimilarse a una nueva comunidad. p. 199

❑ Sé interpretar la información en un artículo sobre el choque cultural para conectar emociones con imágenes. p. 201

❑ Sé dar y justificar opiniones sobre cómo evitar los síntomas del choque cultural. p. 202

❑ Sé comprender la información presentada en una lectura y un audio para responder a algunas preguntas sobre la experiencia de algunos inmigrantes. p. 208

❑ Sé conversar con hispanohablantes sobre la diversidad que los inmigrantes aportan a otro país. p. 211

❑ Sé dar una presentación oral sobre los valores de resistencia y persistencia. p. 213

CONEXIÓN 3

❑ Sé responder con detalle a algunas preguntas y peticiones en un mensaje electrónico y pedir más información. p. 215

❑ Sé conversar con otros sobre cómo la diversidad de la migración ha cambiado mi comunidad. p. 216

❑ Sé participar en una conversación, responder, hacer preguntas y dar opiniones sobre las contribuciones que la diversidad de sus miembros aportan a una comunidad. p. 217

❑ Sé dar y justificar opiniones sobre si las prácticas culturales de los inmigrantes enriquecen o no enriquecen a la comunidad de acogida. p. 220

❑ Sé conversar con otros sobre la información presentada en las fuentes sobre elementos de la fusión de culturas. p. 226

❑ Sé comprender la información presentada en una lectura y un audio para responder a algunas preguntas sobre contribuciones de migrantes. p. 227

❑ Sé conversar con otros sobre contribuciones y productos fruto de la fusión de culturas en una comunidad. p. 228

❑ Sé dar una presentación oral y hacer una comparación cultural sobre el impacto de la migración en mi comunidad y una comunidad hispanohablante. p. 230

❑ Sé escribir un ensayo argumentativo citando datos de un artículo, un gráfico y una grabación. p. 231

Capítulo 4

CONEXIÓN 1

- ❑ I can respond in detail to questions and requests in an email, and ask for more information. p. 184
- ❑ I can research, collaborate and participate in conversations about the importance of indigenous languages in national identity. p. 185
- ❑ I can give and justify opinions on whether indigenous cultures should abandon their customs and integrate themselves into society. p. 185
- ❑ I can converse with others about the idea of Mexican cultural identity. p. 190
- ❑ I can respond to questions regarding the idea of Mexican identity based on information presented in a reading and an infographic. p. 191
- ❑ I can compare identity and values in my community and in a Spanish-speaking community. p. 192
- ❑ I can give an oral presentation and make cultural comparisons about how to preserve national identity in a multicultural world. p. 194

CONEXIÓN 2

- ❑ I can respond in detail to questions and requests in an email, and ask for more information. p. 197
- ❑ I can converse with others about immigrant experiences and the challenges they must overcome. p. 199
- ❑ I can give an oral presentation and make cultural comparisons about cultural and political factors that affect the experience of assimilating to a new community. p. 199
- ❑ I can connect emotions with images by interpreting the information in an article about culture shock. p. 201
- ❑ I can give and justify opinions about how to avoid the symptoms of culture shock. p. 202
- ❑ I can understand the information in a reading and audio and respond to questions about the experiences of some immigrants. p. 208
- ❑ I can converse with Spanish-speakers about the diversity that immigrants contribute to another country. p. 211
- ❑ I can give an oral presentation about the values of resistance and persistence. p. 213

CONEXIÓN 3

- ❑ I can respond in detail to questions and requests in an email, and ask for more information. p. 215
- ❑ I can converse with others about how diversity brought by migration has changed my community. p. 216
- ❑ I can participate in conversations to ask and respond to questions, and give opinions about how the diversity of its members contribute to a community. p. 217
- ❑ I can give and justify opinions about whether or not the cultural practices of immigrants enrich the host community. p. 220
- ❑ I can converse with others about the information presented in different chapter sources, regarding elements of the fusion of cultures. p. 226
- ❑ I can understand the information presented in a reading and audio and respond to questions regarding the contributions of migrants. p. 227
- ❑ I can converse with others about contributions and products born from the fusion of cultures in a community. p. 228
- ❑ I can give an oral presentation and make cultural comparisons on the impact of migration in my community and in a Spanish-speaking community. p. 230
- ❑ I can write an argumentative essay citing information from an article, an infographic and a recording. p. 231

Capítulo 5

CONEXIÓN 1

❑ Sé conversar con otros sobre algunas citas relacionadas con la existencia de la felicidad verdadera. p. 245

❑ Sé responder con detalle a algunas preguntas y peticiones en un mensaje electrónico y pedir más información. p. 246

❑ Sé colaborar y participar en conversaciones sobre perspectivas personales presentadas en un video. p. 247

❑ Sé dar y justificar opiniones sobre la idea de que la felicidad es o no es igual para todos. p. 247

❑ Sé comprender la información presentada en una lectura y en una infografía para responder a algunas preguntas sobre aspectos de la felicidad. p. 253

❑ Sé describir la importancia de la felicidad en mi comunidad y en una comunidad hispanohablante. p. 255

❑ Sé dar una presentación oral y hacer una comparación cultural sobre varios aspectos para asegurar una vida feliz para todos. p. 257

CONEXIÓN 2

❑ Sé conversar con otros sobre actos de generosidad. p. 260

❑ Sé responder con detalle a algunas preguntas y peticiones en un mensaje electrónico y pedir más información. p. 261

❑ Sé interpretar y conversar sobre la información en un video sobre el altruismo y la felicidad. p. 263

❑ Sé dar una presentación oral sobre el tema "Siempre es mejor dar que recibir". p. 263

❑ Sé comprender la información presentada en una lectura para responder a algunas preguntas sobre participación en filantropía. p. 268

❑ Sé conversar con hispanohablantes sobre la filantropía y cómo influye en comunidades. p. 271

❑ Sé dar una presentación oral y hacer una comparación cultural sobre el impacto que los famosos tienen al devolverle a la comunidad para asegurar una vida feliz para todos. p. 271

CONEXIÓN 3

❑ Sé responder con detalle a algunas preguntas y peticiones en un mensaje electrónico y pedir más información. p. 273

❑ Sé conversar con otros sobre cómo buscar y tomar decisiones sobre la felicidad. p. 275

❑ Sé participar en una conversación, responder a preguntas y dar opiniones sobre el futuro después de la graduación. p. 275

❑ Sé conversar con otros sobre el éxito y el fracaso al planear un futuro feliz. p. 277

❑ Sé dar y justificar opiniones sobre la idea de que no se puede planear un futuro feliz. p. 277

❑ Sé comprender la información presentada en una lectura y un audio para responder a algunas preguntas sobre los consejos para conseguir la felicidad. p. 282

❑ Sé explicar cómo los valores de una comunidad hispanohablante y los de mi comunidad contribuyen a la felicidad. p. 284

❑ Sé dar una presentación oral y hacer una comparación cultural sobre la influencia de la vieja generación en planear un futuro feliz en mi comunidad y en una comunidad hispanohablante. p. 286

❑ Sé escribir un ensayo argumentativo citando datos de un artículo, un gráfico y una grabación. p. 287

Capítulo 5

CONEXIÓN 1

❑ I can converse with others about some quotes regarding the existence of true happiness. p. 245

❑ I can respond in detail to questions and requests in an email, and ask for more information. p. 246

❑ I can collaborate and participate in conversations regarding the personal perspectives presented in a video. p. 247

❑ I can give and justify opinions on the idea that happiness is or is not the same for everyone. p. 247

❑ I can understand the information presented in a reading and in an infographic in order to respond to questions about different aspects of happiness. p. 253

❑ I can describe the importance of happiness in my community and in a Spanish-speaking community. p. 255

❑ I can give an oral presentation and make cultural comparisons regarding various ways to ensure a happy life for all. p. 257

CONEXIÓN 2

❑ I can converse with others about acts of generosity. p. 260

❑ I can respond in detail to questions and requests in an email, and ask for more information. p. 261

❑ I can interpret the information and discuss a video about altruism and happiness. p. 263

❑ I can give an oral presentation on the topic "It is always better to give than to receive." p. 263

❑ I can understand the information presented in a reading in order to respond to questions about participation in philanthropy. p. 268

❑ I can converse with Spanish-speakers about philanthropy and how it affects communities. p. 271

❑ I can give an oral presentation and make cultural comparisons regarding the impact of famous people who give back to their community to ensure a happy life for all. p. 271

CONEXIÓN 3

❑ I can respond in detail to questions and requests in an email, and ask for more information. p. 273

❑ I can converse with others about how to look for and make decisions about happiness. p. 275

❑ I can participate in a conversation, respond to questions, and give opinions on the future after graduation. p. 275

❑ I can converse with others about success and failure when planning a happy future. p. 277

❑ I can give and justify opinions on the idea that it is not possible to plan for a happy future. p. 277

❑ I can understand information presented in a reading and in an audio to respond to questions about advice on how to achieve happiness. p. 282

❑ I can explain how the values of a Spanish-speaking community and those of my community contribute to happiness. p. 284

❑ I can give an oral presentation and make cultural comparisons regarding the influence of older generations in planning a happy future for my community and for a Spanish-speaking community. p. 286

❑ I can write an argumentative essay citing information from an article, a graphic and a recording. p. 287

Capítulo 1 - El *IPA*, El *smartphone*

Domains	Task Components	Advanced Low Strong 5	Intermediate High Good 4
INTERPRETIVE ASSESSMENT **Interpretive Reading**	The student identifies the main ideas and supporting details from the informational text. The student shows understanding by answering the comprehension questions.	Accurately identifies the main ideas and supporting details to make inferences to fully answer the comprehension questions with relevant information from the sources provided.	Appropriately identifies the main ideas and supporting details to make some inferences and answer the comprehension questions with relevant information from the sources provided.
INTERPERSONAL ASSESSMENT **Interpersonal Speaking**	The student exchanges information with classmates to develop the aspects of an app that controls the use of the smartphone in the classroom including the following information: • aspects of existing apps from the source provided • components that need to be included • uses that need to be avoided in a new app • benefits for the users of the new app. Completes a graphic organizer with the information requested.	Fully addresses the task and maintains a clearly appropriate exchange based on information and inferences from the sources provided: • varied and appropriate vocabulary and idiomatic language • all relevant examples • fully understandable with ease of expression • accuracy and variety in grammar, syntax, and usage, with few errors • mostly consistent use of appropriate register.	Appropriately addresses the task and maintains an appropriate exchange based on information and some inferences from the sources provided: • varied and generally appropriate vocabulary and idiomatic language • mostly relevant examples • fully understandable, with some errors that do not impede comprehensibility • general control of grammar, syntax, and usage • generally consistent use of appropriate register.
PRESENTATIONAL ASSESSMENT **Presentational Speaking and Writing**	The student designs an app that limits the use of the smartphone during class time to include the following information: • all the components of the app that will limit the use of the smartphone in class • what needs to be avoided and what needs to be included for a successful app • the benefits for the school and the users. The student produces: • an oral presentation • a visual display of the components of the app.	Effectively addresses all the task requirements with supporting details and relevant examples. The presentation: • is organized, with effective use of transitional elements or cohesive devices • is fully understandable, with ease and clarity of expression; occasional errors do not impede comprehensibility • includes varied and appropriate vocabulary and idiomatic language • includes accuracy and variety in grammar, syntax, and usage, with few errors • uses a mostly consistent register appropriate for the presentation. The quality of the display clearly supports the oral presentation.	Appropriately addresses most of the task requirements with some supporting details and mostly relevant examples. The presentation: • is organized, with some effective use of transitional elements or cohesive devices • is fully understandable, with some errors that do not impede comprehensibility • includes varied and generally appropriate vocabulary and idiomatic language • has general control of grammar, syntax, and usage • uses a generally consistent register appropriate for the presentation, except for occasional shifts. The quality of the display appropriately supports the oral presentation.

ntegrated Performance Assessment Rubric

Intermediate Mid Fair 3	Intermediate Low Weak 2	Novice High Poor 1
Adequately identifies ideas and some details to make a few inferences to answer the comprehension questions with some relevant information from the sources provided.	Somewhat identifies ideas and a few details to answer the comprehension questions with limited relevant information from the sources provided.	Minimally identifies ideas and details to answer the comprehension questions with minimal relevant information from the sources provided.
Somewhat addresses the task and maintains a somewhat appropriate exchange based on some information and a few inferences from the sources provided: • appropriate but basic vocabulary and idiomatic language • some relevant examples • generally understandable, with some errors that may impede comprehensibility • some control of grammar, syntax, and usage • use of register may be inappropriate.	Partially addresses the task and maintains a minimally appropriate exchange based on limited information from the sources provided: • limited vocabulary and idiomatic language • minimal relevant examples • partially understandable, with errors that impede comprehensibility • limited control of grammar, syntax, and usage • use of register is generally inappropriate.	Unsuccessfully addresses the task and unsuccessfully maintains an exchange with minimal to no information from the sources provided: • very few vocabulary resources • may not include relevant examples • barely understandable, with frequent or significant errors that impede comprehensibility • little or no control of grammar, syntax, and usage • minimal or no attention to register.
Adequately addresses some of the task requirements with a few supporting details and examples. The presentation: • has some organization, with limited use of transitional elements or cohesive devices • is generally understandable, with errors that may impede comprehensibility • includes appropriate but basic vocabulary and idiomatic language • has some control of grammar, syntax, and usage • uses a register that may be inappropriate for the presentation, with several shifts. The display generally supports the oral presentation.	Unsuitably addresses the task requirements with limited details and examples. The presentation: • has limited organization, with ineffective use of transitional elements or cohesive devices • is partially understandable, with errors that force interpretation and cause confusion for the listener • includes limited vocabulary and idiomatic language • includes limited control of grammar, syntax, and usage • uses a register that is generally inappropriate for the presentation. The display partially supports the oral presentation.	Barely addresses the task requirements. The presentation: • has little or no organization, with an absence of transitional elements and cohesive devices • is barely understandable, with frequent or significant errors that impede comprehensibility • has very few vocabulary resources • little or no control of grammar, syntax, and usage • minimal or no attention to register. The display is barely understandable and does not support the oral presentation.

Capítulo 2 - El *IPA*, La mochila

Domains	Task Components	Advanced Low Strong 5	Intermediate High Good 4
INTERPRETIVE ASSESSMENT **Interpretive Reading**	The student identifies the main ideas and supporting details from the authentic informational texts and sources. The student shows understanding by answering the comprehension questions.	Accurately identifies the main ideas and supporting details to make inferences and fully answer the comprehension questions with relevant information from the sources provided.	Appropriately identifies the main ideas and supporting details to make some inferences and answer the comprehension questions with relevant information from the sources provided.
INTERPERSONAL ASSESSMENT **Interpersonal Speaking**	The student exchanges information with a classmate about the contents in Blanca's backpack and how they connect to her identity and the purpose of the trip including the following information: • school supplies in primary school • contents of the primary school backpack • contents in her current backpack • connections between the backpack contents she used to have and what she has now. Completes a graphic organizer with the information requested.	Fully addresses the task and maintains a clearly appropriate exchange based on information and inferences from the sources provided: • varied and appropriate vocabulary and idiomatic language • all relevant examples and connections • fully understandable with ease of expression and occasional errors • accuracy and variety in grammar, syntax, and usage with few errors • mostly consistent use of appropriate register.	Appropriately addresses the task and maintains an appropriate exchange based on information and inferences from the sources provided: • varied and generally appropriate vocabulary and idiomatic language • mostly relevant examples and connections • fully understandable, with some errors that do not impede comprehensibility • general control of grammar, syntax, and usage • generally consistent use of appropriate register.
PRESENTATIONAL ASSESSMENT **Presentational Speaking and Writing**	The student gives an oral presentation about Blanca's life providing the following information: • what the design of the backpack and its contents reveal about her identity • what she was like as a child • her current interests • where and why she took the trip. The student produces: • an oral presentation • a visual display.	Effectively addresses all the task requirements with supporting details and relevant examples. The presentation: • is organized, with effective use of transitional elements or cohesive devices • is fully understandable, with ease and clarity of expression; occasional errors do not impede comprehensibility • includes varied and appropriate vocabulary and idiomatic language • includes accuracy and variety in grammar, syntax, and usage, with few errors • uses a mostly consistent register appropriate for the presentation. The quality of the display clearly supports the oral presentation.	Appropriately addresses most of the task requirements with some supporting details and mostly relevant examples. The presentation: • is organized, with some effective use of transitional elements or cohesive devices • is fully understandable, with some errors that do not impede comprehensibility • includes varied and generally appropriate vocabulary and idiomatic language • has general control of grammar, syntax, and usage • uses a generally consistent register appropriate for the presentation, except for occasional shifts. The quality of the display appropriately supports the oral presentation.

Integrated Performance Assessment Rubric

Intermediate Mid Fair 3	Intermediate Low Weak 2	Novice High Poor 1
Adequately identifies ideas and some details to make a few inferences to answer the comprehension questions with some relevant information from the sources provided.	Somewhat identifies ideas and a few details to answer the comprehension questions with limited relevant information from the sources provided.	Minimally identifies ideas and details to answer the comprehension questions with minimal relevant information from the sources provided.
Somewhat addresses the task and maintains a somewhat appropriate exchange based on some information and a few inferences from the sources provided: • appropriate but basic vocabulary and idiomatic language • some relevant examples • generally understandable, with some errors that impede comprehensibility • some control of grammar, syntax, and usage • use of register may be inappropriate.	Partially addresses the task based on limited information and inferences from the sources provided: • limited vocabulary and idiomatic language • limited relevant examples • partially understandable, with errors that impede comprehensibility • limited control of grammar, syntax, and usage • use of register is generally inappropriate.	Unsuccessfully addresses the task and unsuccessfully maintains an exchange with minimal relevant information from the sources provided: • very few vocabulary resources • may not include relevant examples • barely understandable, with frequent or significant errors that impede comprehensibility • little or no control of grammar, syntax and usage • minimal or no attention to register.
Adequately addresses some of the task requirements with a few supporting details and examples. The presentation: • has some organization, with limited use of transitional elements or cohesive devices • is generally understandable, with errors that may impede comprehensibility • includes appropriate but basic vocabulary and idiomatic language • has some control of grammar, syntax, and usage • uses a register that may be inappropriate for the presentation, with several shifts. The display generally supports the oral presentation.	Unsuitably addresses the task requirements with limited details and examples. The presentation: • is minimally organized, with ineffective use of transitional elements or cohesive devices • is partially understandable, with errors that force interpretation and cause confusion for the listener • includes limited vocabulary and idiomatic language • includes limited control of grammar, syntax, and usage • uses a register that is generally inappropriate for the presentation. The display partially supports the oral presentation.	Barely addresses the task requirements. The presentation: • has little or no organization, with an absence of transitional elements and cohesive devices • is barely understandable, with frequent or significant errors that impede comprehensibility • has very few vocabulary resources • little or no control of grammar, syntax, or usage • minimal or no attention to register. The display is barely understandable and does not support the oral presentation.

Capítulo 3 - El *IPA*, El pan

Domains	Task Components	Advanced Low Strong 5	Intermediate High Good 4
INTERPRETIVE ASSESSMENT **Interpretive Reading and Listening**	The student identifies the main ideas and supporting details from the authentic informational texts and sources. The student shows understanding by answering the comprehension questions.	Accurately identifies the main ideas and supporting details to make inferences and fully answer the comprehension questions with relevant information from the sources provided.	Appropriately identifies the main ideas and supporting details to make some inferences and answer the comprehension questions with relevant information from the sources provided.
INTERPERSONAL ASSESSMENT **Interpersonal Speaking**	The student exchanges information with classmates to develop a proposal for a food bank in the community including the following information: • the rationale for a food bank in your community • a detailed budget • food items that will be served • the number of volunteers needed and why. Completes a graphic organizer with the information requested.	Fully addresses the task and maintains a clearly appropriate exchange based on information and inferences from the sources provided: • varied and appropriate vocabulary and idiomatic language • all relevant examples • fully understandable with ease of expression and occasional errors • accuracy in grammar, syntax, and usage with few errors • mostly consistent use of appropriate register.	Appropriately addresses the task and maintains an appropriate exchange based on information and some inferences from the sources provided: • varied and generally appropriate vocabulary and idiomatic language • mostly relevant examples • fully understandable, with some errors that do not impede comprehensibility • general control of grammar, syntax, and usage • generally consistent use of appropriate register.
PRESENTATIONAL ASSESSMENT **Presentational Speaking and Writing**	The student gives an oral presentation about the proposed food bank providing the following information: • how will the money be distributed (budget items) • who will volunteer at the food bank • the kinds of food provided • the location of the food bank • the population who will benefit from the food bank • a cultural comparison between a food bank in a Spanish-speaking country and one in your community • direct references to the sources provided in the Interpretive Assessment. The student produces: • an oral presentation • a visual display.	Effectively addresses all the task requirements with supporting details and relevant examples. The presentation: • is organized, with effective use of transitional elements or cohesive devices • is fully understandable, with ease and clarity of expression; occasional errors do not impede comprehensibility • includes varied and appropriate vocabulary and idiomatic language • includes accuracy and variety in grammar, syntax, and usage, with few errors • uses a mostly consistent register appropriate for the presentation. The quality of the display clearly supports the oral presentation.	Appropriately addresses most of the task requirements with some supporting details and mostly relevant examples. The presentation: • is organized, with some effective use of transitional elements or cohesive devices • is fully understandable, with some errors that do not impede comprehensibility • includes varied and generally appropriate vocabulary and idiomatic language • has general control of grammar, syntax, and usage • uses a generally consistent register appropriate for the presentation, except for occasional shifts. The quality of the display appropriately supports the oral presentation.

Integrated Performance Assessment Rubric

Intermediate Mid Fair 3	Intermediate Low Weak 2	Novice High Poor 1
Adequately identifies ideas and some details to make a few inferences to answer the comprehension questions with some relevant information from the sources provided.	Somewhat identifies ideas and a few details to answer the comprehension questions with limited relevant information from the sources provided.	Minimally identifies ideas and details to answer the comprehension questions with minimal relevant information from the sources provided.
Somewhat addresses the task and maintains a somewhat appropriate exchange based on some information and a few inferences from the sources provided: • appropriate but basic vocabulary and idiomatic language • some relevant examples • generally understandable, with some errors that impede comprehensibility • some control of grammar, syntax, and usage • use of register may be inappropriate.	Partially addresses the task and maintains a minimally appropriate exchange based on limited information from the sources provided: • limited vocabulary and idiomatic language • minimal relevant examples • partially understandable, with errors that impede comprehensibility • limited control of grammar, syntax, and usage • use of register is generally inappropriate.	Unsuccessfully addresses the task and unsuccessfully maintains an exchange with minimal to no information from the sources provided: • few vocabulary resources • may not include relevant examples • barely understandable, with frequent or significant errors that impede comprehensibility • little or no control of grammar, syntax, and usage • minimal or no attention to register.
Adequately addresses some of the task requirements with a few supporting details and examples. The presentation: • is somewhat organized, with limited use of transitional elements or cohesive devices • is generally understandable, with errors that may impede comprehensibility • includes appropriate but basic vocabulary and idiomatic language • has some control of grammar, syntax, and usage • uses a register that may be inappropriate for the presentation, with several shifts. The display generally supports the oral presentation.	Unsuitably addresses the task requirements with limited details and examples. The presentation: • is minimally organized, with ineffective use of transitional elements or cohesive devices • is partially understandable, with errors that force interpretation and cause confusion for the listener • includes limited vocabulary and idiomatic language • includes limited control of grammar, syntax, and usage • uses a register that is generally inappropriate for the presentation. The display partially supports the oral presentation.	Barely addresses the task requirements. The presentation: • has little or no organization, with an absence of transitional elements and cohesive devices • is barely understandable, with frequent or significant errors that impede comprehensibility • has very few vocabulary resources • little or no control of grammar, syntax, or usage • minimal or no attention to register. The display is barely understandable and does not support the oral presentation.

Capítulo 4 - El *IPA*, La diversidad

Domains	Task Components	Advanced Low Strong 5	Intermediate High Good 4
INTERPRETIVE ASSESSMENT **Interpretive Audiovisual**	The student identifies the main ideas and supporting details from two authentic videos. The student shows understanding by answering the comprehension questions.	Accurately identifies the main ideas and supporting details to make inferences and fully answer the comprehension questions with relevant information from the sources provided.	Appropriately identifies the main ideas and supporting details to make some inferences and answer the comprehension questions with relevant information from the sources provided.
INTERPERSONAL ASSESSMENT **Interpersonal Speaking**	The student exchanges information with a classmate about the two individuals who integrated into another culture. Provides the following information in the oral exchange: • cultural barriers faced • hopes of assimilation • what they did to integrate into the new culture • contributions to the new culture • reasons why one of the individuals would best present their experiences to your community • references and inferences from the sources provided. Completes a graphic organizer with the information requested.	Fully addresses the task and maintains a clearly appropriate exchange based on information and inferences from the sources provided: • varied and appropriate vocabulary and idiomatic language • all relevant examples • fully understandable with ease of expression and occasional errors • accuracy in grammar, syntax, and usage with few errors • mostly consistent use of appropriate register.	Appropriately addresses the task and maintains an appropriate exchange based on information and some inferences from the sources provided: • varied and generally appropriate vocabulary and idiomatic language • mostly relevant examples • fully understandable, with some errors that do not impede comprehensibility • general control of grammar, syntax, and usage • generally consistent use of appropriate register.
PRESENTATIONAL ASSESSMENT **Presentational Speaking and Writing**	The student gives an oral presentation about one of the two individuals who would best assimilate into his or her community by providing the following information: • where the person is from • some cultural barriers faced upon integrating into the new culture • some hopes related to assimilation • examples of contributions to the new culture • references and inferences from the sources provided. The student produces: • an oral presentation • a visual display.	Effectively addresses all the task requirements with supporting details and relevant examples. The presentation: • is organized, with effective use of transitional elements or cohesive devices • is fully understandable, with ease and clarity of expression; occasional errors do not impede comprehensibility • includes varied and appropriate vocabulary and idiomatic language • includes accuracy and variety in grammar, syntax, and usage, with few errors • uses a mostly consistent register appropriate for the presentation. The quality of the display clearly supports the oral presentation.	Appropriately addresses most of the task requirements with some supporting details and mostly relevant examples. The presentation: • is organized, with some effective use of transitional elements or cohesive devices • is fully understandable, with some errors that do not impede comprehensibility • includes varied and generally appropriate vocabulary and idiomatic language • has general control of grammar, syntax, and usage • uses a generally consistent register appropriate for the presentation, except for occasional shifts. The quality of the display appropriately supports the oral presentation.

ntegrated Performance Assessment Rubric

Intermediate Mid Fair 3	Intermediate Low Weak 2	Novice High Poor 1
Adequately identifies ideas and some letails to make a few inferences to answer the comprehension questions with some relevant information from the sources provided.	Somewhat identifies ideas and a few details to answer the comprehension questions with limited relevant information from the sources provided.	Minimally identifies ideas and details to answer the comprehension questions with minimal relevant information from the sources provided.
Somewhat addresses the task and maintains a somewhat appropriate exchange based on some information and a few inferences from the sources provided: • appropriate but basic vocabulary and idiomatic language • some relevant examples • generally understandable, with some errors that impede comprehensibility • some control of grammar, syntax, and usage • use of register may be inappropriate.	Partially addresses the task and maintains a minimally appropriate exchange based on limited information from the sources provided: • limited vocabulary and idiomatic language • minimal relevant examples • partially understandable, with errors that impede comprehensibility • limited control of grammar, syntax, and usage • use of register is generally inappropriate.	Unsuccessfully addresses the task and unsuccessfully maintains an exchange with minimal to no information from the sources provided: • few vocabulary resources • may not include relevant examples • barely understandable, with frequent or significant errors that impede comprehensibility • little or no control of grammar, syntax, and usage • minimal or no attention to register.
Adequately addresses some of the task requirements with a few supporting details and examples. The presentation: • is somewhat organized, with limited use of transitional elements or cohesive devices • is generally understandable, with errors that may impede comprehensibility • includes appropriate but basic vocabulary and idiomatic language • has some control of grammar, syntax, and usage • uses a register that may be inappropriate for the presentation, with several shifts. The display generally supports the oral presentation.	Unsuitably addresses the task requirements with limited details and examples. The presentation: • is minimally organized, with ineffective use of transitional elements or cohesive devices • is partially understandable, with errors that force interpretation and cause confusion for the listener • includes limited vocabulary and idiomatic language • includes limited control of grammar, syntax, and usage • uses a register that is generally inappropriate for the presentation. The display partially supports the oral presentation.	Barely addresses the task requirements. The presentation: • has little or no organization, with an absence of transitional elements and cohesive devices • is barely understandable, with frequent or significant errors that impede comprehensibility • has very few vocabulary resources • little or no control of grammar, syntax, or usage • minimal or no attention to register. The display is barely understandable and does not support the oral presentation.

Capítulo 5 - El *IPA*, La vida feliz

Domains	Task Components	Advanced Low Strong 5	Intermediate High Good 4
INTERPERSONAL ASSESSMENT **Interpersonal Speaking**	The student exchanges information and opinions with a classmate about obtaining and maintaining happiness in life. The student includes the following information: • future plans • someone the student admires • advice for happiness. Completes a graphic organizer with the information requested.	Fully addresses all aspects of the task and maintains a clearly appropriate exchange based on information and inferences from the sources provided: • varied and appropriate vocabulary and idiomatic language • all relevant examples • fully understandable with ease of expression and occasional errors • accuracy in grammar, syntax, and usage with few errors • mostly consistent use of appropriate register.	Appropriately addresses the task and maintains an appropriate exchange based on information and some inferences from the sources provided: • varied and generally appropriate vocabulary and idiomatic language • mostly relevant examples • fully understandable, with some errors that do not impede comprehensibility • general control of grammar, syntax, and usage • generally consistent use of appropriate register.
INTERPRETIVE ASSESSMENT **Interpretive Reading**	The student identifies the main ideas and supporting details from the authentic source. The student shows understanding by answering the comprehension questions.	Accurately identifies the main ideas and supporting details to make inferences and fully answer the comprehension questions with relevant information from the sources provided.	Appropriately identifies the main ideas and supporting details to make some inferences and answer the comprehension questions with relevant information from the sources provided.
PRESENTATIONAL ASSESSMENT **Presentational Writing and Speaking**	The student will give a presentation in form of a graduation speech. The presentation will include: • information about someone the student admires • tips and recommendations for a happy life • direct reference to the source provided in the IPA. The student will produce: • a visual display • an oral presentation.	Effectively addresses all the task requirements with supporting details and relevant examples. The presentation: • is organized, with effective use of transitional elements or cohesive devices • is fully understandable, with ease and clarity of expression; occasional errors do not impede comprehensibility • includes varied and appropriate vocabulary and idiomatic language • includes accuracy and variety in grammar, syntax, and usage, with few errors • uses a mostly consistent register appropriate for the presentation. The quality of the display clearly supports the oral presentation.	Appropriately addresses most of the task requirements with some supporting details and mostly relevant examples. The presentation: • is organized, with some effective use of transitional elements or cohesive devices • is fully understandable, with some errors that do not impede comprehensibility • includes varied and generally appropriate vocabulary and idiomatic language • has general control of grammar, syntax, and usage • uses a generally consistent register appropriate for the presentation, except for occasional shifts. The quality of the display appropriately supports the oral presentation.

Integrated Performance Assessment Rubric

Intermediate Mid Fair 3	Intermediate Low Weak 2	Novice High Poor 1
Somewhat addresses the task and maintains a somewhat appropriate exchange based on some information and a few inferences from the sources provided: • appropriate but basic vocabulary and idiomatic language • some relevant examples • generally understandable, with some errors that impede comprehensibility • some control of grammar, syntax, and usage • use of register may be inappropriate.	Partially addresses the task and maintains a minimally appropriate exchange based on limited information from the sources provided: • limited vocabulary and idiomatic language • minimal relevant examples • partially understandable, with errors that impede comprehensibility • limited control of grammar, syntax, and usage • use of register is generally inappropriate.	Unsuccessfully addresses the task and unsuccessfully maintains an exchange with minimal to no information from the sources provided: • few vocabulary resources • may not include relevant examples • barely understandable, with frequent or significant errors that impede comprehensibility • little or no control of grammar, syntax, and usage • minimal or no attention to register.
Adequately identifies ideas and some details to make a few inferences to answer the comprehension questions with some relevant information from the sources provided.	Somewhat identifies ideas and a few details to answer the comprehension questions with limited relevant information from the sources provided.	Minimally identifies ideas and details to answer the comprehension questions with minimal relevant information from the sources provided.
Adequately addresses some of the task requirements with a few supporting details and examples. The presentation: • is somewhat organized, with limited use of transitional elements or cohesive devices • is generally understandable, with errors that may impede comprehensibility • includes appropriate but basic vocabulary and idiomatic language • has some control of grammar, syntax, and usage • uses a register that may be inappropriate for the presentation, with several shifts. The display generally supports the oral presentation.	Unsuitably addresses the task requirements with limited details and examples. The presentation: • is minimally organized, with ineffective use of transitional elements or cohesive devices • is partially understandable, with errors that force interpretation and cause confusion for the listener • includes limited vocabulary and idiomatic language • includes limited control of grammar, syntax, and usage • uses a register that is generally inappropriate for the presentation. The display partially supports the oral presentation.	Barely addresses the task requirements. The presentation: • has little or no organization, with an absence of transitional elements and cohesive devices • is barely understandable, with frequent or significant errors that impede comprehensibility • has very few vocabulary resources • little or no control of grammar, syntax, or usage • minimal or no attention to register. The display is barely understandable and does not support the oral presentation.

Tema de AP® (AP® Theme)	Capítulo 1	Capítulo 2	Capítulo 3	Capítulo 4	Capítulo 5
1. Los desafíos mundiales					
Los temas económicos			✔		✔
Los temas del medio ambiente		✔			
El pensamiento filosófico y la religión			✔		
La población y la demografía				✔	
El bienestar social		✔	✔		✔
La consciencia social		✔	✔		

Tema de AP® (AP® Theme)	Capítulo 1	Capítulo 2	Capítulo 3	Capítulo 4	Capítulo 5
2. La ciencia y la tecnología					
El acceso a la tecnología	✔				
Los efectos de la tecnología en el individuo y en la sociedad	✔		✔		
El cuidado de la salud y la medicina			✔		
Las innovaciones tecnológicas			✔		
Los fenómenos naturales		✔			
La ciencia y la ética	✔	✔			

Tema de AP® (AP® Theme)	Capítulo 1	Capítulo 2	Capítulo 3	Capítulo 4	Capítulo 5
3. La vida contemporánea					
La educación y las carreras profesionales					✔
El entretenimiento y la diversión	✔				✔
Los viajes y el ocio		✔			
Los estilos de vida	✔	✔			
Las relaciones personales	✔				✔
Las tradiciones y los valores sociales					✔
El trabajo voluntario					✔

Tema de AP® (AP® Theme)	Capítulo 1	Capítulo 2	Capítulo 3	Capítulo 4	Capítulo 5
4. Las identidades personales y públicas					
La enajenación y la asimilación				✔	
Los héroes y los personajes históricos					✔
La identidad nacional y la identidad étnica				✔	
Las creencias personales			✔		
Los intereses personales					✔
La autoestima					✔

5. Las familias y las comunidades					
Las tradiciones y los valores			✔		
Las comunidades educativas					✔
La estructura de la familia					✔
La ciudadanía global				✔	✔
La geografía humana				✔	
Las redes sociales	✔				

6. La belleza y la estética					
La arquitectura					
Definiciones de la belleza		✔			
Definiciones de la creatividad		✔	✔		
La moda y el diseño		✔			
El lenguaje y la literatura				✔	
Las artes visuales y escénicas				✔	✔

Strategies for taking the AP® Exam

Dear Student,

This appendix is written for you as a guide to direct you to success on the AP® Exam. Here you will find details about the format of the exam along with some strategies that will help you with the individual tasks of the exam.

In addition to knowing the requirements of the exam, you should be familiar with the scoring guidelines for the various tasks. If you are aware of the guidelines, you will know exactly what you must do to achieve the best score on each task.

The authors

I. Multiple-choice

The multiple-choice portion of the AP® Exam tests both your reading and listening skills, individually or together. This section has a value of 50% of the final score. It is broken down into three activities:

- Interpretive Communication: Reading sets – Print texts
- Interpretive Communication: Reading and Listening sets – Print and Audio texts
- Interpretive Communication: Listening sets – Audio texts

Challenge of Multiple-Choice:

Time

This section of the examination contains 30 questions for you to answer within 40 minutes. One of the practices that you, as a student, need to master first is to work under the pressure of time. Your teacher will work with you during the year to pace your reading so that you will be able to complete these questions within the determined time period. You should practice the manner in which you read for comprehension. A good strategy is to first read the passage for general meaning and then to reread with more care.

An advantage of each of the multiple-choice sections is that you will read before you listen to an audio for the Reading and the integrated Reading/Listening sets. As you read, you should pay attention to the main idea of the passages rather than concentrating on minor details. You will have four minutes to read the passage. If you are able to read the passage in less time, you should begin to respond to the questions and note the questions that require information from the audio. This will direct your listening to specifics from the audio. After you read, you will listen to an audio. As you listen, you should connect this information to what you have read. This will make it easier for you to comprehend the recordings and to answer the questions that require you to integrate the information from two sources. After you have listened to the audio, you will have one minute to begin to answer the questions before the audio is repeated. You should note which questions require the information from the audio and concentrate as you listen a second time.

'inally, you should also try to connect the information from these sources with whatever you have learned ı class about the topic. This will help you to be more confident about comprehension of the sources.

'he exam will include sources with speakers of various accents and pronunciations of the Spanish ınguage. For this reason, the audios that accompany ***Triángulo APreciado*** reflect this variety. 'ou should seek additional sources if you find that a particular pronunciation of Spanish is not omprehensible to you.

'inally, do not leave any unanswered questions. There is no more credit lost for an incorrect answer than blank answer. If you do not know the answer, give it your best guess.

I. Interpersonal Writing – The e-mail

'his activity of the AP® Exam tests your ability to read an e-mail and to write a response to it, offering nformation that is requested by the writer of the e-mail and also requesting additional information that s directly related to the topic of the message. This section is 12.5% of the free response section of the xam. To insure a high score, you must address the questions and you must ask a question in your e-mail esponse. The questions in the message may be bulleted items or they may be embedded into the text. As ou read the e-mail, you should note the questions by underlining them so that you will be sure to address hem in your message.

This interpersonal writing task is always formal register. Therefore you should always use the *usted* erb form as well as formal expression. Formal expression includes a more courteous and proper choice of wording and vocabulary. You should avoid interpersonal expressions such as asking how the person is eeling and what is new with the person. Your salutation and closing should also be appropriate to formal egister. Some examples to use include the following:

- *Estimado/a señor/señora*
- *Distinguido/a señor/señora*
- *Apreciado/a señor/señora*
- *Atentamente*
- *Cordialmente*
- *Respetuosamente*

To connect your response to the message that you have read and to which you are responding, you may want to begin your message with one of the following or a similar opening:

- *Le doy las gracias por…*
- *Le agradezco…*
- *He recibido su mensaje y quisiera…*
- *Con respecto a su mensaje*

Neither the directions for this task nor the scoring guidelines states a minimum or maximum number of words. You should note that the scoring guidelines do state that in addition to an appropriate salutation and closing, you should provide all the required information and request details with frequent elaboration. Although the guidelines for this task do not specifically mention organization, ease and clarity of expression is an element of the high scoring category. Indirectly, this means that the e-mail that you write should be a logical and organized message.

Challenges of the e-mail reply:

Time

You have 15 minutes to read the prompt and to respond to it. You need to practice this activity with an awareness of the time constraint. This is an activity that you can easily master with practice. Be sure to note the exact task so that you will do what is asked of you. You should read the introduction with care and underline the important information that outlines the purpose of your response before you begin to read the e-mail.

Required information

You should check your work to be sure that you have addressed the two questions that are asked and that you have included an appropriate question. An appropriate question is one that connects to the content of the e-mail that you are answering.

Accuracy of language and vocabulary

You should allow a few minutes to do a quick check of your language control. Be sure that you have agreement of subject and verb, article and noun, and noun and adjective.

III. Presentational Writing – The argumentative essay

This task of the AP® Exam tests your ability to write an argumentative essay to convince the reader to agree with your opinion of the situation that the essay prompt presents. You are to write this essay as if you were submitting it to a Spanish writing contest. You are to present and defend your position on the topic, integrate viewpoints and information from all three sources to support your argument and identify the sources that you cite. Again, this task is 12.5% of the free response section.

The task is for you to state your opinion and to support it with the information found in a written source, a graph or table, and an audio source. Your first step in accomplishing this is to read the *Tema de la presentación* with care so that you address the purpose of the essay, as sometimes the theme is more complicated than it appears. A good suggestion is to read over the theme a second time, underlining the key words of the topic. Your second step is to read the printed article while underlining important information that supports your argument. Next you do the same with the graphic, again finding data that supports your position. Finally, as you listen to the audio source, note the points that back up your argument. You will hear the audio source twice.

The next step is the most important. You now must present your opinion in an organized and cohesive essay supported by the integration of the information from all three sources. For you to score in the top categories of the scoring guidelines, you must include information from all sources.

Challenges of the essay:

Time

Time is a major challenge of this task. Although the time allotted is 55 minutes, 15 minutes are taken up with reading of and listening to the sources. Therefore you have only approximately 40 minutes to plan and to write the essay. You must practice during the year with your class or at home so that you will gain a sense of how to accomplish this task in the allotted time.

Note taking

Another challenge is the audio source. One of the most sophisticated skills for a student is the ability to listen to an audio source and to take notes on the information presented. A suggestion is to practice during the course taking notes on an entire audio selection. Of course you should take notes in Spanish, as you do not want to add another step, translation, into the process. If you find that taking notes on the selection is too difficult, you should practice just taking specific information from the audio that agrees or disagrees with the points that you have underlined as you read the written source.

Integration

Of all the challenges that this task presents, the most difficult is the integration of the information from the sources. Integration is the opposite of summary. You must remember that summary of information will not move your essay into the higher categories of the scoring guidelines. To reach the higher categories, you must look for the common elements in the sources, combining and weaving them together to shape your argument.

Transition

A further challenge in developing a composition is the use of transition. Transition is the process of making your ideas flow together to create ease and clarity, a characteristic of the upper categories of the scoring guidelines. Examples of some common transitional expressions include the following:

- *además*
- *al contrario*
- *ante todo*
- *a pesar de*
- *asimismo*
- *aunque*
- *debido a*
- *en cambio*
- *en conclusión*
- *en cuanto a*
- *en fin*
- *entonces*
- *en vez de*
- *por consiguiente*
- *por eso*
- *por lo contrario*
- *por lo tanto*
- *por un lado*
- *por una parte*
- *sin embargo*

Citation

There is no specific convention for citation stated in the scoring guidelines. What is most important to remember is that you should explicitly or implicitly cite the information from the sources. You should avoid long quotes, as it is not your own language production. Some expressions that help you to cite, and which also can function as transitional devices, include the following:

- *Según...*
- *De acuerdo con...*
- *Citando la fuente...*
- *Como se explica en la fuente...*

Accuracy of language and vocabulary

As with the e-mail response, you should allow a few minutes to do a quick check of your language control. Be sure that you have agreement of subject and verb, article and noun, and noun and adjective.

IV. Interpersonal Speaking – Conversation

This activity of the AP® Exam tests your ability to participate in an informal conversation. This task is the closest activity to real and spontaneous conversation. The task integrates the three skills of listening, reading and speaking. You will listen to the master recording and you will respond to each prompt according to the directions of the conversation outline. You should participate in the conversation as appropriately and fully as possible filling the 20-second response time for each prompt. This task, again, is 12.5% of the free response section.

Challenges of the conversation:

Register

The conversation is an informal interpersonal task. You will be conversing with a friend and you should stay in informal register. Although it is most common to use the *tú* between and among friends, in some Spanish-speaking countries *usted* is also accepted in informal communication. Therefore, either the *tú or Ud.* form is acceptable. What is important is consistency in maintaining a particular register.

Appropriateness of responses

Although the intent of this task is to create an authentic conversation as realistic as possible, there is an outline of directions given to you to follow so that the prompts with your responses should form a cohesive conversation. A cohesive conversation is one that holds together and maintains the theme of the conversation. As this task is scored holistically, the responses are not scored individually but the conversation as a whole is scored for its appropriateness, elaboration and comprehensibility as well as language conventions. You should familiarize yourself with the scoring guidelines to ensure a better score.

Following the outline of the conversation is important so that the series of your responses becomes a unified and cohesive conversation. You should make sure that you are on the correct prompt. A good suggestion is to check them off as you speak so that you do not lose your place in the conversation.

Examples of prompts to follow from the conversation outline are the following:

- *Acepta*
- *Convence*
- *Da detalles*
- *Despídete*
- *Explica*
- *Ofrece*
- *Propón*
- *Rechaza*
- *Saluda*
- *Sugiere*

As you practice these conversations in class, be sure to add any other common prompts to this list.

Accuracy of language and vocabulary

Just as there are descriptors for language in the written tasks, language is also included on the scoring guidelines for the conversation. These include control in vocabulary, grammar, and syntax. Self-correction, when successful, is a positive factor. There is a difference between the descriptors in writing and speaking.

V. Presentational Speaking – Cultural Comparison

This final activity of the AP® Exam requires you to present a comparison of a Spanish-speaking community with which your are familiar to your own community or another, that addresses the question of the prompt. This, too, is 12.5% of the 50% of the free response section of the exam. This question can be any theme or topic, but it is always general enough that it is not focused on any particular Spanish-speaking community. Therefore, although there is no source provided, the cultural products, practices, and perspectives that you have studied during the course will provide you with the information that you need to give an effective treatment of the topic.

Challenges of the cultural comparison:

Details and relevant examples

What may be the greatest challenge of this task is the recall of pertinent information from your years of study of culture so that you do not rely on stereotyping and generalization. The first descriptor of the scoring guidelines for this task is the treatment of topic and the effectiveness of the comparison. A strategy to help you accomplish this is to use the preparation time to select a target community to recall and outline specific information that demonstrates an understanding of the target culture. During the year as you practice this task, you should develop an opening format that includes the topic from the prompt that you are addressing and states the two communities that you are comparing. This will set the organization for your presentation.

Time

As the other tasks in the free response section, time is a challenge. With practice, you will gain a sense of the four minute preparation and the two minute recording time. Because you must demonstrate an understanding of the target culture, you should be sure that you do not use the majority of the two minute presentation to talk about your community. A strategy that helps to ensure that you accomplish this is to organize your comparison in a "Ping-Pong" style. This is a back and forth style of comparison. Do not worry about bringing your comparison to an end. There is no penalty for not giving a formal conclusion. It is better to use the time continuing with supporting details.

Transition

The transitions that you use in your essay are also useful in this cultural comparison. Be sure to include them as you make your presentation.

Accuracy of language and vocabulary

The scoring guidelines for language for the cultural comparison are the same language descriptors as the conversation. You should know that if you do not address the topic of the comparison and if you do not compare your community to a Spanish-speaking community, you will receive a score of 1. Therefore, it is extremely important to follow the directions for this task.

AP® Exam Format and Instructions

Section		Number of Questions	Percent of Final Score	Time
Section I: Multiple Choice				**Approx. 95 minutes**
Part A	Interpretive Communication: Print Texts	30 questions	50%	Approx. 40 minutes
Part B	Interpretive Communication: Print and Audio Texts (combined)	35 questions		Approx. 55 minutes
	Interpretive Communication: Audio Texts			
Section II: Free Response				**Approx. 85 minutes**
Interpersonal Writing: Email Reply		1 prompt	12.5%	15 minutes
Presentational Writing: Argumentative Essay		1 prompt	12.5%	Approx. 55 minutes
Interpersonal Speaking: Conversation		5 prompts	12.5%	20 seconds for each response
Presentational Speaking: Cultural Comparison		1 prompt	12.5%	2 minutes to respond

nterpretive Communication: Print Texts

You will read several selections. Each selection is accompanied by a number of questions. For each question, choose the response that is best according to the selection and mark your answer on your answer sheet.	Vas a leer varios textos. Cada texto va acompañado de varias preguntas. Para cada pregunta, elige la mejor respuesta según el texto e indícala en la hoja de respuestas.

nterpretive Communication: Print and Audio Texts (combined)

You will listen to several audio selections. The first two audio selections are accompanied by reading selections. When there is a reading selection, you will have a designated amount of time to read it. For each audio selection, first you will have a designated amount of time to read a preview of the selection as well as to skim the questions that you will be asked. Each selection will be played twice. As you listen to each selection, you may take notes. Your notes will not be scored. After listening to each selection the first time, you will have 1 minute to begin answering the questions: after listening to each selection the second time, you will have 15 seconds per question to finish answering the questions. For each question, choose the response that is best according to the audio and/or reading selection and mark your answer on your answer sheet.	Vas a escuchar varias grabaciones. Las dos primeras grabaciones van acompañadas de lecturas. Cuando haya una lectura, vas a tener un tiempo determinado para leerla. Para cada grabación, primero vas a tener un tiempo determinado para leer la introducción y prever las preguntas. Vas a escuchar cada grabación dos veces. Mientras escuchas, puedes tomar apuntes. Tus apuntes no van a ser calificados. Después de escuchar cada selección por primera vez, vas a tener un minuto para empezar a contestar las preguntas; después de escuchar por segunda vez, vas a tener 15 segundos por pregunta para terminarlas. Para cada pregunta, elige la mejor respuesta según la grabación o el texto e indícala en la hoja de respuestas.

Selección número 1

Fuente número 1
Primero tienes 4 minutos para leer la fuente número 1.

Fuente número 2
Tienes dos minutos para leer la introducción y prever las preguntas.

Interpersonal Writing: Email Reply

You will write a reply to an email message. You have 15 minutes to read the message and write your reply. Your reply should include a greeting and a closing and should respond to all the questions and requests in the message. In your reply, you should also ask for more details about something mentioned in the message. Also, you should use a formal form of address.	Vas a escribir una respuesta a un mensaje electrónico. Vas a tener 15 minutos para leer el mensaje y escribir tu respuesta. Tu respuesta debe incluir un saludo y una despedida, y debe responder a todas las preguntas y peticiones del mensaje. En tu respuesta, debes pedir más información sobre algo mencionado en el mensaje. También debes responder de una manera formal.

Presentational Writing: Argumentative Essay

You will write an argumentative essay to submit to a Spanish writing contest. The essay topic is based on three accompanying sources, which present different viewpoints on the topic and include both print and audio material. First, you will have 6 minutes to read the essay topic and the printed material. Afterward, you will hear the audio material twice; you should take notes while you listen. Then, you will have 40 minutes to prepare and write your essay. In your argumentative essay, you should present the sources' different viewpoints on the topic and also clearly indicate your own viewpoint and defend it thoroughly. Use information from all of the sources to support your essay. As you refer to the sources, identify them appropriately. Also, organize your essay into clear paragraphs.	Vas a escribir un ensayo argumentativo para un concurso de redacción en español. El tema del ensayo se basa en las tres fuentes adjuntas, que presentan diferentes puntos de vista sobre el tema e incluyen material escrito y grabado. Primero, vas a tener 6 minutos para leer el tema del ensayo y los textos. Después, vas a escuchar la grabación dos veces; debes tomar apuntes mientras escuchas. Luego vas a tener 40 minutos para preparar y escribir tu ensayo. En un ensayo argumentativo, debes presentar los diferentes puntos de vista de las fuentes sobre el tema, expresar tu propio punto de vista y apoyarlo. Usa información de todas las fuentes para apoyar tu punto de vista. Al referirte a las fuentes, identifícalas apropiadamente. Organiza también el ensayo en distintos párrafos bien desarrollados.

Interpersonal Speaking: Conversation

You will participate in a conversation. First, you will have 1 minute to read a preview of the conversation, including an outline of each turn in the conversation. Afterward, the conversation will begin, following the outline. Each time it is your turn to speak, you will have 20 seconds to record your response. You should participate in the conversation as fully and appropriately as possible.	Vas a participar en una conversación. Primero, vas a tener un minuto para leer la introducción y el esquema de la conversación. Después, comenzará la conversación, siguiendo el esquema. Cada vez que te corresponda participar en la conversación, vas a tener 20 segundos para grabar tu respuesta. Debes participar de la manera más completa y apropiada posible.

Tema curricular: La belleza y la estética

Tienes un minuto para leer la introducción

Introducción

Esta es una conversación con Mariana, una compañera de clase. Vas a participar en esta conversación porque ella está organizando un desfile de moda como proyecto final en la clase de arte y diseño.

Mariana	• Te saluda y te pide tu opinión.
Tú	• Salúdala y dale una respuesta.
Mariana	• Te da más detalles.
Tú	• Responde afirmativamente y explícale cómo.
Mariana	• Continúa la conversación y te hace otra propuesta.
Tú	• Responde negativamente y explica por qué.
Mariana	• Reacciona a tu respuesta y continúa la conversación.
Tú	• Contéstale con detalles.
Mariana	• Continúa la conversación y te hace una pregunta.
Tú	• Propón alguna opción y despídete.

Script

(N) *Tienes un minuto para leer las instrucciones de este ejercicio.*

(1 minute)

(N) *Ahora vas a empezar este ejercicio.*

(N) *Tienes un minuto para leer la introducción.*

(1 minute)

(N) *En este momento va a comenzar la conversación. Ahora presiona el botón "Record".*

(WA) *Aló habla Mariana. Te llamo por lo del desfile de moda que te comenté ayer en clase. ¿Qué te parece la idea para mi proyecto final?*

TONE

(20 seconds)

TONE

(WA) *Bueno, mira, ... Ya tengo hechos todos los diseños, claro, pero todavía falta conseguir las telas, los accesorios y también modelos para el desfile. ¿Puedes ayudarme?*

TONE

(20 seconds)

TONE

(WA) *Mil gracias — no sabes cuánto te lo agradezco. Oye, después del desfile tengo que entregar un portafolio. ¿Podrías sacar las fotos el día del desfile?*

TONE

(20 seconds)

TONE

(WA) *¡Ay, qué pena!, pero lo entiendo. Al final del año, todo el mundo está muy ocupado. ¿A ti qué proyectos te quedan por hacer?*

TONE

(20 seconds)

TONE

(WA) *¡Qué interesante! Tal vez te pueda ayudar también. ¿Qué te parece si nos reunimos esta semana? Así podemos finalizar los planes.*

TONE

(20 seconds)

TONE

Presentational Speaking: Cultural Comparison

You will make an oral presentation on a specific topic to your class. You will have 4 minutes to read the presentation topic and prepare your presentation. Then you will have 2 minutes to record your presentation. In your presentation, compare a Spanish-speaking community with which you are familiar to your own or another community. You should demonstrate your understanding of cultural features of this Spanish-speaking community. You should also organize your presentation clearly.	Vas a dar una presentación oral a tu clase sobre un tema cultural. Vas a tener 4 minutos para leer el tema de la presentación y prepararla. Después vas a tener 2 minutos para grabar tu presentación. En tu presentación, compara una comunidad hispanohablante que te sea familiar a tu comunidad o a otra comunidad. Debes demostrar tu comprensión de aspectos culturales en el mundo hispanohablante y organizar tu presentación de una manera clara.

Tema curricular: Las identidades personales y públicas

Tema de la presentación:
¿Cómo han afectado los héroes nacionales la vida de las personas en tu comunidad?

Compara tus observaciones acerca de las comunidades en las que has vivido con tus observaciones de una región del mundo hispanohablante que te sea familiar. En tu presentación, puedes referirte a lo que has estudiado, vivido, observado, etc.

Script

(N) *Tienes un minuto para leer las instrucciones de este ejercicio.*

(1 minute)

(N) *Ahora vas a empezar este ejercicio.*

(N) *Tienes cuatro minutos para leer el tema de la presentación y prepararla.*

(4 minutes)

(N) *Tienes dos minutos para grabar tu presentación. Presiona el botón "Record" o suelta el botón "Pause" ahora. Empieza a hablar después del tono.*

TONE

(2 minutes)

TONE

AP® Scoring Guidelines

Interpersonal Writing: E-mail Reply (Task 1)

5: STRONG performance in Interpersonal Writing

- Maintains the exchange with a response that is clearly appropriate within the context of the task
- Provides required information (responses to questions, request for details) with frequent elaboration
- Fully understandable, with ease and clarity of expression; occasional errors do not impede comprehensibility
- Varied and appropriate vocabulary and idiomatic language
- Accuracy and variety in grammar, syntax, and usage, with few errors
- Mostly consistent use of register appropriate for the situation; control of cultural conventions appropriate for formal correspondence (e.g., greeting, closing), despite occasional errors
- Variety of simple and compound sentences, and some complex sentences

4: GOOD performance in Interpersonal Writing

- Maintains the exchange with a response that is generally appropriate within the context of the task
- Provides most required information (responses to questions, request for details) with some elaboration
- Fully understandable, with some errors that do not impede comprehensibility
- Varied and generally appropriate vocabulary and idiomatic language
- General control of grammar, syntax, and usage
- Generally consistent use of register appropriate for the situation, except for occasional shifts; basic control of cultural conventions appropriate for formal correspondence (e.g., greeting, closing)
- Simple, compound, and a few complex sentences

3: FAIR performance in Interpersonal Writing

- Maintains the exchange with a response that is somewhat appropriate but basic within the context of the task
- Provides most required information (responses to questions, request for details)
- Generally understandable, with errors that may impede comprehensibility
- Appropriate but basic vocabulary and idiomatic language
- Some control of grammar, syntax, and usage
- Use of register may be inappropriate for the situation with several shifts; partial control of conventions for formal correspondence (e.g., greeting, closing

2: WEAK performance in Interpersonal Writing

- Partially maintains the exchange with a response that is minimally appropriate within the context of the task
- Provides some required information (responses to questions, request for details)
- Partially understandable with errors that force interpretation and cause confusion for the reader
- Limited vocabulary and idiomatic language
- Limited control of grammar, syntax, and usage
- Use of register is generally inappropriate for the situation; includes some conventions for formal correspondence (e.g., greeting, closing) with inaccuracies
- Simple sentences and phrases

1: POOR performance in Interpersonal Writing

- Unsuccessfully attempts to maintain the exchange by providing a response that is inappropriate within the context of the task
- Provides little required information (responses to questions, request for details)
- Barely understandable, with frequent or significant errors that impede comprehensibility
- Very few vocabulary resources
- Little or no control of grammar, syntax, and usage
- Minimal or no attention to register; includes significantly inaccurate or no conventions for formal correspondence (e.g., greeting, closing)
- Very simple sentences or fragments

0: UNACCEPTABLE performance in Interpersonal Writing

- Mere restatement of language from the stimulus
- Completely irrelevant to the stimulus
- "I don't know," "I don't understand," or equivalent in any language
- Not in the language of the exam

– (hyphen): BLANK (no response)

Presentational Writing: Argumentative Essay (Task 2)

Clarification Notes:

There is no single expected format or style for referring to and identifying sources appropriately. For example, test takers may opt to: directly cite content in quotation marks; paraphrase content and indicate that it is "according to Source 1" or "according to the audio file"; refer to the content and indicate the source in parentheses "(Source 2)"; refer to the content and indicate the source using the author's name "(Smith)"; etc.

5: STRONG performance in Presentational Writing

- Effective treatment of topic within the context of the task
- Demonstrates a high degree of comprehension of the sources' viewpoints, with very few minor inaccuracies
- Integrates content from all three sources in support of an argument
- Presents and defends the student's own position on the topic with a high degree of clarity; develops an argument with coherence and detail
- Organized essay; effective use of transitional elements or cohesive devices
- Fully understandable, with ease and clarity of expression; occasional errors do not impede comprehensibility
- Varied and appropriate vocabulary and idiomatic language
- Accuracy and variety in grammar, syntax, and usage, with few errors
- Develops paragraph-length discourse with a variety of simple and compound sentences, and some complex sentences

4: GOOD performance in Presentational Writing

- Generally effective treatment of topic within the context of the task
- Demonstrates comprehension of the sources' viewpoints; may include a few inaccuracies
- Summarizes, with limited integration, content from all three sources in support of the argument
- Presents and defends the student's own position on the topic with clarity; develops an argument with coherence
- Organized essay; some effective use of transitional elements or cohesive devices
- Fully understandable, with some errors that do not impede comprehensibility
- Varied and generally appropriate vocabulary and idiomatic language
- General control of grammar, syntax, and usage
- Develops mostly paragraph-length discourse with simple, compound, and a few complex sentences

3: FAIR performance in Presentational Writing

- Suitable treatment of topic within the context of the task
- Demonstrates a moderate degree of comprehension of the sources' viewpoints; includes some inaccuracies
- Summarizes content from at least two sources in support of the argument
- Presents and defends the student's own position on the topic; develops an argument with some coherence

- Some organization; limited use of transitional elements or cohesive devices
- Generally understandable, with errors that may impede comprehensibility
- Appropriate but basic vocabulary and idiomatic language
- Some control of grammar, syntax, and usage
- Uses strings of mostly simple sentences, with a few compound sentences

2: WEAK performance in Presentational Writing

- Unsuitable treatment of topic within the context of the task
- Demonstrates a low degree of comprehension of the sources' viewpoints; information may be limited or inaccurate
- Summarizes content from one or two sources; may not support the argument
- Presents, or at least suggests, the student's own position on the topic; develops an argument somewhat incoherently
- Limited organization; ineffective use of transitional elements or cohesive devices
- Partially understandable, with errors that force interpretation and cause confusion for the reader
- Limited vocabulary and idiomatic language
- Limited control of grammar, syntax, and usage
- Uses strings of simple sentences and phrases

1: POOR performance in Presentational Writing

- Almost no treatment of topic within the context of the task
- Demonstrates poor comprehension of the sources' viewpoints; includes frequent and significant inaccuracies
- Mostly repeats statements from sources or may not refer to any sources
- Minimally suggests the student's own position on the topic; argument is undeveloped or incoherent
- Little or no organization; absence of transitional elements and cohesive devices
- Barely understandable, with frequent or significant errors that impede comprehensibility
- Very few vocabulary resources
- Little or no control of grammar, syntax, and usage
- Very simple sentences or fragments

0: UNACCEPTABLE performance in Presentational Writing

- Mere restatement of language from the prompt
- Clearly does not respond to the prompt; completely irrelevant to the topic
- "I don't know," "I don't understand," or equivalent in any language
- Not in the language of the exam

– (hyphen): BLANK (no response)

Interpersonal Speaking: Conversation (Task 3)

5: STRONG performance in Interpersonal Speaking

- Maintains the exchange with a series of responses that is clearly appropriate within the context of the task
- Provides required information (e.g., responses to questions, statement and support of opinion) with frequent elaboration
- Fully understandable, with ease and clarity of expression; occasional errors do not impede comprehensibility
- Varied and appropriate vocabulary and idiomatic language
- Accuracy and variety in grammar, syntax, and usage, with few errors
- Mostly consistent use of register appropriate for the conversation
- Pronunciation, intonation, and pacing make the response comprehensible; errors do not impede comprehensibility
- Clarification or self-correction (if present) improves comprehensibility

4: GOOD performance in Interpersonal Speaking

- Maintains the exchange with a series of responses that is generally appropriate within the context of the task
- Provides most required information (e.g., responses to questions, statement and support of opinion) with some elaboration
- Fully understandable, with some errors that do not impede comprehensibility
- Varied and generally appropriate vocabulary and idiomatic language
- General control of grammar, syntax, and usage
- Generally consistent use of register appropriate for the conversation, except for occasional shifts
- Pronunciation, intonation and pacing make the response mostly comprehensible; errors do not impede comprehensibility
- Clarification or self-correction (if present) usually improves comprehensibility

3: FAIR performance in Interpersonal Speaking

- Maintains the exchange with a series of responses that is somewhat appropriate within the context of the task
- Provides most required information (e.g., responses to questions, statement and support of opinion)
- Generally understandable, with errors that may impede comprehensibility
- Appropriate but basic vocabulary and idiomatic language
- Some control of grammar, syntax, and usage
- Use of register may be inappropriate for the conversation with several shifts
- Pronunciation, intonation, and pacing make the response generally comprehensible; errors occasionally impede comprehensibility
- Clarification or self-correction (if present) sometimes improves comprehensibility

2: WEAK performance in Interpersonal Speaking

- Partially maintains the exchange with a series of responses that is minimally appropriate within the context of the task
- Provides some required information (e.g., responses to questions, statement and support of opinion)
- Partially understandable, with errors that force interpretation and cause confusion for the listener
- Limited vocabulary and idiomatic language
- Limited control of grammar, syntax, and usage
- Use of register is generally inappropriate for the conversation
- Pronunciation, intonation, and pacing make the response difficult to comprehend at times; errors impede comprehensibility
- Clarification or self-correction (if present) usually does not improve comprehensibility

1: POOR performance in Interpersonal Speaking

- Unsuccessfully attempts to maintain the exchange by providing a series of responses that is inappropriate within the context of the task
- Provides little required information (e.g., responses to questions, statement and support of opinion)
- Barely understandable, with frequent or significant errors that impede comprehensibility
- Very few vocabulary resources
- Little or no control of grammar, syntax, and usage
- Minimal or no attention to register
- Pronunciation, intonation, and pacing make the response difficult to comprehend; errors impede comprehensibility
- Clarification or self-correction (if present) does not improve comprehensibility

0: UNACCEPTABLE performance in Interpersonal Speaking

- Mere restatement of language from the prompts
- Clearly does not respond to the prompts; completely irrelevant to the topic
- "I don't know," "I don't understand," or equivalent in English
- Clearly responds to the prompts in English

NR (No Response): BLANK (no response although recording equipment is functioning)

Presentational Speaking: Cultural Comparison (Task 4)

Clarification Notes:
The term "community" can refer to something as large as a continent or as small as a family unit. The phrase "target culture" can refer to any community, large or small, associated with the target language.

5: STRONG performance in Presentational Speaking

- Effective treatment of topic within the context of the task
- Clearly compares the target culture with the student's own or another community, including supporting details and relevant examples
- Demonstrates understanding of the target culture, despite a few minor inaccuracies
- Organized presentation; effective use of transitional elements or cohesive devices
- Fully understandable, with ease and clarity of expression; occasional errors do not impede comprehensibility
- Varied and appropriate vocabulary and idiomatic language
- Accuracy and variety in grammar, syntax, and usage, with few errors
- Mostly consistent use of register appropriate for the presentation
- Pronunciation, intonation, and pacing make the response comprehensible; errors do not impede comprehensibility
- Clarification or self-correction (if present) improves comprehensibility

4: GOOD performance in Presentational Speaking

- Generally effective treatment of topic within the context of the task
- Compares the target culture with the student's own or another community, including some supporting details and mostly relevant examples
- Demonstrates some understanding of the target culture, despite minor inaccuracies
- Organized presentation; some effective use of transitional elements or cohesive devices
- Fully understandable, with some errors that do not impede comprehensibility
- Varied and generally appropriate vocabulary and idiomatic language
- General control of grammar, syntax, and usage
- Generally consistent use of register appropriate for the presentation, except for occasional shifts
- Pronunciation, intonation, and pacing make the response mostly comprehensible; errors do not impede comprehensibility
- Clarification or self-correction (if present) usually improves comprehensibility

3: FAIR performance in Presentational Speaking

- Suitable treatment of topic within the context of the task
- Compares the target culture with the student's own or another community, including a few supporting details and examples
- Demonstrates a basic understanding of the target culture, despite inaccuracies
- Some organization; limited use of transitional elements or cohesive devices

- Generally understandable, with errors that may impede comprehensibility
- Appropriate but basic vocabulary and idiomatic language
- Some control of grammar, syntax, and usage
- Use of register may be inappropriate for the presentation with several shifts
- Pronunciation, intonation, and pacing make the response generally comprehensible; errors occasionally impede comprehensibility
- Clarification or self-correction (if present) sometimes improves comprehensibility

2: WEAK performance in Presentational Speaking

- Unsuitable treatment of topic within the context of the task
- Presents information about the target culture or the student's own or another community, but may not compare them; consists mostly of statements with no development
- Demonstrates a limited understanding of the target culture; may include several inaccuracies
- Limited organization; ineffective use of transitional elements or cohesive devices
- Partially understandable, with errors that force interpretation and cause confusion for the listener
- Limited vocabulary and idiomatic language
- Limited control of grammar, syntax, and usage
- Use of register is generally inappropriate for the presentation
- Pronunciation, intonation, and pacing make the response difficult to comprehend at times; errors impede comprehensibility
- Clarification or self-correction (if present) usually does not improve comprehensibility

1: POOR performance in Presentational Speaking

- Almost no treatment of topic within the context of the task
- Presents information only about the target culture or only about the student's own or another community, and may not include examples
- Demonstrates minimal understanding of the target culture; generally inaccurate
- Little or no organization; absence of transitional elements and cohesive devices
- Barely understandable, with frequent or significant errors that impede comprehensibility
- Very few vocabulary resources
- Little or no control of grammar, syntax, and usage
- Minimal or no attention to register
- Pronunciation, intonation, and pacing make the response difficult to comprehend; errors impede comprehensibility
- Clarification or self-correction (if present) does not improve comprehensibility

0: UNACCEPTABLE performance in Presentational Speaking

- Mere restatement of language from the prompt
- Clearly does not respond to the prompt; completely irrelevant to the topic
- "I don't know," "I don't understand," or equivalent in English
- Clearly responds to the prompt in English

NR (No Response): BLANK (no response although recording equipment is functioning)

Spanish-Spanish Glossary

a diferencia de distinto de (1)

a toda costa de cualquier manera, sin límites (1)

acabar con terminar, dar fin a algo (3)

acceder a tener acceso (1)

la **aceptación** la aprobación, consentir una cosa (4)

aconsejar sugerir (5)

el **acoso** el bullying (1)

la **actitud** la disposición, la forma de comportarse (5)

actualizar renovar (1)

adaptarse acostumbrarse (2)

la **adecuación** la adaptación, el acondicionamiento de algo (4)

adinerado/a rico/a (5)

el **aditivo** la adición, añadir un ingrediente (3)

los **adornos** la ornamentación (2)

adquirir conseguir (4)

advertir informar, dar una sugerencia (2)

aficionarse a relacionarse con, sentir gusto por algo (1)

agarrar atrapar, aprisionar con la mano (4)

agasajar obsequiar, regalar algo (3)

la **agilidad** la facilidad, pensar con precisión y rapidez (1)

aguantar tolerar (3)

ajustarse adaptarse (4)

al aire libre afuera (2)

al tope al máximo, al límite de algo (2)

alcanzar lograr (5)

alejarse distanciarse (2)

la **alimentación** la comida, las cosas que se toman y se comen (1)

alimentarse comer, tomar alimentos (3)

los **alimentos básicos** la comida esencial (3)

el **alivio** el mejoramiento, algo que da ayuda y tranquiliza (1)

alzar la voz expresarse, declarar la opinión de uno (4)

amasar mezclar (3)

el **ambiente** la atmósfera (2)

la **amenaza** la intimidación hablada o escrita (1

amenazar intimidar (1)

ancestral/es tradicional/es, de los antepasados (2)

el **anonimato** el estado de no ser reconocido, incógnito (1)

añadir adicionar (3)

la **apariencia** el aspecto (4)

aportar contribuir (4)

el **aprendizaje** la lección, el momento de comprender algo (5)

apropiarse apoderarse, hacer algo tuyo (4)

aprovechar utilizar, hacer algo provechoso (2)

el **arma** el armamento, un instrumento de poder (1)

arrepentirse lamentarse, retractarse de algo (5)

artesanal hecho/a a mano, preparado/a en casa (3)

asegurarse confirmar (5)

la **asimilación** la adaptación (4)

asimismo también, añadir algo más (5)

la **aspiración** el deseo, el querer hacer algo en el futuro (5)

asumir aceptar (4)

Atentamente o Le saluda cordialmente expresión para despedirse en una carta o correo electrónico formal (1)

atesorar acumular, guardar cosas de gran valor material o emocional (5)

el **aumento** el incremento, el crecimiento en número (2)

aunque a pesar de que (1)

la **autoestima** el aprecio personal (1)

avergonzado/a humillado/a (1)

el **azar** el destino (5)

los **barrios bajos** las zonas pobres (3)

benéfico/a beneficioso/a (5)

la **bolsa** el saco (2)

el **brebaje** la bebida, un líquido medicinal (4)

la **búsqueda** la exploración (5)

calar penetrar, atravesar algo (4)

cargar llevar, poner peso sobre una persona o cosa (2)

la **caridad** la compasión (5)

la **censura** la prohibición de ideas o acciones (1)

el **cheque regalo** una tarjeta para compras que se le da a otro (1)

el **choque cultural** el contacto con diferencias culturales (4)

clave crucial, importante para entender (5)

coincidir concordar (4)

colgar publicar (1)

el **colorido** la coloración, el tono de los colores (2)

el **comensal** el/la invitado/a; la persona que viene a comer

la **comodidad** el bienestar (5)

compartir distribuir (1)

compasivo/a sensible (5)

complacer agradar (5)

complejo/a complicado/a, difícil de explicar o definir (5)

comportarse actuar (1)

confiar tener confianza en (1)

conmemorar recordar con un acto público (3)

el **consejo** la recomendación, las sugerencias de otros (1)

constatar verificar, asegurarse de algo (3)

consumir comer (3)

contentarse conformarse (5)

la **contraseña** una palabra secreta que permite acceso (1)

convencido/a persuadido/a, que tiene la certeza de una opinión o idea (5)

convencional lo establecido (3)

convertirse en cambiarse, llegar a ser algo diferente (1)

la **convivencia** la coexistencia, el acto de vivir juntos (3)

convivir coexistir (4)

la **costumbre** la tradición (3)

cotidiano/a diario/a, de todos los días (1)

crecer aumentar de edad y/o tamaño (3)

la **creencia** la convicción (3)

criollo/a latinoamericano/a, hijo/a de europeos, pero nacido/a en América (4)

el **crisol de culturas** la mezcla de culturas, razas y religiones (4)

la **cuenta** un registro de información personal (1)

cultivar plantar (3)

cumplir realizar, satisfacer un deber o un deseo (1)

darse a conocer hacerse conocido/a, mostrarse al público (4)

darse cuenta de entender bien, ocurrírsele algo (2)

los **datos** la información (1)

de último grito lo más reciente, lo que está muy de moda (1)

el **delito** el crimen, algo ilegal (1)

denominar nombrar llamar algo (5)

desalentador/a deprimente, lo que quita el entusiasmo (5)

el **desarrollo sostenible** el progreso continuo, la realización de un proyecto sin interrupción (3)

los **descendientes** los herederos, los sucesores (4)

desenchufarse desconectarse (2)

destacar resaltar, hacer más notable (4) predominar, enfatizar algo (5)

devolver darle a uno lo que te dio antes (1)

la **dicha** la felicidad (5)

diseñar crear, ilustrar (2)

disfrutar gozar, experimentar placer o alegría con algo o alguien (2)

disponer de tener, contar con algo (5)

el **dispositivo** un aparato, un mecanismo útil (2)

distinto/a diferente (4)
disuadir desalentar, tratar de convencer a alguien de no hacer algo (3)
la **donación** un regalo, lo que se contribuye a otros (5)
donar regalar (5)
ecológico/a orgánico/a (3)
ejercer imponer, actuar sobre algo o alguien (4)
elaborar producir, crear un producto (2)
empacar hacer la maleta (2)
empanado/a recubierto/a (3)
empeorar deteriorar (4)
empresarial comercial, relativo a empresas (5)
en cambio sin embargo (1)
En mi opinión.... Desde mi punto de vista...(1)
la **enajenación** la alienación (4)
encajar pertenecer (4)
enfrentar confrontar (4)
engañar mentir (1)
engordar ganar peso (3)
enorgullecerse complacerse; sentirse muy satisfecho/a de algo o de alguien
enriquecer engrandecer (4)
entretenerse divertirse (1)
el **equilibrio** el balance (5)
Es importante que... Es crucial que... (1)
el **escepticismo** la duda, la desconfianza de algo (5)
escoger elegir (2)
esconder ocultar (1)
escondido/a algo oculto, mantenido/a en secreto (3)
esforzarse aplicarse, trabajar diligentemente (3)
el **esfuerzo** la diligencia, la necesaria actividad energética (1)
espiar mirar o escuchar de una manera secreta (1)
(No) estoy de acuerdo con... (No) tengo la misma opinión sobre... (1)
las **estrellas** los famosos (5)
estresado/a preocupado/a (2)
estresarse preocuparse (5)
evitar escapar, eludir un problema (2)
evolucionar crecer, transformarse en algo mejor (3)
exitoso/a triunfante (5)
experimentar tener experiencia con (2)
extranjero/a forastero/a (4)
la **filantropía** la generosidad (5)
los **fondos** el dinero, las donaciones de dinero (2)
fortalecer fortificar, hacer más fuerte (3)
fracasar no tener éxito (5)
fuera de lejos de (2)
la **fundación** la institución (5)
la **fusión** la mezcla (4)
los **gastos** los pagos (3)
el **genio** el sabio, una persona muy inteligente (2)
los **gérmenes** las bacterias, que contienen microbios (3)
gestionar administrar, tramitar una cosa (5)
el **grado** el nivel, la categoría (4)
la **granja** la finca (3)
el **gusto** la inclinación estética (2)
el **hábito** la costumbre, una práctica que se repite (5)
hacer clic pinchar, presionar con el ratón (1)
hallar encontrar, descubrir algo nuevo (3)
el **hecho** el asunto, algo cierto (4)
herir dañar (2)
el **hilo** el filamento, una fibra larga y delgada (2)
hornear cocinar en el horno (3)
el **hospedaje** el lugar para dormir (2)
humilde modesto/a (5)
la **imprudencia** la falta de cuidado (1)
impulsar promover, incitar algo (4)
incentivar estimular, dar motivación (3)
el **inconveniente** la dificultad, el obstáculo que ocurre (1)
incursionar introducirse, comenzar a realizar algo nuevo (4)

la índole el tipo, las cualidades de algo (5)

infaltable imprescindible, que no puede faltar (3)

el informe el reportaje, una noticia de información (1)

ingresar entrar, meterse en algún lugar (2)

los ingresos las ganancias económicas (3)

la iniquidad la injusticia, la maldad que hace daño a otros (4)

inquieto/a nervioso/a (4)

integrarse unirse (4)

intentar esforzarse, tratar de hacer algo (5)

involucrarse participar (4)

jubilarse retirarse, dejar la vida laboral (5)

el legado la herencia, lo que se transmite a otros (4)

la ley la legislación, un código de conducta (1)

la limosna una donación por compasión (3)

el linaje la ascendencia, la historia de la familia desde sus orígenes (2)

llamativo/a sugerente (2)

llevar transportar (2)

localizar situar, saber dónde está algo o alguien (2)

lograr conseguir, cumplir una meta (2)

el lujo la opulencia (5)

la luz la energía eléctrica, la electricidad (3)

mandar enviar (1)

manifestarse protestar, salir a la calle con otros para expresar su opinión (4)

manipular cambiar (3)

el manjar la delicia, algo que se considera una exquisitez (4)

la marca el nombre de la empresa (2)

Más vale prevenir que curar Es mejor tomar medidas cuando algo no va bien que esperar al final cuando ya no se puede hacer nada para solucionar el asunto (1)

matar el tiempo ocuparse, evitar el aburrimiento (1)

mediante con la ayuda de, por medio de (1)

la medida la precaución, una prevención tomada para asegurar algo (2)

merecer meritar, ser digno/a de algo (3)

la merienda una comida entre el almuerzo y la cena (3)

el metate el mortero, la piedra para deshacer algo (4)

meter poner (2)

mezquino/a tacaño/a (5)

milenario/a antiguo/a, algo que existe desde hace miles de años (4)

minucioso/a meticuloso/a, cuidadoso/a con atención a los menores detalles (2)

moler triturar, deshacer algo (4)

el monitoreo la supervisión, la inspección por un superior (1)

el muro el perfil, la página de información personal en redes sociales (1)

Muy estimado/a profesor/a o muy distinguido/a profesor/a expresión para comenzar una carta o correo electrónico formal (1)

No todo lo que brilla es oro No todo es tan bueno como parece a primera vista (1)

padecer sufrir (3)

el pago el acto de pagar (1)

el país de acogida el país receptor (4)

la panadería la tienda de pan (3)

las paredes las murallas, los paneles verticales que aseguran el cerrado de un edificio (4)

el pedido una petición (1)

peligroso/a destructivo/a (2)

perseguir buscar, tratar de conseguir algo o a alguien (1)

la perseverancia la persistencia (4)

las pertenencias las posesiones personales (2)

pesado/a de mucho volumen (2)

el pesticida el producto químico para eliminar insectos (3)

la población los residentes, el conjunto de habitantes de una región política (3)

el poder la fuerza, la intensidad de completar algo (1)

poderoso/a autoritario/a (5)

la política los programas sociales (3)

la portería la conserjería, la zona de servicios en la entrada (2)

el prejuicio la intolerancia (4)

prejuicioso/a discriminatorio/a (4)

el premio la recompensa, algo dado gratuitamente (5)

la privacidad la confidencialidad (1)

el privilegio la prerrogativa (5)

probar experimentar (4)

promocionar dar apoyo a algo/alguien (1)

promover apoyar, ayudar a la realización de un proyecto (1)

proponerse decidir, hacerse el propósito de conseguir algo (5)

protegerse defenderse (2)

provechoso/a beneficioso/a (2), útil (5)

proveniente de originario/a de, que viene de (5)

la puntada el punto hecho con hilo, la acción de adornar tela hecha con hilo (2)

quitar tomar, dejar a alguien sin algo que tenía antes (4)

la raíz el origen, la base de algo (4)

rascar friccionar, frotar algo (4)

el rasgo la característica (4)

recaudar colectar (5)

rechazar desaprobar (4)

recompensado/a gratificado/a (5)

recurrente repetido/a, una situación o cosa que vuelve a aparecer (3)

reflejar mostrar (2)

resaltar sobresalir, destacar (3)

la resistencia la oposición, el rechazo de algo (3)

respaldar apoyar (5)

restringir limitar, no permitir (2)

el resultado el producto, el fin o desenlace de una situación (5)

el riesgo el posible peligro, la posibilidad de que algo malo pase (1)

la sabiduría el saber extendido, el conocimiento profundo de algo (2)

los sabios las personas cultas, la gente erudita (3)

sacar separar, poner fuera de donde estaba antes algo o a alguien (4)

el salario promedio el pago medio (3)

salir adelante triunfar, tener éxito (4)

sano/a saludable (3)

según... de acuerdo con (1)

la seguridad el estado de sentirse protegido/a (1

el sello la marca (3)

el senderismo el trekking, caminar por la montaña (2)

sensato/a sabio/a, práctico e inteligente (5)

señalar indicar, llamar la atención a algo (1

Sería mejor que... Lo más indicado es que... (1)

si bien aunque, a pesar de que (5)

simbolizar representar, encarnar (3)

sin embargo aunque (1)

los sintecho las personas sin casa (3)

sintético/a artificial, lleno de productos químicos (3)

sobrevivir seguir viviendo (2)

la solicitud la petición, una demanda de algo (2

sostener afirmar, defender una opinión o idea (5)

la sucursal la oficina, una agencia que forma parte de una empresa (2)

superar sobrepasar, llegar más allá del límite (1) conquistar (2)

surgir emerger, aparecer en un momento determinado (3)

el tamaño el volumen, la dimensión de algo (2)

tejer juntar filamentos finos, producir telas al combinar fibras (2)

temporal transitorio/a, que dura por un corto tiempo (5)

tener en cuenta notar, tener presente (1)

el tesoro la riqueza, algo que tiene mucho valor (3)

las tonterías lo estúpido, las cosas sin importancia o relevancia (5)

el traductor la máquina de traducción, un programa digital para pasar de un idioma a otro (1)

transgénico/a modificado/a (3)

tributario/a contributivo/a, relativo a los impuestos pagados al Gobierno (5)

el trigo un tipo de grano, el ingrediente básico del pan (3)

unirse juntarse, conectar algo o alguien con otra entidad (3)

el/la usuario/a el/la cliente/a, el/la que hace uso (1)

valorar apreciar, estimar el valor de algo o de alguien (4)

vencer superar (4)

vigente válido/a, en uso (2)

vigilar supervisar, observar cuidadosamente (3)

el vínculo el enlace, la conexión (1)

la vivienda el domicilio (4)

Spanish-Spanish Expresiones Útiles

el/la agricultor/a cultivador/a, alguien que trabaja con la tierra (3)

la apertura la tolerancia, tener la mente abierta (4)

arhuaco/a perteneciente a una cultura indígena de Colombia (2)

el bagaje el cúmulo, el conjunto de conocimientos o experiencias que posee una persona (4)

la balacera una confrontación armada (2)

blindado/a algo protegido para no ser penetrado por balas (2)

el chifa nombre que se le da a la comida que fusiona ingredientes chinos y peruanos, nombre que se le da a un restaurante especializado en comida fusión chino-peruana (4)

el cifrado la codificación, el método de hacer secreto el significado de un mensaje (1)

currarse algo trabajar para que algo suceda, poner tu tiempo y trabajo en algún objetivo (5)

dejar no hacer más, abandonar, permitir (2)

delinquir cometer un crimen (1)

desgastar deteriorar, perder fuerzas, consumir poco a poco (1)

entristecerse estar apenado, sentirse triste (5)

la fiscalía la oficina de abogados que representan al estado para procesar crímenes públicos (1)

el gen un fragmento de ADN (3)

el haba una habichuela, una figura escondida en la rosca de reyes (3)

hedónico/a algo que consigue placer o se relaciona con el placer (5)

la insulina el medicamento contra la diabetes (3)

el intercambio la reciprocidad, darle algo a alguien y recibir algo a cambio (4)

el mamu el líder de los arhuacos (2)

las ofrendas los regalos, algo que le das a alguien (3)

el pesebre el belén, la representación del nacimiento del niño Jesús (3)

los recaudos los cuidados, la precaución (1)

el sudor de tu frente el esfuerzo, trabajar arduamente por algo (5)

la tutu a mochila arhuaca (2)

la watí la mujer arhuaca (2)

Spanish-English Glossary

a diferencia de unlike (1)
a toda costa at all costs (1)
acabar con to finish (3)
acceder a to access (1)
la **aceptación** acceptance (4)
aconsejar to advise (5)
el **acoso** bullying (1)
la **actitud** attitude (5)
actualizar to update (1)
adaptarse to adapt (2)
la **adecuación** adequacy (4)
adinerado/a wealthy (5)
el **aditivo** additive (3)
los **adornos** decorations (2)
adquirir acquire (4)
advertir to warn (2)
aficionarse a to take a liking to (1)
agarrar to grab (4)
agasajar to treat well (3)
la **agilidad** agility (1)
aguantar to endure (3)
ajustarse to adapt (4)
al aire libre outdoors (2)
al tope to the limit (2)
alcanzar to reach (5)
alejarse to move away (2)
la **alimentación** food (1)
alimentarse to feed (3)
los **alimentos básicos** essential food (3)
el **alivio** relief (1)
alzar la voz to raise your voice (4)
amasar to knead (3)
el **ambiente** atmosphere (2)
la **amenaza** threat (1)
amenazar to threat (1)
ancestral/es ancestral (2)
el **anonimato** anonymity (1)
añadir to add (3)
la **apariencia** appearance (4)
aportar to contribute (4)
el **aprendizaje** learning (5)
apropiarse to appropriate (4)
aprovechar to take advantage of (2)
el **arma** weapon (1)
arrepentirse to regret (5)
artesanal artisan (3)
asegurarse to make sure (5)
la **asimilación** assimilation (4)
asimismo likewise (5)
la **aspiración** aspiration (5)
asumir to assume (4)
Atentamente o Le saluda cordialmente Sincerely (1)
atesorar to gather up things of value (5)
el **aumento** increase (2)
aunque although (1)
la **autoestima** self-esteem (1)
avergonzado/a ashamed (1)
el **azar** destiny (5)
los **barrios bajos** slums (3)
benéfico/a beneficial (5)
la **bolsa** bag (2)
el **brebaje** potion (4)
la **búsqueda** search (5)
calar to penetrate (4)
cargar to load (2)
la **caridad** charity (5)
la **censura** censorship (1)
el **cheque regalo** gift card (1)
el **choque cultural** culture shock (4)
clave key (5)
coincidir to coincide (4)

colgar to publish on the web (1)
el **colorido** colors (2)
el **comensal** dinner guest, person sharing a meal with others (3)
la **comodidad** comfort (5)
compartir to share (1)
compasivo/a compassionate (5)
complacer to please (5)
complejo/a complex (5)
comportarse to behave (1)
confiar to trust (1)
conmemorar to commemorate (3)
el **consejo** advice (1)
constatar to verify (3)
consumir to consume (3)
contentarse to conform (5)
la **contraseña** password (1)
convencido/a convinced (5)
convencional conventional (3)
convertirse en to turn into (1)
la **convivencia** coexistence (3)
convivir to coexist (4)
la **costumbre** custom (3)
cotidiano/a daily (1)
crecer to grow (3)
la **creencia** belief (3)
criollo/a person born in America from European parents (4)
el **crisol de culturas** melting pot (4)
la **cuenta** account (1)
cultivar to cultivate (3)
cumplir to fulfill (1)
darse a conocer to make oneself known (4)
darse cuenta to realize (2)
los **datos** data (1)
de último grito trendy (1)
el **delito** crime (1)
denominar to name, call something (5)
desalentador/a discouraging (5)
el **desarrollo sostenible** sustainable development (3)
los **descendientes** descendants (4)
desenchufarse to unplug (2)
destacar to highlight (4) to stand out (5)
devolver to give back (1)
la **dicha** pleasure (5)
diseñar to design (2)
disfrutar to enjoy (2)
disponer de to count on (5)
el **dispositivo** device (2)
distinto/a different (4)
disuadir to talk out (3)
la **donación** donation (5)
donar to donate (5)
ecológico/a ecological (3)
ejercer to impose (4)
elaborar to produce (2)
empacar to pack (2)
empanado/a breaded (3)
empeorar to worsen (4)
empresarial commercial (5)
en cambio instead (1)
En mi opinión.... In my opinion (1)
la **enajenación** alienation (4)
encajar to fit in (4)
enfrentar to confront (4)
engañar to deceive (1)
engordar to gain weight (3)
enorgullecerse to be proud of (3)
enriquecer to enrich (4)
entretenerse to entertain yourself (1)
el **equilibrio** balance (5)
Es importante que... It's important that... (1)
el **escepticismo** skepticism (5)
escoger to choose (2)
esconder to hide (1)
escondido/a hidden (3)
esforzarse to strive (3)
el **esfuerzo** effort (1)
espiar to spy (1)

(No) estoy de acuerdo con... I (do not) agree with... (1)
las **estrellas** famous people (5)
estresado/a stressed (2)
estresarse to be stressed (5)
evitar to avoid (2)
evolucionar to evolve (3)
exitoso/a successful (5)
experimentar to experiment (2)
extranjero/a foreign (4)
favorable favorable (5)
la **filantropía** philanthropy (5)
los **fondos** funds (2)
fortalecer to strengthen (3)
fracasar to fail (5)
fuera de outside of (2)
la **fundación** foundation (5)
la **fusión** fusion (4)
los **gastos** expenses (3)
el **genio** genius (2)
los **gérmenes** germs (3)
gestionar to manage (5)
el **grado** level (4)
la **granja** farm (3)
el **gusto** taste (2)
el **hábito** habit (5)
hacer clic to click (1)
hallar to find (3)
el **hecho** fact (4)
herir to wound (2)
el **hilo** thread (2)
hornear to bake (3)
el **hospedaje** lodging (2)
humilde humble (5)
la **imprudencia** carelessness (1)
impulsar to boost (4)
incentivar to stimulate (3)
el **inconveniente** inconvenience (1)
incursionar to dabble (4)
la **índole** character (5)
infaltable indispensable (3)
el **informe** report (1)
ingresar to enter (2)
los **ingresos** income (3)
la **iniquidad** injustice (4)
inquieto/a restless (4)
integrarse to integrate (4)
intentar to try (5)
involucrarse to get involved (4)
jubilarse to retire (5)
el **legado** legacy (4)
la **ley** law (1)
la **limosna** donation (3)
el **linaje** lineage (2)
llamativo/a striking (2)
llevar to carry (2)
localizar to locate (2)
lograr to achieve (2)
el **lujo** luxury (5)
la **luz** light (3)
mandar to send (1)
manifestarse to protest (4)
manipular to manipulate (3)
el **manjar** delicacy (4)
la **marca** brand (2)
Más vale prevenir que curar Better safe than sorry (1)
matar el tiempo to kill time (1)
mediante through (1)
la **medida** measure (2)
merecer to deserve (3)
la **merienda** afternoon snack (3)
el **metate** mortar (4)
meter to put in (2)
mezquino/a petty, stingy (5)
milenario/a millennial (4)
minucioso/a thorough (2)
moler to grind (4)
el **monitoreo** monitoring (1)
el **muro** wall (1)

Muy estimado/a profesor/a o muy distinguido/a profesor/a Dear professor (1)
No todo lo que brilla es oro Not all that glitters is gold (1)
padecer to suffer (3)
el **pago** payment (1)
el **país de acogida** host country (4)
la **panadería** bakery (3)
las **paredes** walls (4)
el **pedido** request (1)
peligroso/a dangerous (2)
perseguir to pursue (1)
la **perseverancia** perseverance (4)
las **pertenencias** belongings (2)
pesado/a heavy (2)
el **pesticida** pesticide (3)
la **población** population (3)
el **poder** power (1)
poderoso/a powerful (5)
la **política** politics (3)
la **portería** doorman's station (2)
el **prejuicio** prejudice (4)
prejuicioso/a prejudiced (4)
el **premio** prize (5)
la **privacidad** privacy (1)
el **privilegio** privilege (5)
probar to try (4)
promocionar to promote (1)
promover to sponsor (1)
protegerse to protect yourself (2)
provechoso/a rewarding (2) useful (5)
proveniente de originates from (5)
la **puntada** stitch (2)
quitar to take away (4)
la **raíz** root (4)
rascar to scratch (4)
el **rasgo** feature (4)
recaudar to collect (5)
rechazar to reject (4)
recompensado/a rewarded (5)
recurrente recurrent (3)
reflejar to reflect (2)
resaltar to highlight (3)
la **resistencia** resistance (3)
respaldar to support (5)
restringir to restrict (2)
el **resultado** result (5)
el **riesgo** risk (1)
la **sabiduría** wisdom (2)
los **sabios** wise people (3)
sacar to take away/out (4)
el **salario promedio** average salary (3)
salir adelante to get ahead (4)
sano/a healthy (3)
Según... According to... (1)
la **seguridad** security (1)
el **sello** stamp (3)
el **senderismo** trekking (2)
sensato/a sensible (5)
señalar to point out (1)
Sería mejor que... It would be better if... (1)
si bien although (5)
simbolizar to symbolize (3)
sin embargo however (1)
los **sintecho** homeless people (3)
sintético/a synthetic (3)
sobrevivir to survive (2)
la **solicitud** application (2)
sostener to uphold (5)
la **sucursal** branch office (2)
superar to surpass (1) to overcome (2)
surgir to emerge (3)
el **tamaño** size (2)
tejer to knit (2)
temporal temporary (5)
tener en cuenta to take into account (1)
el **tesoro** treasure (3)
las **tonterías** silliness (5)
el **traductor** translator (1)
transgénico/a genetically modified (3)

tributario/a tributary (5)
el **trigo** wheat (3)
unirse to join (3)
el **usuario/a** user (1)
valorar to value (4)
vencer to overcome (4)
vigente valid (2)
vigilar to watch (3)
el **vínculo** link (1)
la **vivienda** dwelling (4)

Spanish - English Expresiones Útiles

el/la **agricultor/a** farmer (3)
la **apertura** tolerance (4)
arhuaco/a belonging to an indigenous culture of Colombia (2)
el **bagaje** baggage (4)
la **balacera** shootout (2)
blindado/a armored (2)
el **chifa** name given to food that fuses Chinese and Peruvian ingredients; name given to a restaurant specializing in Chinese-Peruvian fusion food (4)
el **cifrado** encryption (1)
currarse algo to work at something (5)
dejar to leave (2)
delinquir to commit a crime (1)
desgastar to weaken (1)
entristecerse to become sad (5)
la **fiscalía** prosecution (1)
el **gen** gene (3)
el **haba** bean (3)
hedónico/a hedonic (5)
la **insulina** insulin (3)
el **intercambio** exchange (4)
el **mamu** the leader of the arhuacos (2)
las **ofrendas** offerings (3)
el **pesebre** nativity (3)
los **recaudos** precautions (1)
el **sudor de tu frente** the sweat of your brow (5)
la **tutu** arhuaca backpack (2)
la **watí** arhuaca woman (2)

English-Spanish Glossary

acceptance la aceptación (4)
to access acceder a (1)
According to... Según... (1)
account la cuenta (1)
to achieve lograr (2)
to acquire adquirir (4)
to adapt adaptarse (2) ajustarse (4)
to add añadir (3)
additive el aditivo (3)
adequacy la adecuación (4)
advice el consejo (1)
to advise aconsejar (5)
afternoon snack la merienda (3)
agility la agilidad (1)
alienation la enajenación (4)
although aunque (1) si bien (5)
ancestral ancestral/es (2)
anonymity el anonimato (1)
appearance la apariencia (4)
application la solicitud (2)
to appropriate apropiarse (4)
artisan artesanal (3)
ashamed avergonzado/a (1)
aspiration la aspiración (5)
assimilation la asimilación (4)
to assume asumir (4)
at all costs a toda costa (1)
atmosphere el ambiente (2)
attitude la actitud (5)
average salary el salario promedio (3)
to avoid evitar (2)
bag la bolsa (2)
to bake hornear (3)
bakery la panadería (3)
balance el equilibrio (5)
to be stressed estresarse (5)
to behave comportarse (1)
belief la creencia (3)
belongings las pertenencias (2)
beneficial benéfico/a (5)
Better safe than sorry Más vale prevenir que curar (1)
to boost impulsar (4)
branch office la sucursal (2)
brand la marca (2)
breaded empanado/a (3)
bullying el acoso (1)
carelessness la imprudencia (1)
to carry llevar (2)
censorship la censura (1)
character la índole (5)
charity la caridad (5)
to choose escoger (2)
to click hacer clic (1)
to coexist convivir (4)
coexistence la convivencia (3)
to coincide coincidir (4)
to collect recaudar (5)
colors el colorido (2)
comfort la comodidad (5)
to commemorate conmemorar (3)
commercial empresarial (5)
compassionate compasivo/a (5)
complex complejo/a (5)
to conform contentarse (5)
to confront enfrentar (4)
to consume consumir (3)
to contribute aportar (4)
conventional convencional (3)
convinced convencido/a (5)
to count on disponer de (5)
crime el delito (1)

to **cultivate** cultivar (3)
culture shock el choque cultural (4)
custom la costumbre (3)
to **dabble** incursionar (4)
daily cotidiano/a (1)
dangerous peligroso/a (2)
data los datos (1)
Dear professor Muy estimado/a profesor/a o muy distinguido/a profesor/a (1)
to **deceive** engañar (1)
decorations los adornos (2)
delicacy el manjar (4)
descendants los descendientes (4)
to **deserve** merecer (3)
to **design** diseñar (2)
destiny el azar (5)
device el dispositivo (2)
different distinto/a (4)
discouraging desalentador/a (5)
to **donate** donar (5)
donation la limosna (3)
doorman's station la portería (2)
dwelling la vivienda (4)
ecological ecológico/a (3)
effort el esfuerzo (1)
to **emerge** surgir (3)
to **endure** aguantar (3)
to **enjoy** disfrutar (2)
to **enrich** enriquecer (4)
to **enter** ingresar (2)
to **entertain yourself** entretenerse (1)
essential food los alimentos básicos (3)
expenses los gastos (3)
to **experiment** experimentar (2)
fact el hecho (4)
to **fail** fracasar (5)
famous people las estrellas (5)
farm la granja (3)
favorable favorable (5)
feature el rasgo (4)
to **feed** alimentarse (3)
to **find** hallar (3)
to **finish** acabar con (3)
to **fit in** encajar (4)
food la alimentación (1)
foreign extranjero/a (4)
foundation la fundación (5)
to **fulfill** cumplir (1)
funds los fondos (2)
fusion la fusión (4)
to **gain weight** engordar (3)
to **gather up things of value** atesorar (5)
genetically modified transgénico/a (3)
genius el genio (2)
germs los gérmenes (3)
to **get ahead** salir adelante (4)
to **get involved** involucrarse (4)
gift card el cheque regalo (1)
to **give back** devolver (1)
to **grab** agarrar (4)
to **grind** moler (4)
to **grow** crecer (3)
habit el hábito (5)
healthy sano/a (3)
heavy pesado/a (2)
hidden escondido/a (3)
to **hide** esconder (1)
to **highlight** resaltar (3) destacar (4)
homeless people los sintecho (3)
host country el país de acogida (4)
however sin embargo (1)
humble humilde (5)
I agree/ do not agree with... (No) estoy de acuerdo con... (1)
to **impose** ejercer (4)
In my opinion En mi opinión.... (1)
income los ingresos (3)
inconvenience el inconveniente (1)
increase el aumento (2)
indispensable infaltable (3)

injustice la iniquidad (4)
instead en cambio (1)
to **integrate** integrarse (4)
It would be better if... Sería mejor que... (1)
It's important that... Es importante que... (1)
to **join** unirse (3)
key clave (5)
to **kill time** matar el tiempo (1)
to **knead** amasar (3)
to **knit** tejer (2)
law la ley (1)
learning el aprendizaje (5)
legacy el legado (4)
level el grado (4)
light la luz (3)
likewise asimismo (5)
lineage el linaje (2)
link el vínculo (1)
to **load** cargar (2)
to **locate** localizar (2)
lodging el hospedaje (2)
luxury el lujo (5)
to **make oneself known** darse a conocer (4)
to **make sure** asegurarse (5)
to **manage** gestionar (5)
to **manipulate** manipular (3)
measure la medida (2)
melting pot el crisol de culturas (4)
millennial milenario/a (4)
monitoring el monitoreo (1)
mortar el metate (4)
to **move away** alejarse (2)
Not all that glitters is gold No todo lo que brilla es oro (1)
originates from proveniente de (5)
outdoors al aire libre (2)
outside of fuera de (2)
to **overcome** superar (2) vencer (4)
to **pack** empacar (2)
password la contraseña (1)
payment el pago (1)
to **penetrate** calar (4)
perseverance la perseverancia (4)
person born in America from European parents criollo/a (4)
pesticide el pesticida (3)
petty, stingy mezquino/a (5)
philanthropy la filantropía (5)
to **please** complacer (5)
pleasure la dicha (5)
to **point out** señalar (1)
politics la política (3)
population la población (3)
potion el brebaje (4)
power el poder (1)
powerful poderoso/a (5)
prejudice el prejuicio (4)
prejudiced prejuicioso/a (4)
privacy la privacidad (1)
privilege el privilegio (5)
prize el premio (5)
to **produce** elaborar (2)
to **promote** promocionar (1)
to **protect yourself** protegerse (2)
to **protest** manifestarse (4)
to **publish on the web** colgar (1)
to **put in** meter (2)
to **raise your voice** alzar la voz (4)
to **reach** alcanzar (5)
to **realize** darse cuenta (2)
recurrent recurrente (3)
to **reflect** reflejar (2)
to **regret** arrepentirse (5)
to **reject** rechazar (4)
relief el alivio (1)
report el informe (1)
request el pedido (1)
resistance la resistencia (3)
restless inquieto/a (4)
to **restrict** restringir (2)

result el resultado (5)
to **retire** jubilarse (5)
rewarded recompensado/a (5)
rewarding provechoso/a (2)
risk el riesgo (1)
root la raíz (4)
to **scratch** rascar (4)
search la búsqueda (5)
security la seguridad (1)
self-esteem la autoestima (1)
to **send** mandar (1)
sensible sensato/a (5)
to **share** compartir (1)
silliness las tonterías (5)
Sincerely Atentamente o Le saluda cordialmente (1)
size el tamaño (2)
skepticism el escepticismo (5)
slums los barrios bajos (3)
to **sponsor** promover (1)
to **spy** espiar (1)
stamp el sello (3)
to **stand out** destacar (5)
to **stimulate** incentivar (3)
stitch la puntada (2)
to **strengthen** fortalecer (3)
stressed estresado/a (2)
striking llamativo/a (2)
to **strive** esforzarse (3)
successful exitoso/a (5)
to **suffer** padecer (3)
to **support** respaldar (5)
to **surpass** superar (1)
to **survive** sobrevivir (2)
sustainable development el desarrollo sostenible (3)
to **symbolize** simbolizar (3)
synthetic sintético/a (3)
to **take a liking to** aficionarse a (1)
to **take advantage of** aprovechar (2)
to **take away** quitar (4)
to **take away/out** sacar (4)
to **take into account** tener en cuenta (1)
to **talk out** disuadir (3)
taste el gusto (2)
temporary temporal (5)
the limit al tope (2)
thorough minucioso/a (2)
thread el hilo (2)
to **threat** amenazar (1)
threat la amenaza (1)
through mediante (1)
to **pursue** perseguir (1)
translator el traductor (1)
to **treat well** agasajar (3)
trekking el senderismo (2)
trendy de último grito (1)
tributary tributario/a (5)
to **trust** confiar (1)
to **try** probar (4) intentar (5)
to **turn into** convertirse en (1)
unlike a diferencia de (1)
to **unplug** desenchufarse (2)
to **update** actualizar (1)
to **uphold** sostener (5)
useful provechoso/a (5)
user el usuario/a (1)
valid vigente (2)
to **value** valorar (4)
to **verify** constatar (3)
wall el muro (1)
walls las paredes (4)
to **warn** advertir (2)
to **watch** vigilar (3)
wealthy adinerado/a (5)
weapon el arma (1)
wheat el trigo (3)
wisdom la sabiduría (2)
wise people los sabios (3)
to **worsen** empeorar (4)
to **wound** herir (2)

English-Spanish Expresiones Útiles

arhuaca woman la watí (2)
armored blindado/a (2)
baggage el bagaje (4)
bean el haba (3)
to become sad entristecerse (5)
belonging to an indigenous culture of Colombia arhuaco/a (2)
to commit a crime delinquir (1)
encryption el cifrado (1)
exchange el intercambio (4)
farmer el/la agricultor/a (3)
gene el gen (3)
hedonic hedónico/a (5)
insulin la insulina (3)
to leave dejar (2)
name given to food that fuses Chinese and Peruvian ingredients; name given to a restaurant specializing in Chinese-Peruvian fusion food el chifa (4)
nativity el pesebre (3)
offerings las ofrendas (3)
precautions los recaudos (1)
prosecution la fiscalía (1)
shootout la balacera (2)
the arhuaca backpack la tutu (2)
the leader of the arhuacos el mamu (2)
the sweat of your brow el sudor de tu frente (5)
tolerance la apertura (4)
to weaken desgastar (1)
to work at something currarse algo (5)

Credits

Every effort has been made to determine the copyright owners. In case of any omissions, the publisher will be happy to make suitable acknowledgements in future editions. All credits are listed in the order of appearance.

All images are © Shutterstock, except as noted below.

Chapter 1

© EMMA, "Estudio sobre las apps más utilizadas en España en 2015", CC BY 3.0, https://creativecommons.org/licenses/by/3.0/legalcode, Recreado de http://marketing4ecommerce.net/whatsapp-google-maps-y-facebook-las-apps-mas-utilizadas-por-los-espanoles/, 1 dic. 2015.

© Diario Los Andes, "Confundir la vida real con la vida virtual: el peligro de Facebook", Extraído de http://archivo.losandes.com.ar/notas/2011/10/9/confundir-vida-virtual-real-peligro-facebook-598935.asp. 10 sept. 2011.

© Leonardo Haberkorn, "Con mi música y la Fallaci a otra parte". Fragmentos extraídos de http://leonardohaberkorn.blogspot.com/. 2016.

© Icono 14, Lorena Rodríguez García, José Rafael Magdalena Benedito, "Gráfico 5. Grado de aprobación a la hora de facilitar información personal en las redes sociales", Perspectiva de los jóvenes sobre seguridad y privacidad en las redes sociales, CC BY-NC-ND 4.0, https://creativecommons.org/licenses/by-nc-nd/4.0/legalcode, Extraído de http://www.icono14.net/ojs/index.php/icono14/article/view/885/556. 2016.

© Gobierno de España, Ministerio de Educación, Cultura, y Deportes, intef; María Loureiro, "Sobre la prohibición del uso de teléfonos móviles en escuelas e institutos", CC BY-SA 3.0 ES, https://creativecommons.org/licenses/by-sa/3.0/es/legalcode.es, Adaptado de http://www.educacontic.es/blog/sobre-la-prohibicion-del-uso-de-telefonos-moviles-en-escuelas-e-institutos. 30 nov. 2012.

Chapter 1 Images

p. 3, 6 (Domino's logo) © Domino's/Ken Wolter, Shutterstock.com.

p. 6 (Google "G" logo) © Google. Retrieved from Shutterstock. Google and the Google logo are registered trademarks of Google Inc., used with permission

p. 6 (Paypal Logo) © Paypal/shutterstock

p. 6 (Amazon logo on phone) © Amazon/shutterstock.

p. 9 (Image of Amazon on phone, Family outside, Family at table) © Amazon, "Amazon.es lanza su tienda de alimentación y limpieza del hogar", Imágenes extraídas de https://www.youtube.com/watch?v=k8N1LLEKlog. 28 sept. 2015.

p. 14 (Amazon logo on Phone) © Amazon, "Amazon.es lanza su tienda de alimentación y limpieza del hogar", Imagen extraída de https://www.youtube.com/watch?v=k8N1LLEKlog. 28 sept. 2015.

p. 20 (Still images from video of Pokémon Go Game) © Telemadrid, "La realidad virtual confirma su liderazgo con la llegada de Pokémon Go", Imágenes extraídas de http://www.telemadrid.es/noticias/sociedad/noticia/la-realidad-virtual-confirma-su-liderazgo-con-la-llegada-de-pokemon-go. 16 julio 2016. Used with permission.

pp. 40-41 (Still images from ATB video) © ATB Red Nacional de Bolivia, "Se abre el debate en torno a la necesidad de regular redes sociales", Imágenes extraídas de https://www.youtube.com/watch?v=46yycA1OSks. 2 marzo 2016.

Chapter 2

© AR-13 Magazine, "Tendencias Mochila 2017: Elije la tuya según tu personalidad y estilo", Extraído de http://www.ar13.cl/magazine/tendencias-mochilas-2017-elije-la-tuya-segun-tu-personalidad-y-estilo. 24 feb. 2017.

© EFE America, publicado en LaSexta Noticias, "Una falsa alarma por una mochila sospechosa obliga a los Mossos a cortar el tráfico en la Diagonal Mar de Barcelona", Extraído de http://www.lasexta.com/noticias/sociedad/falsa-alarma-mochila-sospechosa-obliga-mossos-cortar-trafico-diagonal-mar-barcelona_2017090359ac35b30cf25c1bd7e3d708.html. 3 sept. 2017.

© Montevideo Portal, "Niña de 11 años inventó mochila para niños con cáncer", Adaptado de http://www.montevideo.com.uy/contenido/Nina-de-11-anos-invento-mochila-para-ninos-con-cancer-248357. 29 agosto 2014.

© Trendy Advisor, "¡Hazte con una mochila chic y triunfa esta primavera!", Extraído de http://trendyadvisor.com/Blog-TrendyAdvisor/hazte-con-una-mochila-chic-primavera/. 15 marzo 2017.

© 24 Horas, TVN, "Torres del Paine: Limitan acceso a zona montañosa por aumento explosivo de visitantes", Extraído de http://www.24horas.cl/nacional/torres-del-paine-limitan-acceso-a-zona-montanosa-por-aumento-explosivo-de-visitantes-1927169. 9 feb. 2016.

© CONAF, "Estadisticas de visitación", Información extraída de http://www.conaf.cl/parques-nacionales/visitanos/estadisticas-de-visitacion/.

© GSMA, "Mobile Economy: Latin America and the Caribbean, 2017", Información extraída de https://www.gsmaintelligence.com/research/?file=e14ff2512ee2444 15366a89471bcd3e1&download. 2017.

© Joaquín Salvador Lavado (QUINO), Toda Mafalda, Ediciones de La Flor.

© Aniko Villalba, "Si queres viajar, viajá", Adaptado de https://viajandoporahi.com/como-dejar-todo-e-irte-de-viaje-por-el-mundo/, 23 enero 2011.

Chapter 2 Images

p. 53 (Space suit) © Craigboy - own work, "Manned Maneuvering Unit at Smithsonian…", CC BY-SA 3.0, https://creativecommons.org/licenses/by-sa/3.0/legalcode, Extraída de https://commons.wikimedia.org/w/index.php?curid=14638677.

p. 65 (Indigenous family) RGB Ventures/SuperStock/Alamy Stock Photo, Family Of Kogui Indigenous People Near Tayrona National Park, Santa Marta, Colombia. Extraída de www.alamy.com.

p. 65 (Arhuaco man) © Moto-gundy, "Arhuaco aus Nabusimake", CC BY-SA 3.0, https://creativecommons.org/licenses/by-sa/3.0/legalcode, Extraída de https://commons.wikimedia.org/w/index.php?curid=18565730.

p. 72 (Skateboard backpack) © hobo_018/iStock/Thinkstock, "Man Carrying Skateboard on His Back". Extraída de www.thinkstockphotos.com.

p. 72 (Space suit) © Craigboy - own work, "Manned Maneuvering Unit at Smithsonian…", CC BY-SA 3.0, https://creativecommons.org/licenses/by-sa/3.0/legalcode, Extraída de https://commons.wikimedia.org/w/index.php?curid=14638677.

p. 82 (Mexico map) © NordNordWest - own work, using United States National Imagery and Mapping Agency data World Data Base II data, "Mexico location map", CC BY 3.0, https://creativecommons.org/licenses/by/3.0/legalcode, Extraída de https://commons.wikimedia.org/w/index.php?curid=6207543.

pp. 83, 86 (Images of Juan David) © RadioDual Televisión (RDTV) (2016), "MOCHILA ANTIBALAS ¿creatividad o necesidad?", Extraídas de https://www.youtube.com/watch?v=aH8hhhuSGi8. 24 nov. 2016.

p. 98 (Images of Mochileros) © Repretel Costa Rica, "Mochileros argentinos", Extraídas de https://www.youtube.com/watch?v=qpIeLFFrHwc. 5 junio 2014.

Chapter 3

© Dmitry Belyaev, Metro World News, "¿Cómo refleja la comida tradicional nuestra identidad cultural?", Adaptado de http://diariometro.com.ni/tendencias/73049-refleja-la-comida-tradicional-nuestra-identidad-cultural/. 2016.

© Prensa Libre, "El pan de recado una tradición retalteca", http://www.prensalibre.com/hemeroteca/el-pan-de-recado-una-tradicion-retalteca, 17 marzo 2016.

© Radio Francia Internacional, "Estudio revela que comida orgánica no es significativamente más sana", Adaptado de http://radio.uchile.cl/2012/09/05/estudio-revela-que-comida-organica-no-es-significativamente-mas-sana/, 5 sept. 2012.

© Seologic, S.L., Cuidandose.com, "¿Qué beneficios produce la alimentación orgánica?", Adaptado de https://www.cuidandose.com/alimentacion/alimentacion_ecologica/beneficios-produce-la-alimentacion-organica.html. 21 abril 2017.

© BioSpace, "Beneficios de Comer Orgánico", Información extraída de https://www.facebook.com/biospace.barcelona/photos/a.111654739009682.1073741829.102105286631294/189489077892914/?type=3&theater. 14 nov. 2014.

© INFOBAE, "Pobreza en América Látina - % Sobre el total de la Población", Gráfico recreado de https://www.infobae.com/economia/2017/06/17/la-argentina-ya-es-uno-de-los-paises-con-mayor-indice-de-pobreza-de-america-latina/. 17 junio 2017.

© Dinero.com, "5 medidas de alto impacto para combatir la pobreza y la desigualdad" Adaptado de http://www.dinero.com/economia/articulo/formas-de-combatir-la-pobreza-y-la-desigualdad-segun-banco-mundial/235176. 23 oct. 2016.

Chapter 3 Images

p. 117 (Ecorganicos symbol) © Fedeorganicos, "Ecorganicos de Colombia Seal", Extraído de http://www.fedeorganicos.com/. 2018.

p. 138 (Ecorganicos logo) © Fedeorganicos, "Ecorganicos de Colombia Seal", Extraído de http://www.fedeorganicos.com/. 2018.

p. 138 (USDA Organic) © USDA, "USDA Organic Logo".

p. 138 (Orgánico Argentina) © Ministerio de Agroindustria de Argentina, "Orgánico Argentina logo", Extraído de http://www.alimentosargentinos.gob.ar/HomeAlimentos/Organicos/logo.php.

p. 138 (EU Organic) © European Commission/EU Organic logo.

p. 139 (Image of Martí C de Ciencia Blogger) © C de Ciencia, "Los aliments transgénicos: ¿buenos o malos?, Extraída de https://www.youtube.com/watch?v=OCHGcvPXQcE. 10 mayo 2014.

p. 148 (Two men) Image of Jesús Soria and José Miguel Mulet © Cadena SER, SER Consumidor, "La insulina es transgénica y nadie se queja", Extraída de http://cadenaser.com/programa/2017/06/20/ser_consumidor/1497955591_940001.html. 20 junio 2017.

p. 158 - (Still images from video) Best Efforts Made: © Frente Liber Seregni, "Brecha entre ricos y pobres: ¿Es inmutable o solucionable?", Extraídas de https://www.youtube.com/watch?v=L8BUO7zuoJ4. 28 oct. 2013.

p. 172 - (Image of Gustavo) © - Unicef Perú, "Conoce los ODS: Objetivo 1 - Fin de la pobreza", Extraída de https://www.youtube.com/watch?v=Xn1TrnaBkJc. 3 marzo 2016.

Chapter 4

© Notimex, "Mexicanidad, producto de elementos prehispánicos y coloniaje: Experto", Adaptado de http://www.lacronica.com/EdicionEnLinea/Notas/VidayEstilo/06072013/724056-Mexicanidad-producto-de-elementos-prehispanicos-y-coloniaje-Experto.html. 6 julio 2013.

©Notimex, "Mole Poblano", Extraída de https://www.angelopolis.com/mole-poblano/. 28 agosto 2015.

© Kaeri Tedla, Warp, "Cosmopolita...las mil caras del mexicano... #WARPBeforeAndAfter", Adaptado de http://warp.la/editoriales/cosmopolita-las-mil-caras-del-mexicano-warpbeforeandafter. 26 junio 2017.

© Carlos Rivas, "Choque cultural: El gran desafío para los inmigrantes", CC BY-NC 4.0, https://creativecommons.org/licenses/by-nc/4.0/legalcode, Adaptado de https://chamanurbano.com/2012/02/15/choque-cultural-el-gran-desafio-para-los-migrantes/. 15 feb. 2012.

© Macarena Fernández, El Definido, "8 Extranjeros nos cuentan sus impresiones sobre costumbres chilenas", Extraído de http://www.eldefinido.cl/actualidad/pais/8526/8-extranjeros-nos-cuentan-su-impresion-de-las-costumbres-chilenas/. 17 mayo 2017.

© Joaquin Montano, "Las 5 Consecuencias Culturales de la Migración Más Destacadas", Adaptado de https://www.lifeder.com/consecuencias-culturales-migracion/. 2018.

© EFE América, "Artista callejero hispano transforma grafitis de pandilleros en obras de arte", Adaptado de http://www.eleconomistaamerica.com/cultura-eAm/noticias/5094338/08/13/Artista-callejero-hispano-transforma-grafitis-de-pandilleros-en-obras-de-arte.html, y http://www.azteca21.com/index.php/noticias/paisanos/18518-epifanio-monarrez-hijo-de-inmigrantes-duranguenses-transforma-graffitis-de-chicago-en-obras-de-arte-callejero. 26 agosto 2013.

© La Nación, "Una cultura que se fusionó con las costumbres argentinas", Adaptado de https://www.lanacion.com.ar/55879-una-cultura-que-se-fusiono-con-las-costumbres-argentinas. 14 marzo 2001.

Chapter 4 Images

p. 185 (Three still images from video) © INALI, "Spot de la campaña 'Lenguas Indígenas Nacionales de México'", Extraídas de https://www.youtube.com/watch?v=3GdJ8sbElPw. 18 nov. 2011.

p. 188 (Octavio Paz book cover) © Penguin Books, *El Laberinto de la Soledad* book cover, 1997.

p. 212 (Beto Perez) © Lunagiselle, "Beto Perez", CC BY-SA 4.0, https://creativecommons.org/licenses/by-sa/4.0/legalcode, Extraída de https://commons.wikimedia.org/w/index.php?curid=65719094.

p. 212 (Norma Torres) © United States Congress - https://torres.house.gov/about/full-biography, Public Domain, Extraída de https://commons.wikimedia.org/w/index.php?curid=60208771.

Chapter 5

© Real Academia Española, "Felicidad", Diccionario de la lengua española, Extraída de http://dle.rae.es/?id=Hj4JtKk. 2018.

© Patricia Sánchez Rubio, Psicología y Conducta, "¿Existe la felicidad? Mitos y Verdades", Adaptado de http://www.psicologiayconducta.com/felicidad-existe-mitos-verdades. 13 nov. 2017.

© Margarita Naupari, RPP Noticias, "La felicidad en América del Sur", Extraída de http://rpp.pe/economia/economia/peru-es-el-tercer-pais-mas-infeliz-de-sudamerica-segun-la-onu-noticia-1038156. 2017.

Best Efforts Made: © Bruce MacMaster, Revista Dinero, "La filantropía en América Latina", Adaptado de https://www.dinero.com/columnistas/edicion-impresa/articulo/la-filantropia-america-latina/35895. 9 enero 2006.

© Tania Sanz, "10 Formas de ser más feliz y sentirte bien", Adaptado de https://habitualmente.com/ser-feliz. 08 dic. 2017.

© Alex Arroyo Carbonell, "El secreto del éxito y la felicidad", Adaptado de http://blog.lasleyesdelexito.com/secreto-del-exito-felicidad/, 7 feb. 2015.

Chapter 5 Images

p. 258 (Red Cross tent) © Julius.kusuma - Trabajo propio, "Croixrouge logos", CC BY-SA 3.0, https://creativecommons.org/licenses/by-sa/3.0/legalcode, Extraída de https://commons.wikimedia.org/w/index.php?curid=405585.

p. 262 (7 Video stills) © Imágenes del video cortesía de RTVE, "Altruismo y la felicidad: Psicología positiva", *Redes psicología*, Extraídas de http://www.rtve.es/television/20130604/dar-para-ser-felices/680683.shtml. 6 abril 2013